KATARZYNA ENERLICH

PROWINCJA
■ pełna marzeń ■

mg

ISBN: 978-83-61297-25-3

Ilustracja autorki na okładce: Kamila Pańta-Dawid

Przedwojenne pocztówki Sensburga ze zbiorów Janusza Sibika

Projekt okładki: Maciej Sadowski

Opracowanie redakcyjne: MG

www.wydawnictwomg.pl

kontakt@wydawnictwomg.pl

handlowyMG@gmail.com

Drukarnia Wydawnicza im. W.L. Anczyca
30-011 Kraków, ul. Wrocławska 53

Prawdziwy przyjaciel to ten,

który przychodzi, gdy cały świat odchodzi.

Wszystkim, którzy kiedyś przyszliście i... jesteście.

Dzięki Wam mój świat nie odszedł.

Katarzyna Enerlich

Powieść jest artystyczną kreacją, a nie odzwierciedleniem rzeczywistości.
Przedwojenna historia z Prus Wschodnich jest prawdziwa,
jednak na potrzeby książki nieco zmieniona.
Wszelkie podobieństwo do konkretnych osób jest przypadkowe.
Życie bywa inspirujące, choć czasem trudno uniknąć życiowych powtórek.

Panorama przedwojennego Mrągowa

Vielen herzlichen Dank für Euch. Endreise morgen.

Innige Grüße Mamma

Rozdział I

Zaczyna się od zmian w redakcji lokalnego tygodnika, planowaniu, wysycaniu i konieczności docenienia gospodyń domowych.

Tygodnik trzeba wysycać informacjami! Muszą być bliskie sprawom przeciętnego zjadacza chleba! Pamiętajcie, kto nas czyta – ludzie średnio wykształceni, mający niewielki zasób słów. Gospodynie domowe, które chcą wiedzieć, co słychać u ich sąsiadów. I sprawami tych sąsiadów musi żyć nasz tygodnik. Rozumiecie???!!! – grzmiał zza biurka całkiem nowy szef, przydzielony nam przez wydawcę, który sam kiedyś był naczelnym, ale wziął się za biznes w Opolu i tam się przeprowadził. Redakcję nadzorował na odległość, licząc na naszą lojalność i pracowitość. My wysyłaliśmy mu co tydzień nowe numery, a on je oceniał, notując uwagi czerwonym cienkopisem i odsyłał. Do naczelnego należało wyciągnięcie wniosków z tych poprawek.

Nowy naczelny był jego dawnym kolegą, pojawił się tydzień temu, a już przewrócił redakcję do góry nogami. Zaczął od Zbyszka, czyli byłego już szefa. Spokojnego czterdziestolatka, któremu najwyraźniej zabrakło siły przebicia w układach z wydawcą. Dochodziły nas słuchy, że nowy, imieniem Artur, po prostu stracił pracę w swoim rodzinnym Olsztynie i poszukiwania zajęcia zaczął od dawnego kolegi, który miał wobec niego jakieś stare zobowiązania. A że Zbyszek był zbyt cichy i cierpliwy, by walczyć, dał się szybko wysadzić z siodła. Znalazł na szczęście pracę w innym mazurskim miasteczku i, jako człowiek samotny i bez zobowiązań, wyemigrował, pokornie robiąc miejsce dla Artura. Ten rozpanoszył się na biurku poprzednika jeszcze kiedy ten miał tam swój kubek i notatnik. Na czystym po raz ostatni blacie porozkładał telefony, pełne szpargałów firmowe papierowe teczki i woreczki z kanapkami. Okazywał duże zniecierpliwienie, gdy Zbyszek powoli pakował do kartonu po papierze do drukarki zawartość swoich szuflad. Palił nerwowo papierosy, jeden po drugim, nie zwracając uwagi na niepalącą resztę – czyli nas wszystkich, pochowanych po kątach. Czekał, aż Zbyszek wyniesie się już całkiem i będzie mógł w pełni zaanektować jego biurko.

Ta chwila wreszcie nastąpiła. Artur nie pożegnał się z wychodzącym. Widać Zbyszek nie był godzien jego zainteresowania. Popatrzył tylko za nim, a potem wyszedł ostentacyjnie na balkon dokończyć papierosa i porozmawiać z wydawcą.

– Właśnie wyjeżdża. Tak, zaraz zrobię... Oczywiście, pamiętam... – dochodziły do nas strzępy rozmowy.

Wyszliśmy na redakcyjny parking pożegnać Zbyszka – czując na sobie wzrok Artura. Potępienie dla naszej wylewności wwiercało się nam w plecy. Mimo to obejmowaliśmy naszego byłego naczelnego, niektórzy nawet mieli łzy w oczach. Było nam żal, że wyjeżdża, że nie zrobimy już razem kolejnego numeru tygodnika. Inteligentny, czujny, błyskotliwy, był doskonałym dziennikarzem. To jednak dla wydawcy w Opolu liczyło się chyba najmniej.

W duchu każdy zastanawiał się, kto pierwszy zacznie zabiegać o względy nowego szefa. Najwcześniej pękła stażystka Jola. Zaproponowała herbatkę. Odmówił, mówiąc, że pije tylko kawę. I przypalił kolejnego papierosa. Za chwilę Jola przybiegła z parującym, firmowym kubkiem. Przyjął go łaskawie, postawił na swoim biurku i rozpoczął perorę:

– W naszych tekstach używamy słów powszechnie zrozumiałych. Żadnych skomplikowanych znaczeń. Poprzedni szef... – tu na chwilę zawiesił głos znacząco, żebyśmy nie mieli żadnych złudzeń, iż teraz już wszystko będzie inaczej niż w czasach jego poprzednika – popełnił wiele błędów. Ten tygodnik wymaga podźwignięcia, ale damy radę. Przede wszystkim musimy wyrobić plan wydawcy, jeśli chodzi o reklamy. Nie jest najgorzej, gazeta żyje z nich, jakoś się trzyma, ale ten dział trzeba trochę podciągnąć.

I tu zaczął się wykład na temat sprzedawania powierzchni reklamowej, współpracy z klientami, propozycji rabatowych i walki o klienta. W zasadzie mógł tego wysłuchać tylko nasz handlowiec, Michał, jednak nowy władca najwyraźniej uznał, że tajniki wiedzy na temat zdobywania reklam będą niezbędne również dla piszących. W głębi serca miałam nadzieję, że nie będę musiała tych powierzchni już wkrótce sama sprzedawać. Artur gotów był wierzyć, że dziennikarz jest od wszystkiego! Kiedy odważyłam się wreszcie zapytać, czy w tym czasie, kiedy on wykłada wiedzę przydatną tylko Michałowi, który i bez tego był dostatecznie sprytny, moglibyśmy powrócić do swoich zajęć, bo właśnie kończymy numer, Artur spojrzał na mnie srogo i stanowczo upomniał:

– Wszyscy musimy wiedzieć, co wzajemnie robimy. Od dziś pracujemy w zespole. Ty – wskazał na mnie przyżółconym od tytoniu palcem – jesteś trybikiem tego zespołu. Gdy Michał pójdzie na urlop, może będziesz musiała go zastąpić.

No i się doczekałam! Oby tylko Michał nie poszedł na urlop! Utarł mi Artur nosa już na wstępie, na pierwszym spotkaniu zapoznawczym. To chyba nie wróżyło nic dobrego. A potem przekonaliśmy się, że wielką miłością Artura są właśnie takie spotkania, na których mógł demonstrować swoją władzę.

– Codziennie o dziewiątej będziemy spotykali się na odprawie – powiedział stanowczo. – O tej porze wszyscy mają już być w redakcji, z przygotowanym planem działania na cały dzień. Propozycjami tematów. I pamiętamy. Musimy je wysycać informacjami. Jak najwięcej informacji. A nasze spotkania będą miały nazwę „planowanie".

Padł na nas blady strach. Najmniej przestraszyła się Jola, bo była młoda i ładna, a najwyraźniej te cechy zwróciły uwagę Artura. Sam nieszczególnie urodziwy, dość niski, wydawał się jakiś, hm... niedomyty, niedogolony; z łysiną na środku głowy, przypominał raczej ludzką wersję E.T. niż redaktora naczelnego lokalnego tygodnika. Wydawało mu się pewnie, że ma taki nonszalancki styl, bo dumnie prężył się i nosił dłonie w kieszeniach, gdy z nami rozmawiał. Gdy już te dłonie wyciągał, można było zauważyć, że pod paznokciami żółtych palców czasem kryły się interesujące z punktu widzenia bakteriologa złoża, konsystencją przypominające plastelinę, a wokół całej postaci unosiła się woń smażenia i stęchłego dymu papierosowego. I dopiero przez to przebijał się zapach wody toaletowej. To nie był sznyt. To było niedbalstwo!

– No to mamy nowego szefuńcia – powiedziała już pierwszego dnia Baśka, której biurko stało tuż przy moim. Baśka skończyła tę samą uczelnię, co ja. Nie planowała zostać dziennikarką, wolała zawód kosmetyczki, jednak jak tylko w miasteczku zaczęły krążyć słuchy o tym, że ktoś zamierza stworzyć lokalną gazetę, tak jak ja, zgłosiła się ze swoimi dokumentami. Bo dziennikarzem może zostać każdy. No i jakoś tak wyszło, że obie dostałyśmy tę pracę – chętnych w miasteczku było jak na lekarstwo, tutejsze szkoły specjalizowały się jeszcze wówczas w produkowaniu mechaników, kucharzy i krawcowych.

Baśka wsiąkła w redakcyjne życie, spodobała się jej ta swoista niezależność. Okazała się dobrą koleżanką i była w zespole jedyną kobietą, z którą jakoś się dogadywałam. Ona najwyraźniej również dostrzegła w nowym szefie więcej wad niż zalet i z niespotykaną dotychczas gorliwością zatopiła swój nos w lekturze listu do redakcji.

– Redaktorek jak ta lala – mruknęła po kilku minutach. – Moje poczucie estetyki zostało mocno naruszone. Ech, gdzież ten nasz wymuskany Zbysiu... – westchnęła cicho.

Ja milczałam. Czułam na plecach wzrok Artura i słyszałam głos rozszczebiotanej Joli:

– Może jeszcze kaweczkę?

Artur mruknął coś pod nosem, a mnie ogarnęły dziwne przeczucia. Bo wiercenie wzrokiem w plecach nie mogło być przypadkowe. Pocieszałam się jednak, że za dużo umiem, by nowy naczelny mógł się mnie po prostu pozbyć. Postanowiłam dotrzeć jakoś do tej niezdobytej, niedomytej twierdzy i – w myśl mojej życiowej zasady, że z każdym można się porozumieć – spróbować dogadać się jakoś z nowym naczelnym, skoro już przyszło nam razem pracować. Bo mam głębokie przekonanie, że wszystko, co nam się w życiu zdarza, jest potrzebne. Może również i to wrażenie, jakie wywołuje nasz Artur? Może ma mnie ono nauczyć, że nie wszystko jest zawsze do przodu?

Nabrałam zwyczaju pośpiesznego wracania z pracy do domu, by umyć się dokładnie. Od niedawna bowiem miałam wrażenie, że przesiąkam zapachem, który stał się integralną częścią naszej spokojnej dotąd, pomalowanej na pastelowe kolory, obsadzonej kwiatami i obwieszonej obrazami redakcji.

Właśnie suszyłam włosy, gdy zadzwoniła komórka. „Któż to może być?" – pomyślałam głośno. Wyświetlił się numer redakcji. Z tego co

wiem, wszystko, co miałam zaplanowane na dziś, wykonałam. Zresztą
któż mógł o tej porze dzwonić? Rozstaliśmy się na schodach o szesna-
stej. Zamknęliśmy drzwi na klucz. To skąd?... Odebrałam. W słuchawce
usłyszałam głos Artura. Zmroziło mnie.

– Czytam właśnie twój tekst – zaczął. Pomyślałam – „matko, co on
robi o tej porze w redakcji? Czy nie zamierza wracać do domu? Przecież mieszka w Olsztynie! Nie chce tam wracać, pomieszkać trochę?"
Artur nie zamierzał.

– Czytam i uważam, że trochę przesadziłaś. Zbytnie użalanie się nad
jakąś samotną matką z Piecek chyba nie zainteresuje czytelnika. Nam
potrzeba krwi. Jakiegoś sporu, jakiegoś problemu. A tu co? Żeby chociaż
ten mąż ją pobił. Żeby chociaż musiała z dziećmi uciekać nocą na policję.
A ta co? Wyprowadziła się po prostu, kiedy męża nie było w domu. I te
podziękowania dla personelu Domu Samotnej Matki też bez sensu. Po co
im dziękować? Oni przecież wypełniają swoje obowiązki. Za to im płacą!
Z kieszeni podatników! Odrzucam ten tekst. Musisz go przeredagować
i wysycić informacjami.

Ciekawymi z punktu widzenia gospodyni domowej – dodałam sarkastycznie w myślach. Nie podzieliłam się jednak tą myślą z moim rozmów-
cą. Obawiałam się, że słuchawka po drugiej stronie eksploduje. Mógł być
już przecież przemęczony – tyle godzin w pracy, o suchych kanapkach.
I jeszcze musi czytać wypociny jakichś prowincjonalnych dziennikarzy.
Z dala od domu. Może mu nawet zimno, bo marcowe wieczory nie są
najprzyjemniejsze. Tak się w tych myślach zapędziłam, że prawie wsiadłam w samochód i zawiozłam mu termos z gorącą kawą. Na szczęście
było to jednak niewykonalne. Mój samochód był w warsztacie.

Artur, nie domyślając się, jak wielka troska o niego nagle mnie prze-
jęła, ciągnął dalej:

– Jutro o dziewiątej tekst ma być gotowy. Na planowaniu przedsta-
wisz mi swoje pomysły, jak go wysycić i co zmienić. Pamiętaj o targecie,
do którego skierowany jest nasz tygodnik.

Sprawdziłam w wikipedii, co to jest ten target. Wysycanie już zaczęłam rozumieć. Hm, niedługo wszyscy będziemy tak się mądrzyć. Używać
trudnych słów, a robić dalej to samo. Tak nastawiona do jutrzejszego
spotkania owinęłam się kocem i zasiadłam w fotelu, żeby konceptualnie

popracować. Bardzo zależało mi na tym tekście. Samotna matka, którą poznałam w domu opieki, urzekła mnie swoją życiową mądrością i desperacją, z jaką walczyła o spokój dla swojej trójki dzieci. Mąż zaczął pić kilka lat temu. Odkąd zaczął pracować w miejscowej stolarni. Cieszyła się na tę jego pracę, bo gdy rok wcześniej straciła posadę sprzątaczki, do ich domu zajrzała bieda. Najpierw świeżo upieczony stolarz wracał lekko podpity, a potem był już przynoszony przez kolegów. Doprowadzali go do pionu na progu, dzwonili do drzwi i odchodzili. A mąż wpadał prosto na otwierającą drzwi żonę. Tak w praktyce sprawdzała się małżeńska przysięga: na dobre i na złe. W trosce o dzieci i z nadzieją, że mąż się opamięta, próbowała szukać pomocy w różnych instytucjach. Pewnego dnia zobaczyła ogłoszenie: Szukasz pomocy? Pomożemy ci. I numer telefonu zaufania. Zadzwoniła. Uprzejma pani poinformowała ją, że może zorganizować jej spotkanie z psychologiem. Spotkała się. I postanowiła wyprowadzić się od męża. Zaraz po tym, gdy sprzedał nowy toster, który dostała od sąsiadki. Dzieci cieszyły się, że mogą robić w nim gorące kanapki. Pewnego dnia tostera nie było. Były za to butelki po winie i pijany tatuś na fotelu.

I wtedy podjęła desperacką decyzję. Kiedy mąż był w pracy, spakowała dzieci i siebie do dwóch walizek, zabrała podręczniki szkolne i zabawki najmłodszej córeczki, zamówiła taksówkę i pojechała do Domu Samotnej Matki, nie zostawiając nawet kartki na stole. Miała nadzieję, że mąż się opamięta, że jej nieobecność będzie kubłem zimnej wody na pijaną głowę.

Tymczasem lepiej dla niej byłoby, żeby najpierw ją pobił, bo wtedy musiałaby uciekać ciemną nocą z głodnymi i bezradnymi dziećmi. I wtedy może miałaby szansę podziękować tym, którzy przyjęli ją pod swój dach, dali schronienie, wsparli rozmową. A tak... za mało krwi... Jej historia, zdaniem Artura, nie urzeknie gospodyń domowych...

I z tymi myślami zasnęłam, w obszernym fotelu, zawinięta ciepłym kocem. Obudziłam się o północy. Mój mruczący rudy kot Mietek, do niedawna jeszcze rozhasany malec, a teraz coraz poważniejszy i stateczny starszy pan, pozbawiony w dzieciństwie męskości, rozłożył się na mnie wygodnie. Ściągnęłam go ostrożnie i powędrowałam do łóżka. Śniło mi się, że uciekam z moją bohaterką przez ciemny las, mam do pokonania wysokie schody. Wspinam się po nich, trzymam drewnianej barierki, jestem już wysoko, ale okazuje się, że nie zabrałyśmy z dołu dzieci. I musimy wracać. A dzieci na plecach mają ciężkie plecaki i ledwo idą. Wyciągam z kieszeni Mietka i ten zamienia się w osła. Zarzucamy na niego tobołki i wędrujemy w blasku księżyca. Poganiam wszystkich, bo musimy dotrzeć na dziewiątą. Wyglądamy jak święta rodzina ze starego obrazka szukająca Betlejem.

Obudził mnie trzask budzika. Nie dźwięk, a właśnie trzask. Mam tak czuły sen, że budzę się już w momencie, gdy wskazówki nachodzą na siebie na chwilę przed dzwonkiem. Zegarek wydaje z siebie taki suchy trzask. I właśnie z tym dźwiękiem kończą się moje senne marzenia i wraca rzeczywistość. Szybki prysznic, szlafrok, kitekat dla Mietka, choć w zasadzie powinna to być specjalna karma dla kastratów, ale się skończyła, dżinsy, sweter, płaszczyk, torebka. Nie ma samochodu. Kiedy go wreszcie naprawią? Może jednak powinnam zadzwonić do warsztatu? Poranek powitał mnie mglisty, ziemia jeszcze spała snem pozimowym, na razie nic nie wróżyło jej przebudzenia.

Moja kamienica była moją małą ojczyzną. Tajemnicza, jedna z najpiękniejszych na całej ulicy, a może nawet w miasteczku? Żyła swoim własnym życiem. Na przykład w nocy – szeptała. Mówiłam wtedy o niej: „kamienica pełna szeptów". Trzeszczały ponad stuletnie belki nad jej poddaszem, a schody wydawały odgłosy, jakby chodził po nich ktoś w wełnianych skarpetkach. Albo kot. Gdy wszyscy mieszkańcy kamienicy spali, wydawało mi się, że ściany oddychają wraz z nimi w równym rytmie. Zimą szept był ostrzejszy. Mróz bowiem sprawiał, że nocne szepty zamieniały się w trzaski – zamarzały małe okienka na półpiętrach, a zebrana w szparach woda rozsadzała stare drewno. To był mój dom, z odgłosami, których słuchali już ponad sto lat temu dawni jego mieszkańcy, Mazurzy.

Nie znałam dokładnie historii swojego domu. Wiedziałam tylko, że jego mieszkańcy nie byli bogaci. Bo i dawniej Mrągowo nie należało do najzamożniejszych miasteczek w Prusach Wschodnich. Jednak mazurska precyzja i dokładność dawała o sobie znać w każdym detalu – elegancko wyprofilowane drewniane poręcze, dokładnie zaplanowanej wysokości kamienne schody z metalowymi obręczami, zapobiegającymi upadkom, pięknie rzeźbione drzwi wejściowe, które w szarych czasach socjalizmu zostały bestialsko pomalowane olejną farbą. Potem kolejne remonty i kolejne warstwy farby, nakładane leniwie przez znudzonych robotników. Lubiłam czasem w dzieciństwie zeskrobywać te warstwy w niewidocznym miejscu i przypominać sobie, jaki kolor miały drzwi kilka lat temu.

Zbiegłam po schodach. Na pewno się nie spóźnię. Dziś wstałam wcześniej, wyjątkowo. Wiosna ma to do siebie, że szkoda czasu na sen...

Otworzyłam drzwi od redakcji o ósmej trzydzieści. Myślałam, że będę pierwsza. Nie byłam. Artur mnie wyprzedził. Nie wiem, jak mu się to udało, mieszkał przecież w Olsztynie i musiał dojechać te sześćdziesiąt kilometrów. Na dodatek siedział tu już od jakiegoś czasu, bo w pomieszczeniu wisiały ciężkie kłęby dymu. „Trzeba coś z tym zrobić, on przecież nie może tak palić. Na nic nasze ambipury, powtykane w kontakty" – pomyślałam.

– Czy zastanowiłaś się, co zrobisz z tym tekstem? – powiedział na przywitanie.

– Cześć – odpowiedziałam. Również ciesząc się z naszego spotkania. Położyłam torebkę na biurku i poszłam otworzyć okno.

– Nie otwieraj, zimno dziś. – Zamknęłam.

– Najwyżej się podusimy – mruknęłam po cichu. Nie usłyszał. Czekał na coś innego.

– Co z tym tekstem? Masz jakiś pomysł? Mógłby pójść na czołówkę, ale zmieniony.

Czołówka to marzenie. To tekst na pierwszej stronie, z dużym zdjęciem. Najlepiej płatny. Naczelny najbardziej to docenia. Gdybym tylko dodała do mojej historii trochę krwi... Ale skąd ją wziąć? Musiałabym zafałszować rzeczywistość. Nie mogę przecież zmienić historii mojej bohaterki. Miałam jeszcze pół godziny, do dziewiątej, żeby wymyślić jakiś sposób i jednak sprzedać tę historię. Oczyma wyobraźni widziałam już gospodynie domowe, całe zastępy gospodyń domowych, pochylających się nad moim tekstem. Czytające na głos kolejne zdania. Nic nie rozumiejące z tego, co napisałam, w słownikach szukające znaczeń słów: społeczna obojętność, uzależnienie, współuzależnieni, choroba społeczna, patologia. Szanowane panie gospodynie, podsuńcie mi jakiś pomysł, żebym mogła napisać tę historię tak, jakbyście tego chciały...

O dziewiątej byliśmy już w komplecie. Wszyscy usiedliśmy wokół biurka Artura i czekaliśmy, kiedy zacznie planowanie. Czekaliśmy też na Jolę, która stukała na zapleczu z kubeczkami. Weszła z dwoma – dla siebie i szefa, zapachniało kawą.

– A zatem, najpierw Ludka powie nam, co zamierza zrobić z tym tekstem o samotnej matce...

– Ale co ty chcesz od tego tekstu? – odezwał się głośno nasz fotoreporter i trochę dziennikarz, taki chłopak od wszystkiego, Marcin, który był ze mną w Domu Samotnej Matki i zrobił na miejscu kilka zdjęć. Widać, musiał przeczytać artykuł, jak tylko go napisałam.

Artur spojrzał na niego z potępieniem. I zrobił mu wykład o brakach mojego artykułu i o tym, dlaczego dziennikarzowi naszego tygodnika nie przystoi pisanie TAKICH tekstów. Bo nie wciągnie, bo nie sprzeda tygodnika, bo musi być lokomotywą. Krew na pierwszej stronie. Ja już to słyszałam wczoraj. Znudzona spuściłam wzrok i ujrzałam, że Artur na nogach, zamiast wczorajszych adidasków, miał domowe kapcie w szaroburą kratkę.

– ... i co chcesz z tym zrobić? – usłyszałam z daleka. To było chyba do mnie. Myślałam o tych kapciach. Nie, żeby były brzydkie. Ale kapcie, w pracy?

– Pytam jeszcze raz, co zamierzasz z tym zrobić? – teraz pytanie zabrzmiało natarczywiej. Artur nie odpuszczał.

Na szczęście w tym właśnie momencie wpadłam na pomysł, zupełnie oczywisty! Zamiast krótkiego artykułu, napiszę duży reportaż o przemocy w rodzinie. Podam kilka statystyk, dotyczących dramatów rozgrywających się za zamkniętymi drzwiami. Wpuszczę trochę krwi. Opiszę jeszcze kilka innych historii, panie z Domu Samotnej Matki na pewno chętnie mi opowiedzą o swoich przeżyciach. Może ktoś na policji powie mi o tym, jak ojciec leje matkę, ojczym molestuje pasierbicę i konkubent wali siekierą w zamknięte drzwi. Przecież takie rzeczy się dzieją, zwłaszcza w tych bardziej zapomnianych dzielnicach każdego miasta! A historia mojej bohaterki będzie tylko jedną z wielu, takim dodatkiem, zachętą dla innych, przykładem, że można zareagować w odpowiednim czasie, zanim dojdzie do tragedii. Że warto powalczyć, podjąć decyzję wcześniej.

Opowiedziałam o tym całemu zespołowi i przede wszystkim nowemu naczelnemu. Ten ostatni milczał. Podrapał się w brodę. Od wczoraj lekko zarosła. Na przerzedzonych włosach widać było wyraźne gniazda, czyli odleżyny od poduszki. W ogóle był jakiś wczorajszy. I nagłe olśnienie: Arturek od wczoraj nie ogolił się i nie uczesał!

– Ostatecznie w takiej formie artykuł zatwierdzę. Tekst musi jednak sprawiać wrażenie, że opowiada o życiu naszych sąsiadów. Jakbyś opisywała ich konkretnie. Ma być przy-ziem-ny. Rozumiesz?

Dziękuję za takich sąsiadów. Na szczęście, u mnie tylko parter głośniejszy. Było mi już obojętne, żeby tylko dać szansę mojej bohaterce. Żeby nie zawieść jej nadziei. Na pewno postaram się napisać go dobrze. Teraz jednak zastanawiało mnie co innego. Czy Artur spał przy biurku? Planowanie trwało jeszcze godzinę. Zespół sypał tematami jak z rękawa – widać było przygotowanie do spotkania. Pewnie do serca wzięli sobie nowy obowiązek. Zakończyliśmy wreszcie. Artur wyciągnął z biurka pieczątkę i przystawił ją pod notatkami, które jeszcze podpisał. Co za biurokracja! Niczym w jakimś urzędzie!

Po tym burzliwym planowaniu zachciało nam się jeść i pić. Tymczasem Jola pozbierała kubeczki – swój i szefa oczywiście. I pobiegła, stukając obcasikami (założyła je dziś po raz pierwszy!) do niewielkiego pomieszczenia obok łazienki, gdzie mieliśmy zaimprowizowaną kuchnię. Potężny łomot wystraszył nas wszystkich. Dźwięk tłuczonego szkła. Jęk Joli. Pobiegliśmy tam, skąd wydobywały się odgłosy. Jola leżała swoją górną częścią na wielkim, rozłożonym pod drzwiami materacu. W ręku trzymała dwa spodeczki. Druga część Joli, czyli nogi i buty, leżały poza materacem. Te nogi, dość długie zresztą i szczupłe (ja takich nie mam, a szkoda!) spowite były w porwane rajstopy, liczne oczka prowadziły pod krótką spódniczkę, a tuż za kolanem łączyły się w jedno wielkie oko. Lewy bucik na obcasiku spadł zupełnie, prawy przekręcił się tyłem na przód. Nad całą Jolą, czyli za materacem, leżały resztki kubeczków, przyprószone fusami po kawie. Jola miała fusy również w blond włosach, dziś starannie wymodelowanych prostownicą. Całość ociekała resztkami kawy, której Artur nie dopił.

– Skąd się do cholery wziął tu ten materac?! – wrzeszczała Jola. Gramoliła się niezdarnie, przeglądając stan swoich tipsów. Na szczęście przeżyły ten upadek nietknięte.

– To mój materac. Będę tu spał, dopóki nie wyciągnę tygodnika z przepaści, w jaką wpuścił go mój poprzednik.

Prowincja pełna marzeń

Już wiedziałam, skąd te kapcie. I to nieogolone lico. I wieczorne telefony. Zaczynało się robić niewesoło.

Baśce też się oberwało. Do jednego numeru napisała trzy teksty z dziedziny kultury. Pierwszy – relacja z koncertu znanego barda ze Szczytna, drugi – nabór do grupy tanecznej, trzeci – zapowiedź występu teatru z Olsztyna.

– Czy wyście powariowali? Co naszych czytelników obchodzi ta jakaś lokalna kultura? W dużych miastach to się coś dzieje, ale tu? Rozumiem, jeden tekst o kulturze, ale trzy?! Kto wam to wszystko zatwierdzał do druku?! Ten poprzednik, pożal się Boże, to do mięsnego, a nie do pisania. Nic dziwnego, że sprzedaż spadła. Ja to wszystko muszę teraz nadrobić – obie z Baśką wiedziałyśmy już, że takie monologi w misyjnym tonie będą naszą codziennością.

Baśka musiała więc ograniczyć się do jednego tekstu. Wybrała relację z koncertu barda, żeby za tydzień nie odgrzewać tematu. Teatr może poczekać, będzie za trzy tygodnie, za dwa może uda się wspomnieć o naborze do grupy. Oby tylko nic w międzyczasie w dziedzinie kultury się nie wydarzyło. Bo nie będzie miało szans dostać się na łamy. Do tej pory bardzo gościnne. Widać, Arturek wiedział lepiej, co wolą czytać gospodynie domowe.

W drodze wyróżnienia Baśka otrzymała nowe propozycje tematów. Miała zrobić sondę uliczną na temat „Czy lubimy nosić kapelusze?", przeprowadzić wywiad z przypadkowo napotkanym właścicielem czworonoga – bo podobno zwierzęta najbardziej przemawiają do czytelników i znacznie podnoszą sprzedaż gazety – oraz spotkać się z czytelniczką, która mieszka w mieszkaniu komunalnym i tydzień temu zapaliły jej się sadze w kominie. Ocenić, kto zawinił, choć wiadomo, że administracja, przecież zawsze trzymamy stronę czytelnika, nawet jeśli on sam te sadze podpalił, bo tak powiedział Artur. Na koniec zrobić kilka fotek kobiecie, najlepiej usmarowanej sadzą, i wziąć od niej zgodę na publikację zdjęcia.

– Tu są gotowe druki, właśnie je przygotowałem. Od tej pory bezwzględnie będę wymagał podpisanych oświadczeń! – zarządził Artur.

– Podczas sondy ulicznej też? – cicho zapytała Baśka. Najwyraźniej bała się nowego szefa.

– Oczywiście! – zagrzmiał. – Jak ty to sobie wyobrażasz?! Chcesz spotkać się z czytelnikami w sądzie?!

– Ale jeśli będę miała tylko chwilkę? Albo jak ludzie będą się bali podpisywania karteczek? Przecież ja nigdy tej sondy nie zrobię! – Baśka próbowała jeszcze coś ugrać.

– To spytasz kogoś innego i najwyżej nie zobaczą się w tygodniku! Bez łaski! – wzruszył lekceważąco ramionami i rozsiadł się przy biurku, zgarniając na bok okruchy, trzy kubki z niedopitą kawą (Jola od przygody w łazience już nie garnęła się do zmywania), połamane papierosy, spodeczek z popiołem, cztery kolorowe zapalniczki, dwa długopisy i jeden ołówek, którego używał do notatek. Gdy już się przedarł przez to wszystko, odsłonił brudny, polepiony blat i położył na nim tygodnik z zaprzyjaźnionej redakcji w Nidzicy.

– Muszę przejrzeć, zobaczyć, jakie oni mają tam pomysły. Może coś podpatrzymy.

Już bałam się tego podpatrywania. I tak żal mi było Baśki, która po to skończyła uniwersytet, żeby biegać po ulicy i robić sondę, jak jakaś studentka na dziennikarskiej praktyce. Dziś ona, jutro ja.

– Ta kobieta nie chciała wymazać się sadzą – Basia relacjonowała swoją wizytę u czytelniczki.

– Co ty powiesz? To niby jak zobrazujemy ten tekst? Przecież zdjęcie też musi nam opowiedzieć historię! – Arturek był wyraźnie niepocieszony. – Daj mi numer telefonu do tej kobiety!

Udawałam, że pilnie pracuję. To nie może być prawda. Przecież chyba do niej nie zadzwoni?

Zadzwonił. Przedstawił się. Powiedział, że jest NOWYM redaktorem naczelnym, że gazeta od kilku tygodni ma misję bycia bliżej czytelnika i że jeśli ta czytelniczka chce sama sobie pomóc, to MUSI zgodzić się na zdjęcie w sadzy. W przeciwnym razie odmawiamy interwencji. Kwadrans ją przekonywał. Z tryumfem na twarzy odwrócił się w kierunku zdezorientowanej Baśki, wciśniętej w fotel.

– Masz być u niej za pięć minut. Tylko wymaż ją dobrze.

I tak temat zapalonej sadzy był tematem numer jeden w najnowszym tygodniku. Na pierwszej stronie zdjęcie rozmiarów billboardu, na nim przestraszona kobieta, wskazująca palcem na piec. Uczerniona sadzą przypominała Murzynka Bambo z czytanki. W sumie – dobrze ją Baśka usmarowała. Przynajmniej nikt jej nie rozpoznał i nie naraziła się na kpiny sąsiadów.

Tygodnik z „kominiarką" – jak nazwaliśmy kobietę – nie odniósł spodziewanego przez Artura sukcesu. Sprzedaż nie wzrosła gwałtownie, my za to odebraliśmy masę telefonów od czytelników. Mówili, że u nich oraz u ich sąsiadów również są zapchane piece lub spadające z sufitu tynki, i pytali, czy moglibyśmy o tym napisać. Mieliśmy istną nawałnicę telefonów od użytkowników mieszkań komunalnych, którym grożą wszelkie plagi tego świata, a tygodnik lokalny okazywał się jedynym panaceum na tę klęskę. Nie tego zapewne spodziewał się Arturek. Takich telefonów odbierał po kilka dziennie, na początku jeszcze wysyłał stażystów pod podawane adresy, ci wracali z aparatami pełnymi zdjęć, dokumentujących budowlane zaniedbania, i notesami, wypełnionymi zgodami na publikację zdjęcia mieszkańca z: dziurą w ścianie, szparą w oknie, wyszczerbioną podłogą czy – mimo wszystko najczęściej – dziurą w piecu. Najpierw Arturek pisał o tych sprawach pojedynczo, potem opisywał sytuacje zbiorowe, aż wreszcie zaniechał – ku naszej radości i uldze, bo tygodnik zaczął powoli przypominać pismo administratorów i budowlańców. I kiedy już się okazało, że komunalna passa minęła, do redakcji wbiegła zadyszana kobieta – duża, postawna, na Podlasiu powiedzieliby o niej „olopa" – i zażądała widzenia z redaktorem naczelnym. Wychynął zza swojego biurka, od kilku tygodni niewyspany, z przekrwionymi oczami i głośno powiedział:

– Tu jestem, bardzo panią proszę.

Olopa przesunęła stojące na jej drodze krzesła i stanowczo, z niespodziewaną zręcznością pożeglowała w kierunku Artura. Usiadła. Krzesło stęknęło.

– Czekałam i czekałam i pan do mnie nie przyszedł. Co pan sobie myśli?! Umówieni byliśmy chyba, nie?

Artur zaczął mętnie tłumaczyć, że nie mógł, że kończyliśmy właśnie numer, że brak czasu itp., ale Olopa nie dawała za wygraną.

– Obiecał pan, że mi to naprawią. Toaleta nieczynna od dwóch tygodni, do wychodka latam starego. A pan nie przyszedł!

Arturek ułagodził Olopę i powiedział, że przyjdzie jutro. Oczyma wyobraźni już widziałam go, przepychającego jakiś brudny ustęp w kamienicy, wlewającego doń krety i inne żrące płyny, a nad nim stojącą Olopę, wykrzykującą, ponaglającą.

Zauważyłam jednak pewną rzecz – Artur dziwnie cichł w obecności tych, którzy na niego krzyczeli. Wyraźnie tracił rezon. Krzycząca Olopa miała na niego niezwykły wpływ, siedział niczym trusia za biurkiem i nawet obiecał pójść do niej na drugi dzień i obejrzeć zapchaną toaletę. I pewnie jeszcze o niej napisać. Jeśli nie zabierze się za jej odetkanie...

Tyle że ja nie umiałam tak krzyczeć. Nie miałam siły Olopy, która łokciami zapędziła Artura w kozi róg. Nie potrafiłam przeć przed siebie po chamsku, tylko cierpiałam w milczeniu nad ludzkim tupetem.

Artur na drugi dzień wrócił od Olopy wyraźnie zmęczony.

– Musimy na jakiś czas zakończyć temat pieców i szamb. Lokalny tygodnik musi żyć jeszcze innymi sprawami. Od teraz, jeśli ktoś zadzwoni z interwencją, odsyłamy do administratora budynku.

Potrzebował kilku tygodni, by to zrozumieć. Jego poprzednik mówił po prostu czytelnikowi, żeby napisał list do redakcji. To była naturalna selekcja. Większości bowiem nie chciało się pisać i temat często umierał śmiercią naturalną. Gdy sprawa była naprawdę ważna, desperat pisał list i w ten sposób zaczynaliśmy podejrzewać, że coś jest na rzeczy. Staraliśmy się Arturkowi podpowiedzieć ten sposób, ale wszelkie rozwiązania poprzednika z góry określał jako nieudane i do kitu. I przypominał, że on tu rządzi, a nie my.

Od kilku dni Artur podpatrywał. Już nie tylko tygodnik z Nidzicy, ale również z Morąga, Lidzbarka Warmińskiego i Gołdapi. Działały na niego inspirująco i miałam wrażenie, że chce te wszystkie tygodniki zamknąć w jeden, nasz. A tak się nie da. Każdy ma inny charakter, bo i każde miasto jest inne! Po jednym z planowań dostałam w udziale tworzenie rubryki o zwierzętach.

– Zwierzę, pupilek człowieka jest tym, co czytelnik wprost uwielbia, co się dobrze kojarzy. Piszmy o tych, którzy hodują psy, koty i kanarki. W każdym numerze chcę mieć tekst o zwierzaku i jego właścicielu. To rewelacyjny pomysł! I wzrasta od niego sprzedaż!

Musiałam więc skupić się na wyszukiwaniu ciekawych obiektów, do lamusa chowając marzenia o ambitnych reportażach i dziennikarstwie obywatelskim, czego uczyłam się na szkoleniach i konferencjach, organizowanych przez Stowarzyszenie Prasy Lokalnej. Musiałam zapomnieć o tym wszystkim, czego dowiedziałam się na studiach od ludzi mądrych, światłych i praktykujących w zawodzie. I słuchać Artura, który z wykształcenia był ekonomistą, a dziennikarstwa nauczył się z poradników. Zatrzymywałam zatem ludzi z czworonogami, zgodnie z zasadą, że dziennikarz pracuje na ulicy. Prosiłam, by opowiedzieli mi o swoich pupilach. Ci godzinami potrafili mówić o tym, jak się ich ulubieńcy sprawują, co zwykle jedzą i jaką bawią się maskotką. Jeden z rozmówców pokazał mi nawet spustoszenia na sierści spanielka, które poczynił podstępny świerzb. Inny rozmówca, pan Zdzisiek, zdradził przede mną tajniki hodowli gołębi, które, mimo iż czworonogami nie są, postanowił rozsławić po lekturze moich artykułów o przyjaciołach człowieka. I sam do mnie zadzwonił! Nie tylko opowiedział mi o bujaniu i gołębich powrotach, ale też o tym, że sąsiedzi nie są zadowoleni z jego pasji i zarzucają mu, że od odchodów, pozostawianych przez ptaki, gnije już cała ściana kamienicy, a przecież, jak powiedział mi z pasją pan Zdzisiek, kał zdrowego gołębia jest gęstą papką, a nie cieczą, więc ściana wilgotnieć od niego nie może!

No i zaczęło się robić niebezpiecznie. Bo moje myśli zaczęły oto krążyć po nieznanych dotąd bezdrożach i szukać odpowiedzi na pytania: czy psi świerzb może przejść na człowieka? Jaka konsystencja kału jest właściwa dla na przykład ekskrementów kota?

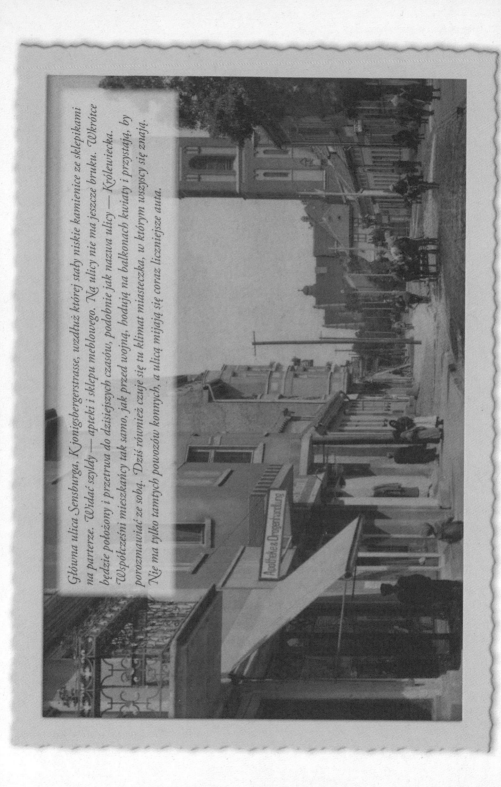

Główna ulica Sensburga, Kjonigsbergerstrasse, wzdłuż której stały niskie kamienice ze sklepikami na parterze. Widać szyldy — apteki i sklepu meblowego. Na ulicy nie ma jeszcze bruku. Wkrótce będzie położony i przetrwa do dzisiejszych czasów, podobnie jak nazwa ulicy — Królewiecka. Współcześni mieszkańcy tak samo, jak przed wojną, hodują na balkonach kwiaty i przystają, by porozmawiać ze sobą. Dziś również czuje się tu klimat miasteczka, w którym wszyscy się znają. Nie ma tylko tamtych powozów konnych, a ulicą mijają się coraz liczniejsze auta.

Rozdział II

O tym, że każdy powinien mieć jakąś rodzinę,
a jak jej nie ma, to najważniejsi są przyjaciele.
Byle byli prawdziwi.

Pierwsza zbuntowała się Baśka. I wcale się jej nie dziwię, bo dziewczyna była niezwykle ambitna. Wysoka, szczupła, atrakcyjna, z tak zwanego dobrego domu. Zdecydowana i asertywna. Zawsze miała jakąś alternatywę. Nie to, co ja, kurczowo wczepiona w etat. Baśka, pracując jeszcze w redakcji, skończyła roczne studium kosmetyczne, potem jeździła na szkolenia i kursy, przywożąc z nich certyfikaty i zaświadczenia.

– Może mi Artur naskoczyć. Jak się wkurzę, to odejdę i tyle – poinformowała nas któregoś dnia twardo i zdecydowanie.

Wierzyłam, że naprawdę to zrobi. Upór Baśki był niezwykły. Na razie jeszcze biegała z notesem i długopisem, robiąc te swoje uliczne sondy, ale czułam, że wszystko do czasu. Że pewnego pięknego dnia podejmie decyzję o przebranżowieniu.

Zazdrościłam jej. Ja nie miałam innego wyjścia, jak pracować w zdominowanej przez Artura redakcji, nic więcej bowiem nie umiałam robić. Nie miałam też rodziców, którzy by mi poradzili, co jeszcze powinnam w życiu skończyć i zaliczyć, żeby mieć pewną przyszłość. Bez rodziców jest na świecie bardzo trudno – patrzyłam z zazdrością na Baśkę, kręcącą się z wdziękiem na swoim obracanym fotelu, podpierającą twarz długimi, wypielęgnowanymi palcami, zakończonymi brokatowymi tipsami w kształcie łopatek. Baśka miała w sobie jakąś siłę, może to było zaplecze domu rodzinnego? Tego domu też jej zazdrościłam.

Moi rodzice zmarli, gdy miałam zaledwie dwadzieścia jeden lat. Nie wiem, dlaczego nieuleczalne choroby wybrały właśnie w jednym czasie jeden dom – szczęśliwe dotąd mieszkanie na trzecim piętrze wiekowej kamienicy w centrum miasta. Tam mieszkałam od urodzenia z mamą – pracownicą domu kultury, i tatą – kierowcą. Zły czas nadszedł nagle i niespodziewanie. Mamę pokonał rak, tatę niespotykanie groźne wirusowe zapalenie płuc. Mama żyła tylko osiem miesięcy dłużej niż tata. Gdy obserwowałam jej powolne odchodzenie z tego świata, przeczuwałam, że odtąd moje życie nie będzie już takie, jak do tej pory. Że kończy się oto moje szczęśliwe dzieciństwo jedynaczki.

Doskonale pamiętam dzień, kiedy uświadomiłam sobie owo rychłe odejście dzieciństwa. Wróciłam z wakacji nad morzem, gdzie pojechałam z przyjaciółkami, po udanej sesji, z zaliczonym rokiem, z wpisami w indeksie. Dumna i szczęśliwa. Wdrapałam się na trzecie piętro, torby zostawiłam w przedpokoju. W mieszkaniu nie było nikogo. Panował w nim dziwny zatęchły chłód, jakby nikt tam nie mieszkał. Otworzyłam okno. „Tak tu cicho... – pomyślałam. – Tylko gdzie są rodzice?"

Nastawiłam wodę na herbatę, zalałam w kubku brązowe wiórki i poszłam do salonu. Przetarłam palcem zakurzone szafki, które mówiły o tym, że dawno nikt ich nie dotykał, nie pieścił bawełnianą szmatką z pastą do mebli. Nasze stare meble najwyraźniej lubiły ten rodzaj pieszczot. Wzięłam do ręki leżące obok gazety i usiadłam w fotelu. Spomiędzy kolorowych pism wypadły jakieś druczki. Wyniki badań lekarskich. To były badania mamy. Sądząc po dacie, wykonane całkiem niedawno, dwa tygodnie wcześniej. *Carcinoma*. Nie znałam tej choroby. I jeszcze inne wyniki. Aktualne. Sprzed kilku lub kilkunastu dni. Recepty. Pieczątki lekarzy. Ginekologa, kardiologa. Niejasne przeczucia.

Mama wróciła wieczorem, chudsza niż zwykle, szara na twarzy.

– Jesteś? – spytała. Smutne niebieskie oczy. Czający się w nich niepokój. To wszystko zapamiętałam. Pachniała wodą Pani Walewska, jej ulubioną od lat. Przytuliłam się na powitanie, wciągnęłam nosem powietrze. Zapach wody i... leków.

– Mamo, jesteś chora? Widziałam wyniki...

– Mam raka jajników.

Powiedziała to tak po prostu, jakby mówiła o tym, że właśnie przerywała buraczki w swoim malutkim ogródku na tyłach kamienicy, który stworzyła sobie jako enklawę prywatności i namiastkę wsi, gdzie się wychowała.

Cios. Świat wiruje. Ból.

– Niee... – jęknęłam wtedy cicho, pamiętam, tak bezbronnie wobec wyroku, który nagle zaczął zmieniać moje życie, zabierać mi mamę. Może jednak da się ją uratować, są sposoby, przecież nie wszystkich ta choroba zabiera, są tacy, którzy wyzdrowieli, nawet tu u nas, na ulicy, sąsiadka...

Nie, to nie może być tak, że przyjeżdża się do domu z wakacji, a mama wraca z ogrodu i mówi, że ma raka!

– Lekarz od razu mi powiedział, chciałam wiedzieć. Pół roku najwyżej. Przerzuty. Hoduję go w sobie jak niemowlę.

I wtedy przypomniałam sobie, że mama, już po menopauzie, nagle zaczęła kupować podpaski. Nie mówiła o tym nikomu, potem miała jakieś zabiegi, rzuciła tylko, że to mięśniaki i że różnie może być. I potem znów, po kilku latach, musiała kupować te podpaski, choć już była starszą kobietą, wyzwoloną z udręki comiesięcznych krwawień.

Wtedy nic nam nie mówiła, nie była u lekarza, po prostu wszystko zbagatelizowała. Nie zrobiła tego dla siebie, dla mnie, może dla wnuków, których jeszcze nie miała, a które mogła przecież mieć. I dla taty... A może dlatego właśnie nie poszła do lekarza? Może chciała uciec od tego życia? Czy nie dość je kochała? Czy myślała, że dopóki nie ma diagnozy, będzie zdrowa, że niewiedza jest lepsza niż świadomość choroby.

– Tata wie? – mój głos drżał jak ranny ptak.

– Wie. Załamał się. Zaraz przyjdzie. Był ze mną na działce.

Wrócił. Poszarzały, smutny. Patrzyłam na jego bezradną, zgarbioną postać, mniejszą niż kiedy widziałam go ostatnio, zasuszoną jak strąk fasoli.

– Mama jest chora. Lekarze mówią, że tylko pół roku jej zostało – wyszeptał. Zakaszlał głucho. Poszedł do łazienki, po chwili wrócił zasapany.

– Słaby jakiś jestem, duszno tu. To te upały.

Tamto lato było rzeczywiście upalne. Żar lał się z nieba, roztapiał asfalt. Wieczorem tato miał wysoką gorączkę. Zażył jakieś leki. Spał niespokojnie. Na drugi dzień mama podała mu paracetamol i poszła do szpitala na badania.

– Opiekuj się tatą, on jest słaby jakiś, pewnie nie może sobie poradzić z tym, co się stało.

– Nie martw się. Po prostu się przeziębił, takie są przecież upały, a u nas w korytarzu chłód.

Tato miał coraz wyższą gorączkę. Wezwałam pogotowie. Lekarz dyżurny dał mu tylko jakiś zastrzyk i wyszedł, mówiąc, że przejdzie...

Ale tata w nocy zaczął majaczyć i dusić się. Kładłam mu na czoło mokre ręczniki. Mówił do mnie cały czas.

– Muszę coś powiedzieć, ja nie chciałem, ale trzeba, żebyś wiedziała... Nie mówiłem... Tak było lepiej... – głos ugrzązł w krtani. Tata opadł na poduszkę. Stracił przytomność.

Znów zadzwoniłam po pogotowie. Karetka przyjechała bardzo szybko, pewnie nie mieli żadnych wezwań. Przyjechał inny lekarz. Starszy, wydawał się bardziej doświadczony. Zapakowali tatę do karetki. Pojechałam z nimi, ubłagałam lekarza, by pozwolił mi jechać w karetce.

Czuwałam przy łóżku taty. Leżał już na OIOM-ie, bo miał trudności z oddychaniem i lekarze podłączyli go do plątaniny kabli. Wychodziłam na korytarz, wyglądałam przez okno, ciepłym, lipcowym wiatrem suszyłam spływające po policzkach łzy. Miasto spało. Lubiłam ten małomiasteczkowy spokój, zastrzeżony tylko dla prowincji. W Warszawie o tej porze wciąż jeszcze biegali panowie w garniturach z eleganckimi paniami na obcasach. A to miasto już spało, sen przerywały nieliczne samochody, które przemykały się cicho, trwożliwie przez ciemne ulice.

Na korytarzu pojawił się lekarz. Nie miał dobrych wieści. Tata dusił się. Przyszły wyniki prześwietlenia. Wirusowe zapalenie płuc. Zaawansowane. Bez szans. Świat zawirował, skończył się, nie ma już tamtego dzieciństwa, nie ma nadziei, nie ma marzeń.

Tata zmarł o szóstej rano. Odchodził cichy, nieprzytomny. Nie powiedział mi nigdy tego, co chciał powiedzieć. Ale ja wierzyłam, że jeszcze kiedyś opowie mi o tym, pokaże mi to jakiś przedziwnym splotem okoliczności.

Na dworze szalała burza, nie wiadomo, skąd się nagle wzięła, przecież powietrze było takie spokojne, niezwiastujące zmiany, jeszcze kilka godzin temu delikatny wiatr omiatał zapłakane policzki... O tym, że tata odszedł, powiedziała mi aparatura, która pilnowała jego łóżka. Dłoń, którą trzymałam, zastygła nagle nieprzyjaźnie.

Rano trzeba było powiedzieć mamie o śmierci taty. Ile jeszcze jej życia zostało, ile się jeszcze będzie tliło tych iskierek, które błyszczały w jej oczach zawsze, gdy była radosna, gdy wspominała swoje młode lata. Stanęłam przy jej łóżku. Mama od razu wiedziała, że coś się stało. Płacz, pytania, dlaczego, przecież był zdrowy, przecież jeszcze niedawno, w ogródku.

Pogrzeb, zawiłe formalności, które załatwiałam jak we śnie. Przyszły nowe wyniki badań mamy. Żadnych szans. Najmniejszych. Nie warto nawet operować. Mama zmarła osiem miesięcy po tacie. Odchodziła w wielkim cierpieniu, jakie jest doświadczeniem tych, którzy chorowali na nowotwór. Pod koniec przerzuty pojawiały się na mózgu, mama traciła poczucie rzeczywistości, nie poznawała mnie, nazywała mnie swoją siostrą Małgosią. W pewną wiosenną niedzielę widziałyśmy się po raz ostatni, pomachała mi małym palcem na pożegnanie.

Najtrudniejsze chwile przetrwałam dzięki moim trzem przyjaciółkom: Izie, Ewie i Sylwii. Jedynaczce zawsze trudniej. Jak bardzo przydałoby mi się rodzeństwo! Jakaś siostra lub brat. Niechby byli nawet młodsi! Miałabym gdzie ulokować uczucia. A tak – pustka. Na dalszą rodzinę trudno było liczyć. Ze strony taty żyli tylko dalecy kuzyni, których poznałam na pogrzebie, a rodzeństwo mamy starzało się szybko i w licznych chorobach, by zaledwie po kilku latach dołączyć do niej na niebieskich równinach. Spoglądali pewnie teraz wszyscy na mnie z góry, wraz ze swoimi rodzicami i kuzynami, i być może nawet dopingowali w moim dorosłym życiu. A mnie było ciężko i smutno, za nic miałam pocieszenie, że może są ze mnie dumni. Nic mi z tej dumy, gdy nagle spadła na mnie dorosłość, ze wszystkimi tego konsekwencjami.

Nasza przyjaźń z Izą, Ewą i Sylwią narodziła się na jednym z pierwszych spacerów w parku obok przedszkola. Przedszkolanka kazała nam zebrać liście i kasztany do kącika przyrody. Sylwia zupełnie przypadkowo znalazła obok alejki wielkie drzewo – dąb, pod którym leżały połyskliwe, zielone żołędzie. Zawołała nas, wspaniałomyślnie dzieląc się swoim odkryciem i wyjątkowymi skarbami. I tylko nasza czwórka przyniosła do sali coś więcej niż tylko rude kulki kasztanów i liście. Sylwia wtedy po raz pierwszy udowodniła nam swoją lojalność. Miałam się o niej przekonać także później, w dorosłym życiu. To właśnie Sylwia pocieszała mnie, gdy na urodzinach, tradycyjnie wyprawianych od wczesnego dzieciństwa, zwierzyłam się jej z problemów w pracy. Dała mi za przykład Baśkę, z którą znała się jeszcze z podstawówki.

– Bądź taka jak ona i weź się za coś innego, na pewno znajdziesz pracę. Jak nie, to przyjdziesz do mnie.

Ta opcja mnie jednak nie pociągała. Sylwia miała w Kętrzynie dwie hurtownie odzieży używanej, które założyła po tym, jak przestał się opłacać inspirowany stadionową modą biznes na mrągowskim targowisku. Szukała odbiorców dla swoich ubrań, ale ja chyba nie chciałam nimi handlować... Przynajmniej tak mi się wtedy wydawało.

– Oto moje wypowiedzenie. Odchodzę – oświadczyła któregoś dnia Baśka. Przyszła wyjątkowo wystrojona, w zielonkawą tunikę i obcisłe czarne spodnie. Na stopach miała nowe pantofle na koturence. Włosy związane wysoko kolorową chustką. To był chyba ważny dla niej dzień. Pachniała swoją ulubioną Mademoiselle Chanel. Kupioną na szczególne okazje.

Artur spojrzał na nią nieprzytomnym, mimo poranka, wzrokiem. Pewnie znów nocował w redakcji, przeświadczony o misji wyciągania pisma z odmętów zacofania, zadłużenia i wszystkich innych plag świata.

– Jakie odchodzę? Dokąd? Jakie wypowiedzenie?

– Moje wypowiedzenie, tu kładę ci, na biurku.

Przesunęła plik papierów, dwa kubki z wczoraj i przedwczoraj, dwie zmięte chusteczki (nie wiem z jakich czasów) i kalkulator (pewnie wyliczał wierszówkę).

Położyła. Naprawdę. Wypowiedzenie pracy. Boże, jak ja jej zazdrościłam tej wolności, z którą zaraz wybiegnie na wiosenne ulice miasta, zajdzie pewnie do perfumerii, kosmetycznego, odzieżowego i będzie taka ładna szła i szła!

– Nie możesz odejść. Teraz, kiedy wychodzimy z dołka. Kiedy wzrasta sprzedaż. Kto będzie robił sondy uliczne?

– Nie wiem, kto, na pewno znajdziesz kogoś, kto zrobi to równie dobrze jak ja – odpowiedziała zdecydowanie, okręcając się z wdziękiem na fotelu. Wygrała! Artur pokazał nareszcie, że była mu potrzebna! Wprawdzie tylko do robienia sond, ale to już coś. Mnie jeszcze nigdy nie powiedział nic miłego. Ani Marcinowi, który robił fotki jak zawodowiec. Ani informatykowi Piotrowi, który był taki skromny i cichy, że zupełnie o nim zapomniałam. Siedział przy swoim biurku i gmerał w systemie, programach, składał gazetę, przygotowywał do druku, spełniał nasze zachcianki i urzeczywistniał pomysły przy projektach reklam i druków wszelakich. Jego zaletą był wiek – wcześnie poczterdziestkowy – i Artur nie był dla niego tak wredny jak dla nas, bo chyba się trochę go bał. Piotr po prostu był.

Tylko Jola mogła spodziewać się kilku miłych słów, przeważnie za kawę lub ciasteczka, kładzione z boku filiżanki lub kubka, na spode-czek. Te ciasteczka, wybierane najpierw w pobliskiej cukierence, musiały być malutkie i kruche, żeby ładnie wyglądały i smakowały z kawą, jak w eleganckich restauracjach w dużych miastach. Jola była bardziej światowa niż nam się wydawało.

– Masz dwa tygodnie wypowiedzenia, taka jest umowa – powiedział do Baśki po dziesięciu minutach, kiedy chwilę się zastanowił. – Z tego, co wiem, miałaś umowę jeszcze na rok, więc masz dwa tygodnie. Jak chcesz, to zadzwonię do Opola i się upewnię.

– Nie musisz. Już sprawdziłam. Mam jeszcze do wykorzystania urlop, więc tak się składa, że mogę już się zacząć pakować – Baśka pochyliła się nad nim, uśmiechając się z tryumfem.

– Zatem miło było cię poznać, możesz sobie zabrać wszystko, co twoje – Artur chyba pożałował chwilowej słabości.

Wyszłam z Baśką na dwór, niby po bułki do Jolinej cukierenki. Tylko tam mogłyśmy spokojnie pogadać.

– Czemu nie uprzedziłaś, nic nie powiedziałaś? – miałam do niej żal.

– Nie powiedziałam, bo nie wiedziałam. Wczoraj przyszedł do mnie mój Tomek z informacją, że koleżanka z Warszawy otwiera u nas nowoczesny gabinet kosmetyczny, takie wypasione Spa. I szuka kogoś do pracy. Zadzwoniliśmy do niej i mam się z nią jutro spotkać! Takiego Spa nie ma nawet w Olsztynie!

Nie bardzo wierzyłam w tę nowoczesność, a tym bardziej w to, że chętnie zapłacą za nią mieszkanki naszego miasteczka, przeważnie z trudem wiążące koniec z końcem. Ale życzyłam Baśce wszystkiego najlepszego. Zdolna jest. Poradzi sobie. No i ma rodziców, którzy na pewno, w razie czego, jej pomogą.

– Ludka, załatwię ci zniżki w tym gabinecie. Zobaczysz. Wpadniesz do mnie na jakiś zabieg. Cellulit zlikwidujesz czy co będziesz chciała!

Czy ja w ogóle miałam ten cellulit? W łazience brakowało mi lustra na całą postać. Takowe wisiało w przedpokoju, ale pogrubiało, było już stare i niechętnie się w nim oglądałam. Zresztą musiałabym po kąpieli paradować przez cały przedpokój. Więc się raczej w całości i do tego na golasa nie oglądałam. „Muszę dziś spojrzeć, czy mam już co usuwać" – postanowiłam.

– To może brwi? – wyrwało mi się.

– Co brwi?

– No, zlikwidujesz mi niepotrzebne włoski, jakoś wyregulujesz, bo tą pęsetką to czasem za dużo wyrwę lub krzywo...

– Ludka, no pewnie, woskiem ci usunę, nie tak jak w gabinecie tej pani Krysi, co wyrywa nitką, i hennę ci położę!

– Jak nitką? – zapytałam nieprzytomnie. Nitka z natury jest miękka, niegroźna dla włosa.

– No, trzyma tę nitkę w dwóch palcach, jakoś skręca razem z brwiami, tak wałkuje i wyrywa jak maszynką. Podobno mama ją tego nauczyła! U nas będzie wosk.

U nas... Zatem już zadomowiła się w gabinecie, choć nie widziała jeszcze tamtej warszawianki i nie wie, czy w ogóle tam będzie pracować.

Wróciłyśmy do redakcji. Ja do tekstu, Baśka do swojego kącika. Wzięła karton z zaplecza i wolnymi ruchami pakowała doń dwuletni dorobek redakcyjny. Odpinała żółte karteczki, którymi obwiesiła cały kącik, pakowała notesy i długopisy. Płyty, dyskietki, pendrive'y. Kubki z zaplecza. Krem do rąk z parapetu w łazience. Koniec.

W redakcji panowała cisza. Piotr pracował za swoim przepierzeniem. Jak go znam, nawet nie wiedział o całej akcji z wypowiedzeniem. Na uszach miał zawsze słuchawki, a w nich muzykę medytacyjną, jakieś mantry, odgłosy natury. Mówił, że to pomaga mu skupić się na pracy. Przez to nie włączał się w życie redakcji. Więc na pewno nie wiedział o Baśce. Jola odbierała telefony, przepisywała listy do redakcji. Artur dzwonił, palił papierosy. Dojadał ciasteczko. Marcin ściągał z aparatu zdjęcia z wczorajszego otwarcia stacji dializ. Ja kończyłam tekst o buldogu pana Rafała z Królewieckiej. Baśka odzyskiwała wolność...

Rozdział III

O tym, że lepiej żyć w stadzie i że kobiety muszą czasem się ze sobą
spotkać, by porozmawiać o życiu. Jak smakowały Prusy Wschodnie.
I że dziś na Mazurach dla wszystkich wystarczy miejsca!

Sylwia wpadła do mnie wieczorem, przejazdem. Jeździła białym audi
swojego męża, Macieja. Auto było jeszcze z czasów kawalerskich, więc
już dosyć zajeżdżone, ale zadbane i sprawne. A że to kombi, wchodzi-
ło do niego kilka worków z odzieżą używaną. Sylwia zaparkowała z impetem na niby-parkingu – niedużym placyku za kamienicą, wysypanym
piaskiem, z wybojami i kałużami w deszczowej porze.

Wypatrzyłam ją przez okno w pokoju – zdecydowanie wysiadła
z samochodu, poprawiła tęczową bluzkę na obfitym biuście, nałożyła
kremową marynarkę, idealnie skrojoną do jej superkobiecej figury. Nikt
nie powiedziałby, że to wszystko pochodziło z jej hurtowni. Sylwia
ubiera się u siebie. Jest elegancka. O wiele bardziej niż gdy ubierała
się na swoim rynkowym stoisku. Wtedy wyglądała stadionowo. Teraz
miała ciuchy z H&M, Zary, Reportera i innych renomowanych firm.
W wielkomiejskiej galerii wydałaby na nie majątek. Tu miała za tyle,
ile ważyły... Tylko buty były nowe. Nie kupowała używanych. Bo to
niehigieniczne.

– Dowoziłam towar na Ratuszową i pomyślałam, że wpadnę do ciebie, pogadać i na kawę jakąś, bo zasypiam już, głowa mnie boli, chyba
ciśnienie się zmieniło.

– Dobrze, że wpadłaś. Siedzę sama jak ta mniszka.

– Nie odezwał się?

– Nie. I nie chcę go znać.

Mówiła o moim eks-narzeczonym, Jacku.

Rynek z ratuszem w przedwojennym Sensburgu, widziany oczyma rysownika. Takie właśnie pocztówki były chętnie wysyłane — można było oprawić je w ramki i powiesić jak obrazki.

Przystojny, wysoki, czarnowłosy, śniady. Prawdziwy uwodziciel. Jaki był szarmancki, gdy naprawiałam u niego swoją asterkę! Zawsze rabaty dawał, doradzał, co i jak. Kulturalnie ze mną rozmawiał, nie jak jego pracownicy – prości i nieskomplikowani, porozumiewający się ze sobą szczególnym językiem, robociarsko-wulgarnym. Miał swój warsztat samochodowy, wymuskanego passata, przyprowadzonego z Holandii, był czarujący i ujmujący. Zaprosił mnie na kawę. Poszłam. Też grałam przed nim – wyzwoloną, energiczną kobietę. A w środku byłam spragniona czułości i miłości, po prostu. Opowiedziałam mu pół życia. On mnie. Zakochałam się, ot co, w człowieku, który nie miał wprawdzie wyższych studiów, ale za to jak pięknie się uśmiechał! Kochliwa byłam dość – to wszystko przez ciągły deficyt uczuć. Nie widziałam wad Jacka, jedynie same zalety. Po pierwszej wspólnie spędzonej nocy świat wirował mi nad głową. Nie było w tym filmowo-książkowego szaleństwa, przeraźliwie banalnego i oklepanego, lecz jedynie czułość jak muśnięcia motyla, zapach dobrej wody i wstydliwość nastolatków. Było na tyle miło, że poczułam szczególną przynależność do Jacka, widząc w nim spełnienie swoich marzeń.

Jacek nie przychodził do mnie nazbyt często, jednak – jak już się pokazał – zostawał przeważnie na kilka dni. Obok mojego lawendowego szlafroka zawisł jego, granatowy. Pierwszy raz w życiu mój szlafrok miał przyjaciela! Denerwował mnie tylko wciąż dzwoniący telefon. Jacek nie tylko miał własny warsztat, ale też handlował samochodami, po które jeździł do Holandii. Albo jego pracownik. Czasem dzwonek jego komórki budził mnie nawet po północy. Ktoś wracał z lawetą i dojeżdżał do granicy. Od tego sygnału Jacek uzależniał plany zawodowe. Zwoływał klientów na były plac defilad w dawnych koszarach i tam pokazywał walory sprowadzanych z zagranicy aut. Miały dobrą cenę, więc przy odrobinie szczęścia taki transport rozchodził się w kilka dni. Jacek inwestował pieniądze w kolejne auta, kupował jakieś maszyny do warsztatu. Nie interesowała mnie specjalnie motoryzacja, a szybko okazało się, że Jacek przeważnie tylko o niej myśli i mówi. Po kilku miesiącach nagle zniknął z mojego życia. Powiedział, że jestem dla niego za mądra, za inteligentna! Że jestem z innego świata. Ja chyba czułam to samo, choć przyzwyczaiłam się do tego, że ktoś po prostu przy mnie jest. Mimo iż nie dzieliłam z nim nadmiernie mojej codzienności, miło było wrócić do mieszkania i przyszykować kolację, na której pojawiał się pachnący i z kwiatami.

Wieczorowi rozstania – gdy otwierałam mu po raz ostatni drzwi, jeszcze nie wiedziałam, że to będzie taki właśnie wieczór – towarzyszyło czerwone wino, muzyka i chwila czułości. Wykorzystał mnie w moim własnym łóżku, zanim powiedział, że odchodzi. I to mnie zabolało najbardziej. Działał z premedytacją, czego nie mogłam mu zapomnieć. Gdy pakował do torby szlafrok, płakałam. Nie za nim, lecz ze złości dla jego braku uczuć.

Sylwia znad kubka z kawą przypomniała mi tamto upokorzenie.

– Przecież wiesz, że nie odebrałabym nawet od niego telefonu – powiedziałam, skrobiąc marchewkę metalową obieraczką.

Zamarzyła mi się ta marchewka na jutrzejszy obiad – miękka, duszona w maśle, z solą, cukrem i kwaskiem cytrynowym. Na koniec zaprawiona mąką. Mama ją robiła, a przepis dała jej stara Mazurka z pobliskiego Marcinkowa. Podobno tak przyrządzona marchewka była przed wojną popularną potrawą. Mazurska kuchnia nie była zbyt wyszukana, bo i tutejszy lud nie należał do najbogatszych. Za to jedli tłusto, ponieważ skądś musieli czerpać energię do pracy w polu. Ich potrawy stanowiły szczególny zlepek dwóch tradycji: Niemiec i Polski. To właśnie z Niemiec pochodzi szczególne zamiłowanie do słodko-kwaśnego przyprawiania. I taka właśnie była ta moja marchewka! Wspaniale smakowała z potrawką z kurczaka lub w ogóle z drobiem. A może kojarzyła mi się po prostu z dzieciństwem, niedzielnym rosołem z makaronem własnej roboty i pieczonym kurczakiem na drugie danie? Z marchewką właśnie.

Gotowanie było, po pisaniu reportaży i słuchaniu muzyki z dobrym polskim tekstem, kolejną moją pasją. Niestety, czasem brakowało mi na nie czasu. Nie mam też mężczyzny, któremu mogłabym gotować. Dobrze, że czasem trafiała się Sylwia. Zaraz poczęstuję ją wczorajszą karkówką, pieczoną w ziołach. Pamiętam, jak kiedyś mama peklowała mięso i wkładała do słoików, według przepisu Mazurki z Marcinkowa. Stało całą zimę, zalane wonnym tłuszczem. Smakowało podobnie do mojej karkówki, bo mama przyprawiała je również ziołami. Ja nie umiem peklować, nie zdążyłam się nauczyć.

– Mam świeży chleb, chrupiący. Daj się skusić – nie musiałam jej długo namawiać.

– Przestań, i tak gruba jestem – Sylwia podniosła bluzkę do góry, ujawniając krągłe fałdki na brzuchu i bokach. Fałdki były jednak urocze. Jak cała Sylwia, mięciuchna i krągła. Kobieca. W dzieciństwie nazywałam ją „mięcioszką". Lubiłam się do niej przytulać, gdy we czwórkę leżałyśmy na moim tapczaniku i opowiadałyśmy o miłosnych podbojach.

– Śliczna jesteś i wcale nie gruba – zaoponowałam. Swoje kilogramy nosiła z wielkim wdziękiem, tuszując brzuszek, uwydatniając biust i piękny dekolt. Oraz szczupłe nogi. Moje marzenie. Nigdy nie założę minispódniczki!!!

– No to daj, spróbuję tej twojej pieczeni. Najwyżej w domu nic nie zjem.

Ukroiłam jej kromkę i kilka plastrów mięsa. Dobrze wypieczone, z dodatkiem konfitury z aronii jeszcze z tamtego roku, na pewno będą Sylwii smakowały. Nie myliłam się. Kromka i mięso znikły. Kawa też. Potem herbata. Lubiłam, gdy ktoś jadł przy mnie, gdy mu smakowało. Lubiłam słuchać odgłosu przeżuwanego pokarmu, lekkiego stuku zębów i przełykania. Są ludzie, którzy jedzą tak apetycznie, że aż robię się głodna. Sylwia tak właśnie je. Nałożyłam sobie widelcem kilka plastrów. I chleb. Herbatę zaparzyłam w wielkim dzbanku, sprezentowanym przez przyjaciółkę Ewę przy jakiejś okazji. Dzbanek ma jeszcze fajansową podstawkę, w którą wstawia się *tealighty*. Na niej właśnie stawia się dzbanek. Herbata jest wtedy wciąż gorąca, mimo że siedzi się przy stole godzinę. Siedzimy. Płomyk spod podstawki chybocze się wesoło. Zapaliłam kolejnego *tealighta*. O zapachu wanilii. Moim ulubionym.

Sylwia wciąż mówiła. O ubraniach, nowym dostawcy w Szwecji, mężu Macieju i siedmioletnim synu, który szybko odnalazł się w szkole. Szczęściara. Pamiętam, jak poznała Maćka. Miała to swoje stoisko na targowisku, obok niej sprzedawał buty przystojny blondyn. Połączyły ich herbatki z prądem, pite zimą dwutysięcznego roku. Dość mroźną. Poszli razem na milenijnego sylwestra. Ja zostałam wtedy w domu, bo bałam się, że pierwszego stycznia wysiądzie prąd, zgasną wszystkie światła, rozmrozi się lodówka, zawieszą się komputery. Sylwia nie przejmowała się tymi proroctwami głoszonymi przez media. Ubrała się w jedną ze swoich stadionowych sukienek z koronki i poszła z sąsiadem od butów na bal, organizowany w stołówce przy mleczarni. Wróciła zeń zakochana po uszy.

Na drugi dzień była u mnie, z wypiekami na twarzy. Po półgodzinie picia wina przyznała się, że ma za sobą pierwszy raz z Maciejem. Oczywiście, nie swój pierwszy w życiu... Owocem tego noworocznego szaleństwa miał okazać się synek Kubuś. Uroczy i podobny do tatusia. Ślub odbył się w karnawale. Kubuś przyszedł na świat we wrześniu. Sylwia stała się jeszcze bardziej mięcioszkowata niż przed porodem. Oby każdej kobiecie tak służyło macierzyństwo!

– Pyszne, najadłam się. Kochanego ciałka nigdy za wiele! – Sylwia rozparła się leniwie w krześle.

– Cieszę się. Fajnie, że wpadłaś. Znaczy – zajechałaś!

– Oj, teraz muszę lecieć, Maciek pewnie się martwi, sam w domu, a przede mną jeszcze dwadzieścia kilometrów. Musimy koniecznie zorganizować sobie jakiś babski wieczór, co? Może jak Ewa z Torunia zjedzie. Ciekawe, czy Izka wyrwie się od tych swoich dzieci. Ona wciąż pracuje w urzędzie?

Przytaknęłam.

Sylwia założyła marynarkę:

– Zadanie bojowe – zorganizować sabat czarownic, czyli spotkanie, bo jak ty tego nie zrobisz, to kto? Pamiętaj. U ciebie, bo najspokojniej.

Oczywiście, gdy Sylwia mówi, zawsze zgadzam się na wszystko. Koleżanki są super. Kobiety są super. Powinnyśmy trzymać się razem. Świat bez facetów byłby weselszy. Oj, widać nie zagoiły się jeszcze moje rany po Jacku...

Położyłam się do łóżka po jedenastej. Gdy tylko pomyślałam, że jutro znów do pracy, do Artura, odczułam w brzuchu lekki ucisk. Nerwy. Mam złe przeczucia. Baśka nie wytrzymała. Walnęła tym wypowiedzeniem i cześć. A ja? Mam zostawić lata mojej pracy, mojej pasji? Tę pasję teraz Artur zmienia w smutną konieczność. W ciężki kawałek chleba.

Planowanie poszło dziś wyjątkowo sprawnie, może dlatego, że nie było Artura. Nie dojechał. Jego narzeczona Patrycja zaniemogła i musiał zawieźć ją do lekarza celem przebadania i zaordynowania syropów. Planowanie prowadziłam zatem ja, bo takie wydał mi wysłane mailem polecenie. Jola parzyła kawkę i oglądała zdjęcia z wiosennego spaceru, przyniosła je na płycie i leniwym gestem stukała w klawisz kursora, oglądając zdjęcie po zdjęciu, na niektórych zatrzymując się dłużej. Kątem oka widziałam, że był na nich jakiś roześmiany pełnym garniturem zębów przystojniak. Pewnie nowa sympatia. Jola zdecydowanie odpłynęła gdzieś myślami. Piotr od razu powiedział, że nie ma czasu na pierdoły (czytaj „planowanie") i wraca do roboty. Było też dwoje praktykantów – studentów z Olsztyna, i tylko przed nimi udawałam, wspierana przez Marcina, że trzeba coś zaplanować na najbliższy tydzień. Zadzwonił telefon. Jola przerwała naciskanie kursora. Podniosła słuchawkę.

– Halo – odezwała się przeciągle. Przejawiała dziwny opór przed używaniem ogólnie przyjętych: „Dzień dobry, redakcja..." lub coś w tym rodzaju.

– Do ciebie. Artur – podała mi słuchawkę. Rządził nawet na odległość.

– Reportaż musi być. W Nidzicy mają co tydzień, w Kętrzynie też. Musi być, rozumiesz? Wymyśl jakiś chwytliwy temat, coś o ludziach, społeczność lokalna i takie tam. Ja jutro też nie przyjadę. Chyba mnie coś rozkłada, od Patrycji złapałem wirusa.

Niczym nieskrępowana wolności! Arturku, leż sobie w łóżeczku, kuruj się jak najdłużej, dbaj o Patrysię. A swoją drogą, co ona w tobie widzi? Tylko wylecz infekcję do końca, nie przechodź jej, bo potem są powikłania i różne komplikacje... Te słowa pociechy i współczucia cisnęły mi się na usta. Zamiast nich wycedziłam jednak krótkie i suche:

– Jasne, panujemy nad sytuacją, pomyślę o tym reportażu.

Czyżby przekonał się nareszcie, że prawdziwa gazeta musi prezentować różne gatunki dziennikarskie, nie tylko informację, komunikat lub wywiad? Że reportaż, mimo iż stanowi wyższą formą publicystyki, jest jednak wyjątkowo lubiany i doceniany przez lud czytelniczy? Pod warunkiem, że ten nie zatracił jeszcze umiejętności czytania, a wszechobecne tabloidy nie stały się wiarygodnym i jedynym źródłem informacji.

Pomyślmy, co mogłoby być tematem na reportaż. Na jednym ze szkoleń usłyszałam, że tematy leżą na ulicy.

– Wychodzę na chwilę, przejść się – zakomunikowałam mojemu koleżeństwu.

Jola dodawała właśnie na naszą-klasę nowe zdjęcia. Te ze spacerku, z uśmiechniętym blondynem. Piotr składał stronę z reklamami, które gorliwie zebrał nasz przedstawiciel. Marcin ściągał zdjęcia z aparatu.

Obudzone muchy brzęczały pod sufitem. Telefon milczał. Wyszłam. Nikt chyba nie zauważył. Interesuję ich tyle, co te muchy...

Uliczki miasteczka wypełniają się coraz bardziej ruchem i gwarem po niedawnym porannym marazmie. Życie na prowincji rusza o późniejszej godzinie. Wszystko musi nabrać lekkiego zamachu. Przybywa ludzi, samochody błyskają reflektorami, na promenadę wychodzą emeryci z dziećmi albo psami. Lud pracujący już oddaje się zawodowym rozkoszom, a teraz nadchodzi czas tych, których codzienności nie odmierza sygnał budzika. Niechcący przyłączyłam się do nich. Udawałam bezrobotną, szczęśliwą, wyobrażałam sobie, że prowadzę beztroskie życie u boku zaradnego męża, który dba o moje utrzymanie. Cicho... marzenia podobno się spełniają... Może naprawdę uda mi się takiego męża znaleźć i oswoić?...

Ruszyłam w kierunku molo. Mama z dwójką dzieci karmiła właśnie kaczki i łabędzie. Chlebem. Ptaki jadły łakomie. Kilka lat temu media prowadziły akcję informacyjną o tym, żeby nie karmić chlebem ptaków. Że nie jest dla nich zdrowy, że jego rozkład w układzie pokarmowym powoduje jakieś schorzenia. Lepiej podawać gotowane ziemniaki albo ziarno. Komu by się chciało... Chleb zalega w chlebakach, najprościej go wrzucić do wody. Ku uciesze swojej, dzieci i ptactwa, rozchlapującego dziobami biały miękisz.

Siadam na ławce. Jest dość wysoka, macham więc nogami nad wysprzątanym polbrukiem. Po tygodniowym młynie muszę się jakoś odstresować. Dzwonię do Ewy, zaprosić ją do mnie. Ta ma najdalej, my się dostosujemy. Trudno, musi kiedyś przyjechać do swego rodzinnego miasta. Jako szalona pani architekt krajobrazu połączyła się specyficzną więzią z Toruniem i wszystko wskazuje na to, że tam właśnie zostanie.

Zdaję sobie sprawę, że organizacja sabatu wcale nie jest łatwym zajęciem.

– Ludka, no co ty, mam masę pracy! Jest wiosna, ludzie szaleją z ogrodami, zamawiają projekty i mają nadzieję, że zdołają je zrealizować zaraz po zimnej Zośce. Ja teraz na pewno do Mrągowa nie przyjadę – głos Ewki brzmi kategorycznie. Ale też zachęcająco. Czuję się bowiem, jakby w moją głowę uderzyła piłeczka pomysłowego Dobromira.

– No to może, Ewcia, my... do ciebie... – zaczęłam nieśmiało. Choć pamiętam, że Sylwia chciała spotkanie zorganizować u mnie, bo u mnie najprościej, ale dlaczegóż by nie skorzystać z gościnności torunianki?

– O, no pewnie! To świetny pomysł, przyjeżdżajcie! – entuzjazm w głosie na szczęście nie zabrzmiał fałszywie. Po ponad trzydziestu latach bycia przyjaciółką Ewy wiedziałabym, gdyby było inaczej.

– Trzeba zebrać dziewczyny. Rozlazły się jak te kurczęta po świecie. Dlaczego ja wiecznie muszę was jak ta kwoka zapędzać pod skrzydła? – celowo starałam się, by mój głos miał coś z marudnego zrzędzenia.

– Oj, na pewno ci się uda, ktoś to musi robić, nie? – Jasne, Ewuś, jasne.

– No to kiedy przyjeżdżacie? – miałam wrażenie, że słyszę w słuchawce szelest otwieranego kalendarza.

– Poczekaj, nie popędzaj, zagadam z dziewczynami!

– No to dzwońcie. Buźka.

Trzask... Rozłączyła się i pewnie w charakterystycznym dla siebie szaleństwie popędziła do swoich spraw.

A ja mam oto dziś wolny dzień, na mojej prowincji, mogę spacerować ciasnymi uliczkami, mieszkać w przedwojennej, pełnej tajemnic kamienicy niemalże w samym centrum, nie wydając na to całej fury pieniędzy, jak ci z wielkich miast, nie muszę stać w korkach, jeździć tramwajami, planować spotkań z dwugodzinnym wyprzedzeniem, by zdążyć na czas. Mogę sobie na przykład iść na masaż do sąsiadki Iwony albo na maskę z alg do Baśki, mogę iść do Rossmanna po wodę toaletową i musujące kulki do kąpieli. Luksusowe. Jak w dużym mieście. Mam wszystko, co mają prawdziwe miastowe kobiety, ale znacznie taniej, bliżej i bezstresowo. Życie na prowincji jest piękne. Wystawiam twarz do słońca, czas na pierwsze piegi...

Dzwoni telefon. Spoglądam na wyświetlacz. To Marek, kolega i kiedyś bohater jednego mojego wywiadu. Był radnym w miejskiej radzie, przegrał w ostatnich wyborach, a niedawno postanowił zostać rolnikiem. Hoduje kozy, robi ser i pewnie jest znacznie szczęśliwszy niż gdy mieszkał w bloku, na osiedlu z lat siedemdziesiątych.

– Halo? Ludka? – zatrzeszczał mi w słuchawce. Chyba tracę zasięg. To normalne. Są w miasteczku naszym takie miejsca, gdzie go nie ma. Najwyraźniej znalazłam się w jednym z nich.

– No a któż by inny, Mareczku?
– Ludka, sprawę mam.
– No to już...
– Pogadamy? Mogę przyjechać? Gdzie jesteś?
– Siedzę na ławce na promenadzie. Pierwszej przy molo.
Marek nie uwierzył. Spodziewał się, że zastanie mnie, jak zwykle, w redakcji. Nie wie jeszcze, że rządy się zmieniły i teraz tylko czekam, żeby czmychnąć z redakcji i wyzwolić się spod obstrzału Artura. To nic, że dziś nie dojechał do pracy. Jego duch i tak się wszędzie unosi!

Marek przyjechał szybko, musiał być gdzieś w pobliżu.
– Cześć, Ludka – mówi krótko. Raczej nie wygląda na rolnika. Pachnący, dobrze ubrany. Nie pasuje do tych kóz, a jednak...
– Co się stało?
– Mam dla ciebie temat!

No a nie mówiłam, że tematy leżą na ulicy. A nawet czasem siedzą na ławce przy molo...

Temat Marka okazał się na tyle tajemniczy, że postanawiam wrócić do redakcji po aparat i wyjechać z nim z miasta.
– Nie będzie wam potrzebny? – pytam, pakując canona do futerału.
– Nie – mruknęła tylko Jola. No tak, Baśki nie ma, sondy więc już nikt nie zrobi. Pewnie czekają na mnie. A ja jadę zrobić reportaż. Prawdziwy, jak mają ci w Nidzicy i Kętrzynie! I w innych miastach regionu.
– Aha, ktoś tu był, szukał cię – to znów Jola. Pewnie wstawiła już fotki na naszą-klasę i teraz czeka na komentarze.
– Kto?
– Jakaś dziewczyna. Nie znam jej. Pierwszy raz ją widziałam.
– Mówiła coś?
– Nie, tylko pytała o ciebie. Powiedziałam, że poszłaś do miasta.
– Ciekawe, kto to? Jak wyglądała? – zapytałam jeszcze w drzwiach.
– Czy ja wiem... Ciemne oczy, włosy średniej długości. Chustę miała na sobie wrzosową. Ładny kolor – Jola nie odrywała wzroku od monitora. Że też w ogóle zauważyła ten wrzosowy kolor. Pewnie dlatego, że teraz modny.

Wychodzę na wolność. Od kiedy nie ma naszego naczelnego Zbyszka, każde zamknięcie za sobą drzwi od redakcji przypomina mi wyfrunięcie na wolność. A przecież Artur jest z nami dopiero od miesiąca!

Marek zadeklarował się, że mnie zawiezie. Uwielbia, gdy piszą w gazetach o jego wsi. Bo wtedy sąsiedzi spoglądają na niego z dumą. Dlatego często podsyła mi tematy – a to zebranie wiejskie, a to nietypowy ogród wokół domu Śliwiaków, a to wywiad z malarzem, który przeniósł się tu z wielkiego świata, z Warszawy.

Tym razem, jak mówił, będzie coś specjalnego.

– Dobrze, że jesteś w wygodnych butach, na żadnych tam obcasach. Bo byś je pogubiła! – śmieje się tajemniczo.

– To dokąd jedziemy? No powiedz! – proszę go tak już od kilku minut.

– Jedziemy do prawdziwego Robinsona...

Wyjechaliśmy Królewiecką na Giżycko. Minęliśmy wycieczkę z przedszkola, która szukała oznak budzącej się wiosny. Potem pierwszych turystów, idących z kijkami trekkingowymi wzdłuż jeziora Czos. To Niemcy, z daleka rozpoznawalni po pastelowych strojach, okularach w klasycznych oprawkach i ładnie uczesanych siwych włosach. Siwych, bo to przeważnie starsi ludzie, którzy na nasze ziemie wracają może trochę z sentymentu, a trochę z ciekawości. My, mieszkający na Mazurach, już się do tego przyzwyczailiśmy, ale kiedyś do redakcji trafił Amerykanin, który był zadziwiony liczbą Niemców w Mrągowie oraz tym, że w prawie każdym sklepie czy hotelu mógł dogadać się po niemiecku.

– Z czego się to wzięło? – pytał zaciekawiony i trochę bezradny. – Nie mogę w hotelu dogadać się po angielsku, ale za to po niemiecku – proszę bardzo!

Przypomniał mi się teraz ten Amerykanin. Rzeczywiście, musiał strasznie się zdziwić, gdy w hotelu co drugi gość okazywał się Niemcem. Przyjeżdżają do nas przez okrągły rok. To naród mało wybredny, jeśli chodzi o pogodę. Miałam wrażenie, że dla nich liczy się po prostu pobyt na Mazurach – obojętnie kiedy. Trudno powiedzieć, że teraz, wiosną, już są. Bo są przez cały czas: jesienią spacerują, zimą podróżują samochodami, wiosną – uprawiają piesze wędrówki. Naród to ruchliwy, wypoczęty i ciekawy świata. Nawet w bardziej dojrzałym wieku. Jak ci teraz, którzy dziarskim krokiem maszerują wzdłuż Czosu.

Marek jechał wolno, więc można było popatrzeć na wiosnę. Czułam w sobie zwolnione obroty, żadnej adrenaliny, nerwów, nic z tych rzeczy.

Klimatyzacja w passacie Marka szumiała leniwie, radio grało polskie przeboje, ja w wygodnym fotelu dałam się uprowadzać za miasto. Wolno wjechaliśmy do Młynowa. Kiedyś była to oddzielna wieś, teraz już prawie dzielnica miasta. Minęliśmy dom z bali, stojący po lewej stronie drogi. Na dachu połyskiwał miedziany wiatrowskaz w kształcie konia. Wokół rosły bzy. Pięknie...

– Marek, zobacz, jaki piękny dom! – westchnęłam.

– E tam, drewniany. Korniki go zjedzą.

– No co ty, Marek. W skansenie takie drewniane stoją po sto lat! Nie gadaj! – obruszyłam się.

– E tam, nie ma jak murowany.

No tak, Marek ma swoje zasady. Byliśmy dobrymi znajomymi, ale daleko nam jakoś do siebie. Dwie inne bajki. Marek – od kilku lat rolnik, wcześniej ekonomista, ja – dziewczyna z miasta.

Droga wiła się niebezpiecznie.

– Marek, a wiesz, że z Mrągowa do Rynu są aż czterdzieści cztery zakręty? – zapytałam nagle, patrząc na krętą drogę.

– Skąd wiesz? Policzyłaś?

– Ja nie, ale mój kolega dziennikarz kiedyś policzył. Na tej drodze zginął jego przyjaciel z czasów studiów, w wypadku samochodowym. Jechał właśnie z Mrągowa do Rynu. Dość szybko. Zginął, a ten mój kolega czekał na niego wiele godzin, zanim się dowiedział. Potem pojechał tą drogą i liczył zakręty. Nawet napisał o tej drodze reportaż. Czterdzieści cztery zakręty śmierci. Marek, ostrożnie! – krzyknęłam przestraszona. Pies na zakręcie wpadł nam prosto pod koła. Poboczem szły dzieci. Nie upilnowały czworonoga. Marek zahamował z piskiem. Zatrzymał się tuż przed wystraszonym kundelkiem.

– Marek!

– No co? Przecież to nie moja wina!

– Ale się wystraszyłam! – ręce mi się trzęsą.

– Oj, bo opowiadasz takie historie. Przestań już o tych zakrętach. Są, to są. Mazurskie drogi. Pobudowane tak zostały podobno w celach strategicznych, wiesz?

Wiedziałam. Wszyscy u nas to wiedzą. Krętość dróg na Mazurach dorównuje tylko górskim. Niemcy u nas jeżdżą bardzo ostrożnie. Kiedyś rozmawiałam z niemieckim kierowcą. Opowiadał, że to jedyna wada naszych stron. On woli niemieckie autostrady. Proste, przestronne. Takie do nieba...

– A ja wolę te nasze kręte drogi, aleje drzewne – odpowiedziałam jakby na swoje myśli. – Bez nich nie byłoby mazurskiego klimatu. Wciąż trwa o nie spór. Bo są gminy, w których likwiduje się te wspaniałe miejsca, argumentując to liczbą wypadków drogowych. Spotyka się to z wielkim protestem Stowarzyszenia na Rzecz Ochrony Krajobrazu Kulturowego Mazur Sadyba, które od lat prowadzi kampanię społeczno-medialną przeciwko wycince przydrożnych drzew w naszych okolicach oraz na Warmii.

Nie wiem, czy Marka to interesuje. Po uszy tkwił w tych swoich kozach, nie wyglądał na zasłuchanego.

– Słyszałem, ale pomyśl, ilu ludzi zginęło na tych drzewach? – więc jednak słuchał.

– Marku, zginęło, bo jeżdżą szybko, jak wariaci! To nie drzewa stuletnie są winne, ale ludzie są głupi! Przydrożne drzewa są jednym z najbardziej charakterystycznych elementów naszego krajobrazu! Wyobrażasz sobie nasze drogi bez tych drzew? A wiesz, że aleje te powstały w czasach Prus Wschodnich i wiele drzew wymaga raczej leczenia i pielęgnacji niż wycinki? Pod niektórymi zostały nawet zakopane rodzinne pamiątki? Bez tych alei nie będzie Mazur! – wyliczałam jeden po drugim argumenty i nagle poczułam się jak wolność, wiodąca lud na barykady.

– Jesteś szalona. Może masz rację, broniąc tych drzew, ale czy ja wiem. U nas na wsi mówią, że to niebezpieczne.

– A słyszałeś, że o naszych alejach pisali w „Der Spiegel"? Sadyba ich zainteresowała tematem. Marku, trzeba o tym mówić, pisać, ocalać to, co najpiękniejsze dla naszej ziemi! Ty u siebie na wsi też mów, że to nasze bogactwo, że to jest coś najważniejszego! – nie ustąpiłam. Czułam w sobie silną chęć obrony regionalnego dziedzictwa. Choćby tylko przed sceptycznym Markiem.

– No dobrze, już dobrze, uspokój się. Dojeżdżamy do Zalca. Zaraz skręcamy w boczną drogę.

– Ale dokąd ty mnie właściwie wieziesz?

Tak widział nieznany artysta Ratusz w Sensburgu. Ratusz był na Prusach wyznacznikiem zamożności, budynkiem podnoszącym prestiż. Zanim jednak został wybudowany, najpierw powstała strażnica bośniacka.

Rozdział IV

O tym, co można zrobić z tematem, leżącym na ulicy, i co by było, gdyby Kasparow pochodził z Mrągowa.

Marek ma tajemniczą minę. Pobrudzi sobie passata, jak nic. Skręcił za sklepem w polną drogę. Pojechaliśmy kawałek, a nagle Marek, jakby nigdy nic, skręca... w pole.

– Ale tu nie ma przejazdu! – chciałam go zatrzymać.

– Zaraz zobaczysz. Czy słyszałaś, żeby Robinson mieszkał tam, gdzie inni ludzie?

– Co to za Robinson? – broniąc drzewnych alei, zapomniałam zapytać o bohatera mojego przyszłego reportażu.

Marek poszukał innej stacji radiowej. Coś zaczęło trzeszczeć. W komórce nie mam zasięgu. Nie ma drogi. Są pola i od czasu do czasu drzewa. Skąd Marek wiedział, którym polem jechać?

– Pomyliłem się, to nie przy tym drzewie – chyba jednak nie wie... Nic nie mówię. Może Marek nawet żałuje, że mnie tu przywiózł. Zawrócił, pojechał kawałek dalej prosto i znów skręcił. Kolejne pole, ściana lasu. Gdyby Marek nie był Markiem, czułabym się jak porwana Helena. Ale jego się nie boję! A zresztą, wiadomo, co mu do głowy strzeliło?!

– Marek, pytam poważnie, dokąd jedziemy? Czuję się jak uprowadzona!

– Cha, cha, cha, pewnie boisz się, że cię tu dopadnę w tym polu?

– Bać się, nie boję, ale nie lubię takich sytuacji.

– Uspokój się, już dojeżdżamy.

Passat Marka pokonał dzielnie przeszkody. Jechaliśmy jeszcze chwilę prosto i wreszcie zaczęły przed nami majaczyć jakieś zabudowania.

Chociaż „zabudowania" to za duże słowo. Dokładnie mówiąc, zobaczyłam dwa rozwalające się budynki. Ten z prawej chyba był mieszkalny, ale miał całkowicie zawalony dach – omszały, porośnięty winoroślą. Z kolei budynek po lewej stronie miał dach, ale brakowało mu fragmentów ścian. Dziury ktoś wypełnił słomą, sterczącą na boki. Całość ogrodzona była tylko z jednej strony drewnianym płotkiem, tak jednak zmurszałym, że pewnie by się rozsypał w pył po najlżejszym dotknięciu.

– Boże, Marek, a co to jest? Tu ktoś żyje?

– Owszem, zaraz zobaczysz – głos Marka brzmiał tajemniczo. Wysiedliśmy z luksusowego passata. Marek lubi ładne samochody.

Ale ten nie pasował do otoczenia. No i pobrudził się tu trochę. Szkoda. Marek będzie musiał pojechać do myjni.

– Wysiadamy – rzucił krótko, wyraźnie szczęśliwy, że dotarliśmy na miejsce.

Zmierzaliśmy teraz w kierunku czegoś, co kiedyś było podwórkiem. Na środku stała studnia. Czynna jeszcze, mokre wiadro wisiało nad nią na starym łańcuchu. Wiadro było chyba dziurawe, bo woda z niego kapała. Prosto do studni. Krople wydają ciekawy klekot, brzęk jakby.

– Halo! To ja, Marek! Jesteśmy! – Marek chyba się przedstawiał temu podwórku, no bo komu, skoro wszędzie panowała cisza?

– Marek, do kogo ty mówisz? – byłam zdziwiona i chyba jednak trochę przestraszona.

– Zaraz wyjdzie, poczekaj.

Z rozwalającego się budynku wybiegł mały, rudy piesek. Ospały, stary, nawet nie zaszczekał, tylko cichym chrapnięciem zaznaczył swoją obecność. Za nim wyłoniła się postać. Taaak, postać to najtrafniejsze słowo. Wynurzyła się ze zwaliska desek i porostów. Po bliższym przyjrzeniu się można było stwierdzić, że to zarośnięty i brudny mężczyzna. Z jego brązowego swetra wychodziły na boki nitki, za duże spodnie miał wpuszczone w gumofilce.

– Kto to jest??? – zapytałam cichutko, żeby postać nie słyszała.

– To mój sąsiad ze wsi. Robinson. Najlepszy szachista w okolicy – rzucił beztrosko Marek. Mam ochotę go sprać. Więcej nie pojadę z nim na żaden temat!

Trudno mi było wyobrazić sobie tę postać, zajętą grą w szachy. Myślałam, że w ogóle nie umie artykułować dźwięków, a tymczasem okazuje się mężczyzną elokwentnym, inteligentnym i – jak sam przyznaje – absolutnie uzdolnionym, jeśli chodzi o szachy. Robinson naprawdę ma na imię Kazimierz i jako mały chłopiec mieszkał w Mrągowie. Rodzice wyprowadzili się na kolonię do Zalca, by pogospodarzyć. Zmarli, a Kazimierz został tu całkiem sam. Nie miał serca do ziemi, to zostawił ją odłogiem (Robinson pokazuje ręką ciągnące się nieużytki) i kupił sobie owce. „Te owce zaraz zobaczymy" – przyobiecał. Na razie przedstawił nam rudego pieska. Charczącego znów przez chwilę, chyba wiedział, że o nim mowa. Piesek był dość brudny i wydzielał specyficzny zapach niekąpanego psa. Oczywiście, jak wszystkie psy na wsi, nazywał się Burek, ale we wsi mówili na niego Piętaszek.

Kazimierz dobrze się uczył, tylko mu w życiu nie wyszło. Pracował trochę w pegeerze (jak dojeżdżał stąd do pracy?!), a potem, gdy zlikwidowali pegeery, został tu sam jak palec. Teraz jest już za stary, żeby szukać pracy, a zresztą do Mrągowa na rozwalającym się rowerze nie dojedzie. Najwyżej tylko do sklepu w Zalcu. Żyje z renty, kiedyś sprzedał Markowi kawałek ziemi i gospodarzył pieniędzmi jak pan, ale tylko przez miesiąc. Popiło się tu i ówdzie, pojadło i znów brakowało pieniędzy.

– Nie mam nawet telewizora, tylko stare radio tarpan, po rodzicach jeszcze – opowiadał nam Robinson. – Zaprosiłbym do siebie, ale u mnie nie ma gdzie usiąść. Ja żyję trochę jak dziki człowiek. Lepiej posiedzimy sobie tu, przy studni.

I siedliśmy. Woda z wiadra już się wykapała, więc zapanowała kompletna cisza, bo Piętaszek też całkiem ochrypł. Usłyszałam przytłumione pobekiwania owiec. Nasz gospodarz też usłyszał.

– Za stodołą się pasą, tam – pokazuje Robinson.

To, co nazwał stodołą, z bliska wyglądało jeszcze bardziej przerażająco. Bo ściany rozpadły się nie ze starości, a od ilości niewywożonych owczych odchodów! Zalegały one już po sam dach, a ściany stodoły po prostu na tej śmierdzącej górze leżały! Do sufitu zostało zaledwie jakieś dwa i pół metra. I w tej przestrzeni muszą oto zmieścić się Robinsonowskie owce! Na ile czasu to wystarczy? Nie pytam, żeby nie krępować gospodarza. Może w tej górze nawozu jest jakiś sens? Na pewno owcom od ziemi nie ciągnie...

– To teraz te owce swoje pokażę – powiedział Robinson i skręcił za stodołę. My za nim. Marek patrzy na mnie. Ja z trudem powstrzymuję chichot.

– Marek, zabiję cię... – cedzę przez zęby. Ale w duchu pękam ze śmiechu.

Na rozległym polu, porośniętym chwastami, stoi dziewięć brudnych, ukłaczonych kul. Wyglądają jak monstrualne koty, które wymiatam czasem spod łóżka. A może w nocy nawiedziła je zmora i poskręcała im wełnę w kołtuny?

– Domyślam się, że Robinson nie robi z wełny sweterków – wyszeptałam do Marka. Te kłębki rozbawiły mnie do łez. – Marek, tylko im reggae puścić w tej stodole. Dredy już mają.

Zachichotaliśmy razem. Żeby tylko Robinson nie widział. A wiadomo? Może się zezłości.

– To teraz pokażę wam jeszcze moją ziemię – powiedział tonem dziedzica, oprowadzającego po włościach przybyłych zza granicy krewnych.

Poszliśmy za Robinsonem. Kołtunki pobekiwały. Piętaszek szedł za nami w poczuciu obowiązku, ale widać, że nienawykły był do pieszych wędrówek. Szedł więc raczej niechętnie. Minęliśmy pola, porosłe krzakami. Dotarliśmy do stawku. Nad nim leżał wielki kamień.

– To podobno historyczny głaz – opowiadał nam Robinson z dumą. – Na nim tupnął nogą diabeł, gdy się rozwścieczył na lud mazurski. Popatrzcie, widać ślady kopyt na kamieniu. Jak byłem mały, bałem się tego kamienia, jak ognia. Że diabeł może wrócić. Jak się coś źle działo, to się we wsi mówiło, że czort z kamienia powraca! Takie są nasze tutejsze wierzenia.

Spojrzeliśmy, gdzie pokazywała brudna dłoń Robinsona. Rzeczywiście – jakby ślady kopyt. Ciekawa historia. Mazurska legenda w środku Robinsonowskiego podwórka. Kto by pomyślał?

– No to wracamy, teraz pokażę wam dom, skoro już wszystko widzieliście – rzekł zachęcająco nasz gospodarz.

Oczywiście, porobiłam zdjęcia. Najpierw skołtunionym owieczkom przy rozpadającej się stodole. Potem stawkowi z głazem. A wreszcie Robinsonowi, gdy wsparty gumofilcem o głaz prezentował nam w całej okazałości okolicę. Było tu pięknie. Rozległa mazurska panorama mogłaby być tematem niejednego pleneru malarskiego. I wcale nie potrzeba w niej jeziora, staw też wyglądał uroczo.

Wróciliśmy na podwórko. Nie wiedziałam, gdzie się kończyło i zaczynało, bo płot stał tylko z jednej strony. Po drugiej stronie po prostu
się rozpadł.

– Marek, czy my będziemy wchodzić do tego domu? – zapytałam
przestraszona. – A co będzie, jak nam coś spadnie na głowę?

Robinson chyba usłyszał.

– Ja tu mieszkam już kilka lat od zawalenia tego dachu i nic mi na
głowę nie spadło. Na piętrze zwalił się dach, na parterze zamieszkały
jaskółki, to nie przeprowadzałem się na parter, żeby ich nie przepłoszyć.
Zamieszkałem w piwnicy. Co ma tu spaść na głowę, jak strop jeszcze
jakoś stoi?

Rzeczywiście, Robinson mieszkał w piwnicy. Miał tam coś w rodzaju legowiska. W starej szafie z otwartymi drzwiami leżały rozrzucone
ubrania. Poza tym rozchybotany stół, niegdyś piękny, drewniany i rzeź-
biony, okienko na świat, z szarą szybką, przez którą niewiele było widać.
Pewnie dlatego nie od razu spostrzegł, że przyjechaliśmy. Na stole słoik
po musztardzie z torebką herbaty. Bochenek chleba. Salceson lekko ze-
schnięty. Stara grzałka z poskręcanym kablem, sklejonym czarną taśmą
izolacyjną. I pudełko szachów. Na ścianie monidło rodziców. Popstrzona
przez muchy młoda para w dorysowanych strojach weselnych.

Całość – obraz nędzy i rozpaczy. Dwudziesty pierwszy wiek, era
Internetu, światłowodu, cyfrowej jakości dźwięków. Domu sterowanego
elektronicznie. Plazmy w łazience. Wanny z hydromasażem i terapią kolora-
mi. Inteligentnej pralki, lodówki z kostkarkami do lodu. Świat zatoczył
koło i wrócił do tego dawnego mazurskiego siedliska, którego gospodarz
przeprowadził się do piwnicy, żeby nie płoszyć jaskółek, które rozgościły
się w jego dawnym pokoju! Do stodoły z brudnymi owcami, które wyglądają, jakby nigdy nie były strzyżone! I wreszcie – do Robinsona, którego
jedynym zajęciem była gra w szachy i który, być może, pokonałby samego
Kasparowa, gdyby jego życie potoczyło się inaczej!

W drodze powrotnej mało mówiłam. Marek pokazał mi świat, o którego istnieniu już dawno zapomniałam. Świat człowieka prostego, żyjące-
go w zgodzie z naturą i jej przemianami. Muszę teraz sobie to poukładać,
napisać w głowie mój reportaż, a potem tylko z głowy przepisać. Wróciliśmy znów polami, teraz było już łatwiej, bo po śladach opon.

– Zadowolona? – zagadnął Marek, gdy sprawdzałam, czy wrócił zasięg w moim telefonie.

– Jasne. W szoku jestem trochę tylko – odpowiedziałam i odwróciłam głowę w jego kierunku.

– Cała jesteś w kolorkach – roześmiał się mój kolega. – Napiszesz chyba coś fajnego, co? Nie każda wieś ma takiego Robinsona. A moja ma! – zakończył Marek z dumą.

Wróciłam do redakcji.

– Znów ta dziewczyna cię szukała – rzuciła Jola na przywitanie.

– Co za dziewczyna? – zapytałam głośno, nieco retorycznie, bo wiadomo, że i tak nikt jej nie zna.

Jola wzruszyła ramionami. Zadzwonił telefon. Do Artura.

– Redaktora naczelnego dziś nie ma – rzuciła służbowo nasza stażystko-asystentka. – Nieobecny. Z przyczyn niezależnych. Czy coś przekazać?

Siadam do komputera. Zawsze wolałam pisać na świeżo, gdy mam jeszcze w głowie reportażowy zamęt. Ściągam zdjęcia z aparatu. Spakowałam do folderu „fotki do numeru". Postanawiam je obejrzeć. Robinson z dumą pokazuje staw. Robinson ze śladem diabelskiego kopyta. Owce Robinsona. Nawet profil Marka załapał się na zdjęciu. Niech będzie. Marek jest taki dumny, że ma kontakty z lokalną prasą.

Reportaż pisze mi się doskonale. Z komputera Piotra sączy się łagodna muzyka. Uspokajam się. Klawiatura miarowo stuka. Reportaż przepisuje mi się wprost z głowy do pliku. Wartko, spokojnie. Bez zastanowienia. Jakbym ściągała zdjęcia z aparatu.

Rozdział V

O tym, że Artur jednak zna miłe słowa, ale i tak kobiety bywają dla siebie milsze i przyjaźniej nastawione.

Muszę ci pogratulować. Reportaż świetny. Gdzieś ty znalazła taki temat? – Artur był dziś wyjątkowo dla mnie łaskaw. – Dzwonili z innych tygodników, gratulowali nam – dodał.

Zaraz, zaraz, jakim „nam"? Przecież to mój tekst. Mój reportaż. Mój wyjazd! Nie „nasz"!

– To jest chyba mój tekst, prawda? Ja jestem jego autorką.

– No tak, ale to nasz tygodnik i ty nie jesteś oddzielną częścią, tylko tworzysz całość. Wszystko, co jest w nim, jest nasze. To dobro wspólne – wyjaśnił mi Artur. Wielkie dzięki za wyjaśnienie. Dobre sobie. Dobro wspólne! Już kiedyś było w historii Polski dobro wspólne. Ciekawe jak mi policzy wierszówkę? Czy uwzględni w tym dojazd do Zalca i trud, jaki sobie zadałam, żeby ten reportaż powstał? A może wierszówka też będzie dobrem wspólnym?!

Piotr spod okularów zerknął na mnie. Machnął ręką na znak, żebym dała sobie spokój. Jemu łatwiej, on z natury trochę taki przypominający rozleniwionego żubra. A ja prędka, zwariowana. Mnie trudniej się wy-to-nować. Wyszłam do cukierenki. Nie lubię słodyczy, ale mówią, że na stres dobre. Pani Jadzia włożyła mi do papierowej torebki pączka z ajer-konia-kiem. Podziękowałam. A, wezmę i dla Piotra. Siedzi w tym swoim kącie, nikt o nim nie pamięta. Położyłam mu potem tego pączka na talerzyku. Do szklanki nalałam sok marchwiowy, postawiłam przed nim. Sobie też nalałam. Pijemy. Milczymy, bo czujne ucho Artura wyłapie i zrozumie każdy, najmniejszy nawet szept.

Miasto nad Czosem, poprzecinane uliczkami, wzdłuż których stoją malownicze kamienice. To jedno z piękniejszych miejsc w Prusach Wschodnich.

Praca, dom, praca, dom. Ewka się nie odzywa. Pewnie te toruńskie ogrody nie dają jej żyć. Oby do zimnej Zośki zdążyła! Na razie jest kwiecień. Uf, pojechałabym do niej, wyściskała tę moją przyjaciółkę od serca. Zawsze wzbudzała we mnie odruchy matczyne. Jej bezbronne błękitne oczy jak plamki nieba, blond włosy wiecznie rozwichrzone, niedające się uczesać. Mieszczące się jedynie pod śliwkową czapeczką robioną na drutach, w której spędziła całe jesienno-zimowe dzieciństwo. Mam do dziś zdjęcie Ewki w tej czapeczce. Ja w granatowej kurtce, ona w futerku. Nigdy nie miałam takiego futerka, choć marzyłam o nim. Wyobrażałam sobie, że musi być w nim ciepło jak w uchu. Ja miałam tylko skafandry – jak się wtedy mówiło. Ewa pochodziła z bogatszego domu. Nie brakowało pieniędzy, ciotka przysyłała paczki z Niemiec. Ja w pocerowanych na kolanach rajstopach, ona w delikatnych pończoszkach. Ja w swetrze po synu znajomych, Ewa w kolorowym golfiku w haftowane kwiaty. Trochę zazdrościłam, ale i tak kochałam Ewkę miłością oddanej przyjaciółki. Jak dobrze, że ta przyjaźń przetrwała lata! Zachęcona wspomnieniami zadzwoniłam do niej.

– Ewuń, i co, jak twoje projekty. Znajdziesz wolną chwilę?

– Pewnie, wpadajcie. Zgadałaś się z dziewczynami? – Ewka była wyraźnie zasapana, pewnie biegła do tramwaju.

–Dziś do nich zadzwonię. Pasowałby ci najbliższy weekend?

– Czekaj... Ten piątek. Koncert. Ale dobra, odpuszczę. Renata Przemyk będzie. Może pójdziemy razem?

– Nie wiem, czy zdążymy. Najwyżej nie pójdziemy.

– No dobra, zagadaj z dziewczynami. Czym przyjedziecie? – Ewka wyraźnie przyspieszyła, bo głos się rwie.

– Chyba pociągiem, bo moje auto w naprawie, a Sylwia nie dostanie audi, mąż nie pozwoli – wyjaśniłam. Ewa coraz bardziej dyszała.

– Dobra, przyjeżdżajcie pociągiem. Przywieź ze sobą kiszone ogórki. Na pewno porobiłaś. Kończę, bo mi czwórka ucieka. Pa!

Trzask. Wiedziałam, że biegnie za tramwajem.

Iza była jak zwykle zaskoczona. Ona musi wszystko zaplanować, a czasem życia nie da rady przewidzieć. Zawsze jej to tłumaczyłam, ale ona z naszej czwórki najbardziej była zorganizowana i lękliwa. Bała się spontanicznie rzucić w wir wydarzeń. Wszystko musiało być pod kontrolą.

– Ojejku – to ulubione słowo Izy, gdy słyszała coś niespodziewanego. Gdy usłyszałam „ojejku", już wiedziałam, że będzie trudno.

– Izka, pociągiem pojedziemy, nie będziesz martwić się, że za szybko jadę – obiecuję.

– Ojejku, muszę Rysia spytać.

Rysio to mąż Izy. Równie spokojny. Uczy fizyki w liceum. Wzór cnót wszelakich. Mogło się okazać, że będzie równie zaskoczony wyjazdem Izy i wtedy nie odnajdą się w tym zaskoczeniu. No i Iza nie pojedzie.

– Musisz pytać?

– No a jak? Dziećmi kto się zajmie? Rysiu będzie musiał.

Dałam jej czas do wieczora. Delikatnie, bo Iza nie lubi presji, wyznaczania jej granic i podejmowania za nią decyzji. Iza była bardzo przewrażliwiona na tym punkcie i uparta, gdy się świadomie wkraczało w jej rewir. Ona musiała sama się zorganizować, przemyśleć sprawę i wyznaczyć sobie cel. Z Izą będzie najgorzej. Ale miałam nadzieję. Dziś jest wtorek, wyjechałybyśmy w piątek. Ma całe trzy dni do namysłu. Mnie wystarczyłyby trzy minuty... Zadzwoniłam do Sylwii. Była jeszcze w hurtowni.

– Kochana, zaraz, odbiorca tylko wyjedzie, oddzwonię za chwilkę.

Oddzwoniła po kwadransie. Ja w tym czasie zaparzyłam sobie zieloną herbatę na kolejny samotny wieczór. I włączyłam Antoninę Krzysztoń. *Elegię miasteczek żydowskich*. Piękne.

– Wiesz, rozmawiałam z moim starym. Jasne, że jedziemy. Znaczy my, dziewczyny. Maciek nie. On mówi tylko, że może jakąś hurtownię jeszcze bym namierzyła w Toruniu, w sumie możemy jechać. Audi oczywiście nie daje, bo będzie używał. Ty masz swój pewnie wciąż w naprawie. Ale to nic, pojedziemy pociągiem! Izka jedzie? – Sylwia rzucała beztrosko te swoje słowa miękkim głosem. Lubię jej słuchać. Może niech zadzwoni do Izy?

– No dobra, czekaj, zadzwonię.

Minął następny kwadrans. Herbata wypita, włączyłam komputer. Sprawdziłam pocztę. Zadzwoniła moja komórka. To Sylwia.

– Izka jedzie. Zgodziła się! Sprawdź tylko pociągi. Teraz zadzwonił telefon domowy. To Iza.

– Cześć. Komórka zajęta, chyba z kimś gadasz. No to pojadę z wami do tego Torunia. Rysiu też mnie namawia, i Sylwia dzwoniła.

Nie posiadam się z radości. Nareszcie spotkamy się razem, we cztery! Chyba doskwiera mi samotność, skoro tak mnie bierze na sentymenty. Oglądałam stare zdjęcia i widzę nas, dawne przyjaciółki, uśmiechnięte i dziecinne jeszcze. To biwak szkolny w Nowym Zyzdroju, w drewnianych domkach campingowych. To w Jorze Wielkiej. Pod namiotami. Pierwszy mój wyjazd pod namiot. Pamiętałam, że wypożyczyłyśmy go ze spółdzielni mieszkaniowej. Tam był taki magazyn sprzętu turystycznego, z którego mogli korzystać „członkowie spółdzielni". Rodzice Izy byli nimi, mieszkali w bloku na osiedlu. No i któregoś dnia Iza zapowiedziała, że załatwiła nam namiot na biwak i że po południu mamy w parku „próbę namiotu". Nie miałam pojęcia, co to jest ta próba namiotu. Okazało się, że musiałyśmy po prostu sprawdzić, czy się nadaje, czy ma wszystkie śledzie (pojęcia nie miałam, co to są te śledzie, ale Iza wiedziała, bo miała brata harce-rza). Rozstawiłyśmy z jego pomocą ten namiot. Nadawał się, choć widać było po nim upływ czasu. O dobro spółdzielcze, czyli wspólne (skąd ja to znam?), nie każdy dbał. Jednak miał ów namiot cztery pomarańczowe ściany, równie pomarańczowy tropik i komplet szpilek oraz śledzi. Był brudny, ale cieszyłyśmy się z niego jak nie wiem co. Biwak się udał, nasza przyjaźń wyjątkowo sprawdzała się na różnych wyjazdach. Mam nadzieję, że i teraz też tak będzie. Cieszę się na ten Toruń jak mała dziewczynka.

Musiałam przeczytać pocztę. Nie sprawdzałam od kilku dni. Ścią-gnęłam maile. Trochę spamu. Jak zwykle. Był mail od Sylwii, wysłała mi śmieszne filmiki. Był też list od mego byłego już szefa, Zbyszka. Opisywał swoją nową pracę, ale wyczuwało się, że tęskni za nami. W porządku człowiek był. Nie to, co Artur. I jeszcze zaproszenie od Baśki. Na pokaz kosmetyczny w nowym gabinecie. Wyraźnie się już zadomowiła, szczę-ściara. Na koniec pokazu szarlotka domowej roboty. Zaraz, zaraz. To w ten piątek! Nie pójdę. Wolę Toruń. Może innym razem, Basiu.

Zgłodniałam. Nie ma chleba. Muszę wyskoczyć do sklepu. Założyłam mój sztruksowy płaszczyk, od kilku sezonów ten sam, buty, wzięłam płócienną torbę na zakupy. Jak dobrze, że kończą się czasy jednorazowych reklamó-wek! Polska to chyba jedyny w Europie kraj, w którym na drzewach, zamiast kwiatów, kwitną foliowe woreczki. Zamknęłam drzwi, zbiegłam po schodach mojej kamienicy. Kochałam ten mój dom, to miejsce. Tajemniczość budynku, krętość schodków. Czułam, jakby przycupnęła tu jakaś historia...

Wychodząc, natknęłam się na zaciekawionego moją kamienicą turystę. Trzydziestoparoletni, dobrze zbudowany, bardzo wysoki. Przystojny. Na to od razu zwróciłam uwagę. Robił zdjęcia, dotykał dłonią betonowych rzeźb w kształcie kul, stojących na postumentach przy bramie. Mam wrażenie, że na jedno ze zdjęć się załapałam. Turysta podszedł do mnie i poprosił, po niemiecku, żebym jemu też pstryknęła fotkę. Na szczęście znam niemiecki. Uczyłyśmy się go kiedyś razem z Ewą. Ona chciała zostać nauczycielką, ja – pilotką wycieczek. Żadna z nas nie zrealizowała tych planów, ale niemiecki w naszych głowach pozostał. Turysta ustawił się przy bramie z kulami. Wzięłam do ręki aparat, ciężki i z pewnością kosztowny. Wybrałam najlepsze miejsce, by mężczyzna ładnie wyglądał w kadrze. Zrobiłam zdjęcie. Oddałam aparat. Podziękował i, nie zwracając już na mnie więcej uwagi, wszedł wolno przez bramę do środka. Nie miałam odwagi zapytać, co tu robi. Ale widziałam na jego twarzy zamyślenie.

Pobiegłam do sklepu. Mężczyzna już mi wywietrzał z głowy. Był ciemnym blondynem, miał niebieskie oczy. Nie mój typ. Moja sąsiadka, pani Marysia zawsze mówiła, że ci z niebieskimi oczami są niebezpieczni. Że niby niemęscy, romantyczni i skłonni do zdrad, bo kobiety wciąż zwracają na nich uwagę i kuszą wdziękami.

W sklepie Pod Kasztanem, przycupniętym w szeregu przedwojennych kamienic przy głównej ulicy miasta, stało kilku podpitych mężczyzn. Zawsze są tu o tej porze – po południu lub wieczorem. Podchmieleni, zaczepiają, zagadują, ale w sumie są niegroźni. Prym w sklepie wiedzie jak zwykle sklepowa, pani Halinka. Niewysoka, czarnowłosa kobieta po pięćdziesiątce, ale silna i z głosem rosłego mężczyzny. Nieprzypadkowo tu pracowała. Mimo drobnej postury, miała w sobie coś władczego, stanowczego. Okoliczni pijaczkowie bali się jej, ale i mogli liczyć na jej serce. Piwo na zeszyt, gdy brakowało pieniędzy, czasem ratowało ich przed skutkami syndromu dnia poprzedniego.

Pani Halinka z uśmiechem podała mi chleb.

– Malinowski znów się urżnął, już żona go szukała. Ale wyszedł za potrzebą, pewnie za sklep. Co ja się z nimi mam, obszczymury jedne! – biadoliła jak zawsze. Ale chyba lubiła swoją pracę, bo mogła porządzić. Była tu kierowniczką i żaden pijaczek inaczej się do niej nie zwracał.

Spakowałam chleb do torby. W sumie mogłam iść do Biedronki, kupiłabym może coś więcej, ale ten Niemiec wytrącił mnie z normalnego rytmu. Wracałam wolno uliczkami miasta. Powoli zapadał zmierzch. Wiosną nieco później, ale w sposób równie nieunikniony.

Dla tej magii Mazur warto tu żyć, mieszkać lub choć przez chwilę odpocząć. Takie widoki przetrwały trudne dla tej ziemi czasy i wciąż uzbudzają zachwyt tych, którzy tu bywają.

Rozdział VI

O zgubnych skutkach przedwieczornej wiosny i mazurskich smaków ciąg dalszy.

Dziś środa i straszny młyn w pracy. Zostałam po godzinach. Nie miałam kiedy pomyśleć o wyjeździe do Torunia. Nadal nie wiem, o której jest pociąg. Sylwia zabiegana, Izka bawi dzieci. Wszystko na mojej głowie. A przecież ja też mam swoje życie, swoją pracę! Biadolę trochę, ale to może wiosenne przemęczenie? Artur wysłał mnie na jakieś oficjalne spotkanie z Niemcami, podobno przyjechała delegacja z jakiegoś miasta o obco brzmiącej nazwie, by spotkać się i porozmawiać o ewentualnej współpracy. Partnerstwo jakieś się kroi. Samorządy tak lubią. Nie tylko, bo i w polityce krajowej wciąż coś podpisują i się umawiają.

Dużo tych Niemców na Mazurach, my już się do tego przyzwyczailiśmy. Starsze pokolenie obawia się, komentuje, że zabiorą nam Mazury, że przyjadą po swoje. My, młodsi, patrzymy już na to inaczej. Ja osobiście – z dystansem. Doceniam ciężką i trudną historię tej ziemi. Trochę już o tym napisałam, więc i temat jakoś bardziej oswojony. Zdaję sobie jednak sprawę, że nie wiem o tej ziemi wszystkiego. Że wciąż ma przede mną tajemnice. A że jako jedyna z redakcji znałam język, więc powinnam się dogadać. Tak powiedział Artur. Dlatego zaproszenie wysłane mu przez naszego burmistrza, oddał właśnie mnie. „Dzięki ci, Arturku" – pomyślałam z ironią.

Spotkanie w ratuszu już trwało. Przemówienia, prezentacje, wymienianie zasług. Minuty mijały spędzane pracowicie na notowaniu i robieniu zdjęć. W sali duszno, a kolejni mówcy jakby tego nie czuli, opowiadali o polsko-niemieckich relacjach, wzajemnej pomocy, o tym, jak trzeba łamać stereotypy. Opuściłam salę, nie mogąc już wytrzymać temperatury i braku powietrza. Nie lubię tych urzędowych, nastroszonych garniturami spotkań. Tyle, ile zanotowałam, powinno wystarczyć.

Za drzwiami panowała rozbujana, przedwieczorna młoda jeszcze wiosna. Gałęzie napęczniałe po całym dniu od słońca, teraz pokryły się spokojniejszą, dającą im wytchnienie zielenią. Wyszłam na molo. Siadłam na ławeczce. Zamknęłam oczy. Gwar miasteczka cichł z wolna. Ludzie powoli wracali do domów, już po zakupach, bo sklepy do siedemnastej. Po tej godzinie miasteczko zamierało. Chyba że był sezon. Brukowanymi uliczkami przemykały kolorowe samochody, z ruchem uporządkowanym przepisami, przez uchylone okna sączyły się różne dźwięki: hip-hopu Grupy Operacyjnej, radiowych spotów reklamowych, komunikatów i nawet, w jednym z samochodów, pełnej przedwojennego czaru muzyki współczesnej Katarzyny Jamróz. Otwieram oczy, bo słyszę kroki. Brukowaną uliczką nadchodzi... nie jestem pewna, czy dobrze widzę... tamten Niemiec, badacz mojej kamienicy. Wyszedł z ratusza. Pewnie też był na spotkaniu, w którym uczestniczyłam. Zatem przyjechał tu razem z niemiecką delegacją.

Nie patrzy w moją stronę. Idzie szybko. Zatrzymuje nagle jakąś starszą kobietę z kudłatym pieskiem i rozmawia z nią chwilę. Ona próbuje mu coś wyjaśnić, pokazując na kamienicę przy Placu Kajki, obok piekarni. Niemiec poszedł tam, gdzie wskazała mu szczupła dłoń starszej kobiety. Stanął na schodach i spojrzał w górę. Usiadł na stopniu.

Zadzwoniła moja komórka. To Piotr. Pewnie jeszcze w redakcji.

– Ludka, Artur wyjechał, ale mówił, żebyś jeszcze poszła na ten bankiet po spotkaniu. Burmistrz prosił go, żebyś trochę potłumaczyła.

– Piotrek, ja nie mam czasu chodzić na jakieś bankiety nawiedzone!

– Ludka, bo Artur będzie potem gadał! Po co ci to. Przecież wiesz, jaki on jest. No idź.

– Dobra, ale na chwilę. A burmistrz nie mógł do mnie sam zadzwonić? Musiał przez Artura?

– Prosił jego, ale Artur nie zna niemieckiego, przecież wiesz.

– Dobra, gdzie ten bankiet?

– W Restauracji Mazurskiej.

Na szczęście to było blisko. Bo wciąż nie miałam samochodu. No właśnie, coś mechanik się nie odzywa. Kiedy byłam jeszcze narzeczoną

Jacka, moje samochody zawsze były zadbane, naprawione, wymuskane, a teraz doprosić się nie mogę. Przecież nie zadzwonię do niego, za dumna jestem na to! Nie ma mowy. Niewiele, jak widać, pozostało mi żalu po tym związku. Jakie to smutne, że taki może być koniec miłości...

Odczekałam swoje na ławce. Spotkanie się zakończyło i goście przeszli do restauracji. Weszłam do środka. Ładne wnętrze, urządzone stylowo, meble podobne do tych, które stały w restauracjach w Prusach Wschodnich. Wiem to, bo sepiowe fotografie wiszą na ścianie lokalu. Goście stali z zapełnionymi już talerzykami i zajadali miejscowe przysmaki. Trzeba przyznać, że organizatorzy bankietu mieli dobry pomysł. Mazurskie jedzenie, na zwykłych talerzach, podawane drewnianymi łyżkami przez młode dziewczyny. Kelnerki ubrane w proste, nakrochmalone stroje mazurskie, po niemiecku zapraszały gości do smakowania. Każda potrawa podpisana w dwóch językach, dzięki czemu łatwo można było zorientować się, jakie dania serwują nam gospodarze.

Goście łakomie wyjadali z glinianych miseczek kartoflankę po wschodnioprusku, w której pływały kawałki peklowanej karkówki i listki niedbale pokrojonej natki pietruszki. Ci, którzy już skończyli, sięgali po półgęsek, czyli kawałki wędzonej gęsiej piersi, pokrojone na drewnianej desce. Obok dumnie panoszył się ślepy zając, czyli specjalnie przyrządzone po mazursku mięso wołowe i wieprzowe pieczone ze słoniną i grzybami. Na misce w niebieskie kwiaty leżały gotowane ziemniaki, okraszone cebulą, duszony groszek z marchewką w lekko słodzonym maśle, które połyskiwało złotymi, małymi oczkami na ciepłej jeszcze potrawie. W małych glinianych miseczkach dodatki – kalarepa duszona ze śmietaną, smażone selery, a na deser anyżowe ciasteczka i twarogowe pierożki ze słodkim nadzieniem. Od tego jedzenia aż kręciło się w głowie. Dawno nie jadłam takich smakołyków!

Niemieccy goście zachwyceni. Nie tylko jedli, ale i czytali o każdej potrawie. Ktoś natrudził się, by na małych, papierowych wizytówkach opisać kulinarną tradycję, której rozkoszy właśnie doświadczaliśmy.

Poszłam szukać burmistrza. Stał wysoki, szpakowaty, potężny, z daleka widoczny, z jakimś Niemcem w kącie sali, przy oknie. Przywitałam się.

Burmistrz przedstawił mi niemieckiego burmistrza. Mówił, że chce nawiązać współpracę, że liczy na młodzieżowe wymiany, wpieranie działań i tym podobne. Wysłuchałam, zrobiłam parę zdjęć. Podeszli kolejni goście. Im też burmistrz mnie przedstawił. To dyrektor niemieckiego szpitala, to właściciel hotelu, to redaktor naczelny tamtejszego pisma. Gdzieś jest ich fotoreporter. Szukają, nawołują, chcą zrobić pamiątkowe zdjęcie. Wszyscy zachwyceni jedzeniem. Zaproponowałam, że mogłabym wystarać się o przepisy na te dania, zawieźliby je do swoich domów, może by przypomniały nowo odkryte mazurskie smaki? Zgadzają się z entuzjazmem. Burmistrz wniebowzięty.

– Pani Ludmiło, niedługo my pojedziemy do Niemiec. Koniecznie musi pani z nami się wybrać – zachęcał mnie.

– Z największą przyjemnością – odpowiedziałam. Dlaczego nie?

Entuzjazm i gwar panujący w restauracji zachęcał do nawiązania znajomości z kucharzami. Obiecałam gościom te przepisy, więc muszę się wywiązać. Idąc, wpadłam prosto na wysokiego blondyna, który szedł właśnie z pełnym talerzem w kierunku grupy gości. Usłyszałam wołania:

– Martin, nareszcie się znalazłeś, zrób nam pamiątkowe zdjęcie!

Ach tak, to ten sam Niemiec, który oglądał moją kamienicę, potem biegł po brukowanej uliczce i zaczepił panią z kudłatym pieskiem. Ktoś mi go przedstawił:

– To nasza zguba. Martin, fotoreporter.

Mężczyzna chyba mnie poznał, bo patrzy pytającym wzrokiem, chce wyraźnie coś powiedzieć, poza swoim imieniem, ale towarzyszące mu Niemki, blondynka i szatynka, już zaczęły szczebiotać. Podałam rękę, przedstawiłam się i poszłam porozmawiać z szefem kuchni, który bez problemu zgadza się podać przepisy. Umawiamy się na następny dzień.

Rozpoczęła się część muzyczna. Na małej, drewnianej scenie rozłożył się już trzyosobowy zespół, którego liderem był mój kolega z przedszkola, Tadeusz. Wiele lat temu odkrył w sobie talent muzyczny, założył zespół, grywał na weselach, letnich koncertach, stopniowo stawał się coraz bardziej popularny. Na parkiecie pojawiły się pierwsze pary, ośmielone piwem, które stało z boku, czerpane z wielkiego nalewaka. Polsko-niemieckie pląsy zapoczątkowali jednak Polacy, wiadomo, słowiańska dusza, uśmiechy, wykrzykiwane słowa – przyglądałam się temu z boku, dopijając piwo. Dobrze, że przyszłam, zawsze to jakaś odskocznia. Czyjaś dłoń dotknęła mnie lekko w łokieć.

– Przepraszam, to ty zrobiłaś mi zdjęcie przed kamienicą? – to ten ich Martin. Więc jednak mnie poznał.

– Tak, to ja – odpowiedziałam zaskoczona. Na twarz wylał mi się rumieniec. Wciąż nie umiem sobie poradzić z pąsami na twarzy. – Dlaczego chciałeś mieć zdjęcie właśnie tam? Mamy w mieście wiele innych, ładniejszych miejsc.

– Takie zlecenie, musiałem je wykonać – wyraźnie mnie zbył. I dodał: – Pracujesz w gazecie?

– Tak, a ty, widzę, też.

Zaczął opowiadać o swojej pracy. Mówił z entuzjazmem, chyba lubi fotografować świat. Popijamy piwo, jest wesoło. Burmistrz co chwila podchodzi, zagaduje, pyta, jak czują się goście. Tłumaczę coś, śmieję się, żartuję. Bo jest naprawdę miło. Widzę, że Martin chce mi jeszcze coś powiedzieć.

– Podoba ci się nasze miasto? – zadaję więc pytanie.

– Piękne, choć na razie mało je znam. Kiedy patrzę na zabudowę, to wydaje mi się, że jest podobne do niemieckich miasteczek.

– Jasne, są podobne. Naprawdę. Prusy Wschodnie to kraina, w której polskość przeplotła się z niemieckością.

Martin zamyślił się. Powiedziałam coś nie tak?

– Wiesz, mam dla ciebie propozycję. Może spotkamy się jutro, ty tu znasz każdy kąt, pokażesz mi miasto, a ja ci powiem, dlaczego byłem tam, przed tamtą kamienicą. – Głos Martina robi się nieco tajemniczy. Zatem przeczucia mnie nie myliły!

– Jasne, chętnie. Nie wiem wszystkiego, ale mieszkam tu od urodzenia, mogę opowiedzieć ci o niektórych miejscach.

– A co ty robiłaś pod tamtą kamienicą? Masz tam kogoś znajomego? – pyta.

– Mieszkam w niej.

Martin poważnieje. Patrzy na mnie z uwagą. Wreszcie cicho mówi:

– Nie spotkaliśmy się zatem przypadkiem. Musisz mi pomóc. Musisz pomóc mi znaleźć dom mego ojca. Nie czekajmy do jutra, pójdźmy teraz do tej kamienicy. Wszystko opowiem ci na miejscu.

Brukowany rynek Sensburga zawsze tętnił życiem. Otoczony sklepikami i restauracjami, był głównym punktem miasteczka.

Rozdział VII

O tym, jakie tajemnice nosi w sobie kamienica pełna szeptów.
Czy przed wojną, i dlaczego, chodziło się na wagary.
I jeszcze o tym, że wino pite w kwietniu może być przyczyną wielu
groźnych... zdarzeń.

Wyszliśmy na zewnątrz. Dopadł nas zbawczy chłód kwietniowego wieczoru. Czułam w sobie lekkie drżenie, jak zawsze, gdy jestem na tropie fascynującej przygody lub gdy spotykam ciekawego człowieka. Zaraz bym to opisała, zanotowała każdą myśl! Szłam obok nieznajomego i myślałam: „Ten człowiek, przypadkowo spotkany na ulicy, nosi w sercu jakąś ciekawą opowieść. Będę miała temat!"

W takich momentach zawsze myślałam o tym, że dziennikarz, jak lekarz, cały czas jest w pracy. Co zobaczy, usłyszy, musi zapamiętać, bo nie wiadomo, kiedy się to może przydać. W jaki sposób to opisać, żeby było ciekawe dla czytelnika? No i czy ten Niemiec pozwoli mi opisać swoją historię?

Dotarliśmy do mojej kamienicy. Przywitały nas drzwi wejściowe, pięknie rzeźbione. Piękno to jednak ktoś bezmyślnie zamalował brązową olejną farbą. W wilgotnym mroku weszliśmy na korytarz. Zapaliłam światło na klatce starym, przedwojennym przełącznikiem, takim niewielkim pstryczkiem. W Internecie widziałam podobne, piękne, zdobione kwiatami, porcelanowe, zaprojektowane w tym samym, przedwojennym stylu. Robi je jakaś włoska firma, za straszne pieniądze. Fascynujące, jak powracają mody, wzory, pomysł! Coś, co niedawno było starociem, teraz jest inspirujące dla projektantów! A u mnie w ścianie taki pstryczek, z tamtych lat, i mam go zupełnie za darmo.

Weszliśmy wolno po schodach. Szłam i myślałam: „Wypada zaprosić Martina do siebie, czy nie?" Widziałam kątem oka, jak ogląda każdy szczegół, dotyka metalowych poręczy, esów-floresów, fantazyjnie powyginanych.

Wydawał mi się po prostu uczciwy. Zaciekawiony światem. Wreszcie podjęłam decyzję. Zaproszę. I zwątpienie. A co będzie, jeśli to jakiś oszust, jeśli chce coś mi zrobić? Nie, ten Niemiec nie wyglądał na oszusta.

Muszę zawierzyć intuicji. Przecież to może być fascynujący temat. Mój Robinson z Zalca się chowa!

– Jeśli chcesz, zaparzę ci herbatę i porozmawiamy – zaproponowałam.

Martin zgodził się bez wahania. Jakby tylko na to czekał. Szłam przodem, torowałam mu drogę na swoje poddasze. Przekręciłam klucz w drzwiach. Martin powiesił kurtkę na drewnianym wieszaku. Rozejrzał się po wnętrzu. Zapewne nie opływałam w luksusy jak on tam, w Niemczech, ale wydawało mi się, że nie mam czego się wstydzić. Moje mieszkanie jest może skromne, ale urządzone z duszą, artystycznie. Na bałaganik też było w nim miejsce. Nie miało to jednak dla mnie większego znaczenia.

Kuchnia z dwoma oknami w dachu, drewniana podłoga z nierównych desek, przykryta ręcznie tkanym chodnikiem – tak, klimat tego mieszkania z pewnością różni się od klimatu jego niemieckiego domu, w którym wszystko ma swoje miejsce. Nawet mi o tym powiedział:

– Ciekawie tu, inaczej niż u nas w Niemczech.

Nastawiłam wodę na herbatę w blaszanych czajniku. Martin powiesił marynarkę na krześle, szybko jednak ją zabrał i przeniósł na wieszak. Niemiecka porządność dała o sobie znać.

– Mogę umyć ręce?

Wskazałam mu drzwi do łazienki. Zamknął za sobą drzwi, mocując się trochę ze starą klamką. Ciekawe, czy mu się spodoba w mojej łazience? Czy na pewno jest tam czysto? O Boże, mój szlafrok na pewno się wala na pralce i może nawet koszula nocna! Oraz kąpielowe kap-ciuszki z *frotté*! Jest już za późno, żeby ratować sytuację. Trudno, wyjdę na skończoną bałaganiarę, która w kolorowych bamboszkach biega po mieszkaniu!

Moja łazienka, mimo bałaganiku, jest całkiem sympatyczna. Naprzeciw drzwi wisi duże lustro, własnoręcznie ozdobione, dzięki specjalnym szablonom, malowanymi kwiatami. Drobne kafelki w kolorze rudej cegły. Umywalka stara, jak cynowa, kupiona na Allegro, przy niej na wielkiej muszli kostka glicerynowego mydła o zapachu czekolady. Szafka pełna kosmetyków. Perfumy.

Wszystko byłoby dobrze, żeby nie te moje bamboszki. Po co ja je wstawiłam do łazienki, zamiast trzymać po prostu przy łóżku?! Kiedy się nauczę pilnować porządku?! A mama tyle razy mówiła: „Zawsze ktoś może niespodziewanie wpaść"... No i mam! I nagle skóra mi cierpnie na głowie. Przypomina mi się, że bamboszki to jeszcze nic. Że te bamboszki to dopiero połowa mego dramatu. Bo na drzwiach od łazienki, na wieszaku obok ręczników, wisi mój zielony stanik! Jaki obciach!!! Serce mi wali. Słyszę, jak Martin wyciera ręce w ręcznik, chwyta za klamkę. Wychodzi. Otwierają się drzwi, na zewnątrz, do przedpokoju. Na drzwiach majaczy dumna zieleń mojego stanika... „Klęska" – pomyślałam.

Martin zachowuje się jakby nigdy nic. No to nie będę mu tłumaczyć, że zwykle staniki mam w szafce, nie na wieszakach, i że w ogóle... Jednak zauważył:

– Mało się nie pomyliłem i nie wytarłem rąk w... – mówi nagle ze śmiechem.

Znów zrobiłam się czerwona. Jak Dulska, gdy rozmawiała o skandalu w swojej kamienicy. „Jak tylko o tym pomyślę, to pąsy na mnie biją" – mówiła. Teraz to samo czułam ja.

– Przepraszam, nie spodziewałam się gości... – wydukałam.

– Nie ma sprawy, no coś ty, nie przejmuj się. Gdzie ta herbata?

– Martin wydawał się bezpośredni, może nie jest taki do końca ułożony? Może jest jednak trochę słowiański?

Zalałam aromatyczną herbatę w białym, fajansowym czajniku, tym od Ewki. Rozpaliłam świecę pod podgrzewaczem, postawiłam czajnik na rozedrgany, nieśmiały i bladożółty jeszcze płomień, po czym posadziłam gościa za stołem. Zrobiło się ładnie, nastrojowo. Zapomniałam o staniku. I bamboszkach. Byliśmy w tej starej kamienicy tylko my. I jakaś historia.

– Opowiadaj, wszystko – zachęciłam. Włączyłam pamięć, jak dyktafon. Wyćwiczoną przez lata.

– Pamiętaj, nie ma spotkań przypadkowych – zaczął swą opowieść Martin.

Ojciec Martina ma na imię Hans. Urodził się przed wojną w moim miasteczku. Martin przywiózł ze sobą stare fotografie, które do tej pory spały bezpiecznie w rodzinnym albumie, a teraz przywracały garść ukrytych wspomnień. Na fotografiach zobaczyłam Mrągowo sprzed wojny. Mały Hans na tle kamienicy na obecnym Placu Kajki. Mały Hans koło ratusza. I wreszcie... Mały Hans na tle wielkich kul na kolumnach przed bramą do kamienicy. Mojej kamienicy!

Martin kiwa głową. Tak. Jego tata mieszkał właśnie tutaj.

– Nie wiem tylko, w którym mieszkaniu. Ojciec dokładnie tego nie pamięta. Ale wierzę, że je odszukam. W rogu jednego z pokoi stał stary, kaflowy piec. Na niektórych kaflach były takie mazurskie, niebieskie malunki – opowiada. I dodaje, jak bardzo się zdziwił jego ojciec, gdy Martin zakomunikował mu, że jedzie z delegacją niemiecką właśnie do Mrągowa. Dopiero wtedy wyszukał stare fotografie i opowiedział mu historię swojego dzieciństwa. Wcześniej mówił o przeszłości raczej zdawkowo, a Martin nie zadawał pytań.

– Wiesz, zainteresowanie swoim pochodzeniem przychodzi dopiero z wiekiem.

Opowiadał wolno, bo nie wszystkie słowa rozumiałam. Wyciągnęłam słownik. Mijały godziny, zrobiło się późno. Mój gość musiał już wracać, bo czekał go kolejny dzień pełen zajęć. Zamówiłam dla niego taksówkę. Żółty mercedes zabrał go do hotelu. A ja zostałam sama z historią jego rodziny. Martin na szczęście pozwolił mi ją spisać. Włączyłam zatem komputer. Dopóki pamiętam. Opowiem o tym naszym czytelnikom.

Opowieść o Hansie

Mały Hans Ritkowski miał zaledwie rok, kiedy wybuchła wojna. Wraz z rodzicami i młodszym rodzeństwem codziennie przemierzali uliczki przedwojennego Sensburga – miasteczka niebogatego, a jednak ze szczególnym klimatem. Mama często mu powtarzała, że to najpiękniejsze miejsce w Prusach Wschodnich. Brukowane uliczki, wozy, skromnie ubrani Mazurzy, Żydzi przed swoimi sklepikami – to wszystko Hans pamięta dziś jak przez mgłę, ale ma w pamięci zachowane niektóre obrazy. Przede wszystkim swojego domu. Pamięta, że mieszkało w nim kilka rodzin. Jego mieszkanie było duże i jasne. Do kamienicy prowadziły dwa schodki, a wcześniej była brama, zamykana na noc przez kogoś z parteru. Brama mieściła się w murowanych kolumnach, na których stały duże kule, przypominające nierozkwitłe pąki. Hans pamięta te kule. Mówił, że gdy dorośnie, to je będzie kopał jak piłki – taki będzie duży i silny. Mama głaskała go po głowie: „Musisz więc dużo jeść i być grzeczny, żeby urosnąć".

Chłopiec miał muzyczny talent i chodził na lekcje do nauczycielki, która mieszkała koło ratusza, w kamienicy na obecnym Placu Kajki. To tej właśnie kamienicy szukał Martin, o nią pytał kobietę z pieskiem. Któregoś dnia Hans postanowił nie pójść na lekcję muzyki, tylko zwagarować. Wszystko przez mleczarza, który przyjechał na plac pod ratuszem. I przez wozy z ludźmi z okolicznych wsi, które podjeżdżały pod Aptekę Pod Orłem. Nazywała się tak kiedyś i tak nazywa się dziś. To była pierwsza apteka w Sensburgu! Do dziś stoją w niej na drewnianych półeczkach stare, zabytkowe buteleczki przedwojennych aptekarzy.

Tyle się wokół działo i Hans nie poszedł na lekcje, tylko stał na schodach i patrzył. Nie zauważył, kiedy zniecierpliwiona nauczycielka wyjrzała przez okno i zobaczyła mleczarza. Wzięła więc bańkę i zeszła na dół po mleko, sądząc że chłopiec już nie przyjdzie. Na schodach natknęła się na niego. Wytargała go za ucho i zaciągnęła na górę. To były pierwsze w życiu wagary małego Hansa. I ostatnie, bo zaraz potem wojna zabrała mu dzieciństwo.

Ojciec Hansa był w Sensburgu pastorem. Wprawdzie bardzo krótko, ponieważ kiedy przyszła wojna, zaraz został wzięty do wojska. Zostawiając rodzinę, wyjeżdżał pełen obaw, co się teraz stanie z jego najbliższymi.

Pewnej listopadowej nocy w trzydziestym ósmym pani Ritkowska obudziła się nagle. Usłyszała na ulicy jakiś hałas, rwetes, krzyki. Narzuciła na ramiona ciepłe futro i wybiegła na dwór. Żołnierze pędzili ulicą Żydów, obudzonych w środku nocy, wyganianych siłą z ich domostw, na jej ulicy oraz na głównej, która teraz nosiła nazwę przywódcy III Rzeszy. Żydzi wyganiani byli na plac koło szpitala dla psychicznie chorych, kilka domów od jej kamienicy. Kobieta bardzo się bała. Patrzyła w ciemne, zapłakane oczy swoich sąsiadów, którym nie mogła pomóc.

Żołnierze wdarli się do ceglanej bożnicy, stojącej kilkadziesiąt metrów dalej. Wynosili stamtąd święte księgi, filakterie i inne cenne przedmioty. Rzucali na stos, pośród krzyków i płaczu. Kobieta widziała stężałą od strachu twarz rabina, którego przygnali tu z jego kamienicy mieszczącej się naprzeciwko ratusza.

„Co się dzieje, po co to wszystko" – myśli jak spłoszone ptaki przebiegały przez jej głowę. To przecież tacy dobrzy ludzie, tyle razy z nimi na targu rozmawiałam, tyle rad mi udzielili! Lubiła patrzeć na menory, zapalane w oknach w wieczorne piątki. Dzieci jej sąsiadów bawiły się razem z tamtymi dziećmi chanukowymi bączkami, które kręciły się wokół własnej osi i sprawiały wszystkim masę radości.

Kiedy już wszystkich zagnali na plac, żołnierze podpalili stos z księgami. Płonęły szybko, zamieniając się w szary proch, iskry biegły do nieba, wiatr rozwiewał je na wszystkie strony. Potem zapędzili Żydów do stojących ciężarówek i wywieźli. Ludzie mówili, że do jakiegoś obozu w lesie, nikt jednak nie wiedział tak naprawdę, dokąd.

Żydzi już nigdy do Sensburga nie wrócili. W ich bożnicy podczas wojny Niemcy składowali broń. „Uciekać stąd, jak najszybciej" – tak wówczas myślała Ritkowska. Jej dom przestał już być bezpiecznym miejscem. Mąż nie chciał słyszeć o żadnej wyprowadzce. „Dokąd pójdziemy, dokąd, czy sobie to przemyślałaś?" – pytał ją, gdy z płaczem błagała, by wyjechać. Przeczuwała, że prędzej czy później ich świat legnie w gruzach.

Kiedy na początku wojny mąż odchodził do wojska, mały Hans już był na świecie. Ufny, spał wtulony w matkę, a kobieta gładziła jego miękkie włosy. Śpij, kochany syneczku, nie dam cię skrzywdzić nikomu, nie pozwolę. Wciąż jednak w pamięci miała tamte ciemne oczy, pełne strachu i łez. Oczy jej sąsiadów, które wówczas widziała po raz ostatni.

Mały Hans rósł, jak mówili sąsiedzi, na pociechę. Zdrowy i grzeczny, jakby przeczuwał, że czasy są niepewne i że wojna to nie zabawa. Również starsze dzieci Ritkowskich przedwcześnie spoważniały. Kiedy zostały same z matką, nastały dla rodziny trudne czasy. Pamięć o wydarzeniach Kryształowej Nocy powoli ustępowała wydarzeniom bieżącym, relacjom z frontu. Mieszkańcy Sensburga nie rozumieli, że oto znaleźli się w natłoku wydarzeń, pomiędzy bezlitosnymi młotem a kowadłem. Polacy traktowali ich jak Niemców, Niemcy jak Polaków, a przecież byli po prostu Mazurami. Dziwna to była ziemia, dziwny kraj.

Niektóre chwile spędzone w Prusach Wschodnich Hans do dziś pamięta. Na przykład grzybobranie. Sensburg otaczały lasy. Leśne żniwa były ulubioną czynnością okolicznych mieszkańców, nawet mały Hans potrafił rozróżnić niektóre grzyby. W lasach rosły wspaniałe prawdziwki, koźlarze, a były też miejsca pełne maślaków czy kurek. Kiedy wracali do domu, mama z dumą pokazywała pełne kosze sąsiadkom.

Gdy wojna się skończyła, rodzina Ritkowskich odetchnęła z ulgą. Na krótko. Zaczęło się mówić, że muszą wynosić się do Niemiec. „Dokąd mamy iść, mamusiu, przecież nie ma taty, a co będzie, kiedy wróci i nas nie zastanie w domu?" – dopytywał się mały Hans. Nie umiała mu powiedzieć, co będzie. Dali jej kilka dni na spakowanie dobytku. Tak jak nie rozumiała wojny, tak samo teraz nie rozumiała, dlaczego musi stąd odejść.

Szli całymi rodzinami. Zostawiali meble, ubrania, brali ze sobą tylko cenne pamiątki, przedmioty, które będzie można spieniężyć. Czasem jechali – gdy ktoś ich podwiózł. Ich domy zajmowały nowe rodziny. Na miejsce ich dzieci przychodziły nowe dzieci, wszyscy mieli w oczach ten sam powojenny smutek. Wszyscy byli takimi samymi ofiarami okrutnej wojny i szaleństwa małego krzykliwego człowieczka w niemieckim mundurze.

„Dlaczego musimy stąd iść? Bo Hitler przegrał? Przecież my go nawet nie znaliśmy, prawda mamo?" – pytały ją dzieci. Pakowała do skrzyni ciepłe ubrania – był styczeń, podobno mieli do Niemiec popłynąć jakimś statkiem. Przed nimi wiele dni drogi, nad morze, którego nigdy nie widziała, a które już było polskie. Pamięta, że kiedy zamykała za sobą drzwi, jej serce pękało z żalu. Tu przyszły na świat jej dzieci, tu miała nadzieję, że kiedyś wróci jej mąż. Co zastanie? Nową rodzinę, która zapewne przegna go stąd, z jego domu, tak jak przeganiają ją.

Dzieci płakały. Nic nie rozumiały, wciąż pytały: „Mamo, ale jeszcze tu wrócimy, prawda?" A mały Hans trzymał ją mocno za rękę, niosąc dzielnie w drugiej małą walizeczkę.

– Mamo, my tu wrócimy, zobaczysz, kiedyś mi mówiłaś, że jak się coś gdzieś zostawi, to się tam wraca. Ja zostawiłem, w kąciku pod ruchomą deską podłogi ołowiane żołnierzyki! To na pewno wrócimy...

Szli w mróz, trochę jechali, spali w stodołach z sianem. Docierali nad morze znużeni, zmęczeni nieludzko, głodni i spragnieni. Znali godzinę odpływu statku. On był ich nadzieją, mostem, ucieczką. „Śpieszmy się dzieci, statek nie poczeka" – poganiały matki.

W tej bolesnej podróży Ritkowska zaprzyjaźniła się z pewną kobietą, która wraz z córeczką również musiała opuścić swój dom. Mieszkała w niewielkiej wsi pod Sensburgiem. Były w podobnym wieku, połączyły ich rozmowy, zwierzenia. Ritkowska skarżyła się swojej znajomej, że nie zna nikogo w Niemczech, a ta przyobiecała pomoc. Dała jej adres rodziny w Saksonii, na wszelki wypadek, gdyby gdzieś w podróży się zagubiły. Wciąż trzymały się razem. Tak było raźniej, a dziewczynka zaprzyjaźniła się z małym Hansem.

Kiedy od odpływu statku dzieliły ich tylko godziny, kiedy dotarli – po morderczych dniach podróży w wagonach, na wozach – do Gotenhafen, czyli dzisiejszej Gdyni, mały Hans gdzieś nagle zaginął. Jeszcze przed chwilą bawił się ze swoją nową przyjaciółką, rodzeństwo miało nad nim baczenie, a teraz go nie było. Wszyscy go szukali, nawoływali. Ritkowska płakała, biegała blada, przepychając łokciami tłum, już gotowy do wejścia na statek.

Hans jakby zapadł się pod ziemię. Nikt go nie widział, na próżno go wołano. Potem, już w dorosłym życiu, opowiedział o przyczynie swego zaginięcia. Pamiętał, że w pewnej chwili zobaczył mężczyznę łudząco podobnego do ojca i pobiegł za nim. Okazało się, że mężczyzna mieszka w Gotenhafen, jest zegarmistrzem i ma zakład kilka ulic dalej. Chłopiec stał przed wystawą, wpatrując się w zegary. Zapomniał zupełnie o tym, że mieli płynąć do Niemiec, przez chwilę wydawało mu się, że ten pan na pewno ich przygarnie, skoro jest taki podobny do tatusia.

Sterczącym przed witryną chłopcem zainteresował się wreszcie sam zegarmistrz. Zawołał go do zakładu, dał bułkę. Spytał, co tu robi.

Hans niewiele pamięta z tej rozmowy. Wie tylko, że nagle zegarmistrz ubrał się i wyprowadził na drogę, gdzie kłębiły się tłumy. Odpływał jakiś statek.

– To nasz statek! Tam jest moja mama! – wykrzyknął nagle Hans. Znaleźli zrozpaczoną matkę i rodzeństwo. Wszyscy płakali.

– Gdzie się podziewałeś?! Nie mogłam przecież odpłynąć bez ciebie!!! – krzyczała matka. – Jak się teraz dostaniemy do Niemiec?! Tamta pani, co z nami jechała, i jej córka już są na pokładzie, a my??!! Hans, co ty narobiłeś?!

Hans pierwszy raz w życiu słyszał, jak mama, dotąd spokojna, tak głośno krzyczała. Zrozumiał, że źle się stało, skoro mamusia krzyczy

i płacze. „Przepraszam, bo ja myślałem, że tam idzie tatuś" – płakał, roz-
mazując łzy na brudnej twarzy.

Zegarmistrz przyglądał się zgromadzonej wokół bagaży rodzinie.

– Przenocujcie u mnie, a potem coś wymyślimy – przywołał ich gestem
do siebie. Był chyba dobrym człowiekiem.

„Może to jest naprawdę mój tata, tylko udaje, że nim nie jest" – myślał mały Hans, zasypiając pierwszy raz od wielu dni w ciepłym łóżku,
w pachnącej lawendą pościeli. Zegarmistrz pozwolił im zostać kilka dni,
aż coś wymyśli, jak mówił.

– Ten statek, którym mieliście płynąć, zatonął – powiedział im
potem. Hans pamięta, jak matka pobladła. Nie potrafiła wydusić z siebie
słowa.

Dopiero potem powiedziała do niego:

– Hans, uratowałeś nam życie.

Po latach dowiedział się, że w katastrofie statku zginęło pięć razy
więcej osób niż na Titanicu. Głównie kobiety i dzieci. Statek nazywał się
Wilhelm Gustloff i został zatopiony przez sowiecką łódź podwodną na
Bałtyku. Miał na pokładzie dziewięć tysięcy uchodźców, z czego połowę
stanowiły dzieci. Gustloff stał się w niemieckiej świadomości symbolem
cierpień uciekinierów i wypędzonych, Hans Ritkowsky płakał jeszcze po
sześćdziesięciu latach od tego wydarzenia. Pamiętał dziewczynkę, z którą
podróżował. Bawił się z nią i dzięki niej bez szemrania znosił trudy podróży, chcąc pokazać, jaki jest dzielny. Martin stał się nagle świadkiem
tych wspomnień i łez wzruszenia, kiedy po raz pierwszy Hans opowiadał
synowi historię swego życia.

Zegarmistrz pomógł, jak obiecał. Żegnali się z nim z żalem, matka
zapisała na kartce jego adres, obiecując, że odezwie się już z Niemiec.
Od kiedy dowiedziała się o tym, że statek zatonął, nie potrafiła z nikim
rozmawiać. Czuła rozpacz na myśl o nowej przyjaciółce i jej małej córeczce,
choć starała się nie tracić nadziei, że przeżyły. Nie ona jedna. Setki rodzin
tych, którzy 30 stycznia 1945 wsiedli w Gdyni na pokład statku, liczyły na
to, że ich bliskim udało się dostać na łodzie ratunkowe. I że nie umierali
w beznadziei przez długie sześćdziesiąt dwie minuty w lodowatej wodzie.
Ludzie mówili, że udało się wyłowić z katastrofy kilka osób. Podobno była
wśród nich też Polka, pani Łucja, mieszkanka Gotenhafen, która wyszła

za mąż za niemieckiego żołnierza. Zegarmistrz słyszał o niej. Podobno namówiła ją do podróży sąsiadka, sama pani Łucja nie chciała wyjeżdżać. Kiedy się uratowała, ludzie mówili, że to prawdziwy cud boży. I że teraz już na pewno nic się jej ze strony Armii Czerwonej nie stanie.

Hans nie pamiętał tych wszystkich rozmów z zegarmistrzem. Ale przez lata matka i rodzeństwo często wracali do minionych wydarzeń. W pamięci zachował strzępy wspomnień. On sam był jeszcze mały. Tak bardzo garnął się do dzieciństwa, do zabaw, do wakacji nad morzem, że nie miał czasu na rozpamiętywanie przeszłości.

– Dziś myślę, że żaden kraj w Europie nie jest tak uwikłany we własną historię, tę dobrą i tę złą, i że żaden nie cieszy się tak bardzo, widząc kogokolwiek, przybywającego mu z odsieczą, jak choćby znanego gdańszczanina z blaszanym bębenkiem, który pokaże zapomniany czas, odkopie historię... – te słowa Martina zakończyły opowieść o jego ojcu, którą opowiedział mi w moim domu. Pod moich dachem zupełnie przypadkiem splotły się dwa kraje, dwie historie, dwa różne serca. Słowami Martina zamknęłam również swoją opowieść, poruszona tą myślą do głębi... To był chyba jeden z lepszych tekstów, jaki napisałam.

Rozdział VIII

*O tym, że możemy przecież różnić się pięknie, nawet swoją
historią, i że wcale nie jest łatwo połączyć
ze sobą dwa odległe światy.
Ale przynajmniej warto się starać.*

Ludmiła, ten tekst jest nieco specyficzny. No wiesz... Zaraz będą komentarze, że tu Niemcy, tu Polacy, ze bronisz tych Niemców, a nie Polaków. No nie wiem, nie wiem – pokręcił głową Artur. Nie spodobała mu się chyba moja opowieść, nie odróżniał Niemców od Mazurów, ale mówił do mnie tak jakoś bardziej po ludzku. Może mimo wszystko ta historia zrobiła na nim wrażenie?

– Ale czy nie możemy spojrzeć na to inaczej? Wojna była dla wszystkich dramatem, a ja opisuję zaledwie wspomnienia pewnego dziecka. Które nie poszło z karabinem na wojnę, które nie strzelało do Polaków. Które, podobnie jak polskie czy żydowskie dzieci, samo było ofiarą wojny! – broniłam swego Hansa. Należy mu się. Polubiłam go przez te kilka godzin, od kiedy pojawił się w moim życiu.

– Nie możesz opisać jakiejś polskiej katastrofy? Nie wiem... Przecież są jeszcze w naszym mieście kombatanci, opowiedzą ci polską historię, polski dramat. Ale czemu akurat ten? – Artur był dziś, jak na siebie, naprawdę wyjątkowo spokojny. Nie nocował w redakcji, nadgorliwość już mu minęła. Chyba się po prostu zastanawiał.

– Bo ta historia jest z tej ziemi, po prostu – broniłam tekstu.

Po mojej stronie stanął nagle Piotr. Schowany za komputerem, nie zdradzał początkowo żadnych oznak zainteresowania tematem. Wyszedł ze swojej norki (tak w myślach nazywam czasem jego biurko) i powiedział do Artura:

Wieża Bismarcka – najwyższy punkt w miasteczku, położony na Wzgórzu Faenike.
Wzgórze zostało nazwane na cześć ówczesnego burmistrza, któremu bardzo zależało na tym,
by miasto było piękne i zadbane, za jego kadencji na wzgórzu powstały spacerowe alejki, które,
co widać na pocztówce, cieszyły się dużym powodzeniem wśród spacerujących mieszkańców.

– To dobry tekst. Ja jestem za. Opublikujmy go. Przecież nie mówi o międzynarodowych konfliktach, nie krytykuje, nikogo nie rani.

Jest opowieścią o przedwojennym Sensburgu. Od tej historii nie uciekniemy. Ona jest również częścią nas, Polaków, którzy żyjemy bądź co bądź na ziemiach dawnych Prus Wschodnich, prawda?

Popatrzyłam na niego zdziwiona. Słusznie i naukowo powiedział. Nie sądziłam, że Piotr potrafi tak ładnie przemówić. Artur skapitulował, ale nie od razu, a dopiero po godzinie. Zadzwonił w kilka miejsc, skonsultował się z jakimś nauczycielem historii, jakimś kolegą dziennikarzem. I wreszcie zatwierdził tekst. Jak na niego przystało, naniósł kilka poprawek, żebym się czasem nie cieszyła, że nie ma żadnych uwag. Musi być przecież po Arturkowemu. Poprawki niewielkie, to już się nie odezwałam. Bo i po co zaogniać?

Tekst się ukaże w najbliższy piątek. Ciekawe, czy Martinowi się spodoba? No właśnie, Martin. Miał zadzwonić. Chcieliśmy szukać pieca z kaflami pomalowanymi w niebieskie wzory. Nigdy nie odwiedzałam moich sąsiadów, byłam najwyżej w kuchni lub przedpokoju. A piec podobno stał w ostatnim pokoju.

Martin nareszcie zadzwonił. Polubiłam go, a właściwie historię i sposób, w jaki ją opowiadał. Nieco romantyczny, filozoficzny ton, przerywany szukaniem słów w słowniku. Nie, takiej biegłości językowej nie mam jeszcze. Może gdybym częściej kontaktowała się z Niemcami? Nigdy wcześniej nie zajmowałam się tak intensywnie tematyką Prus Wschodnich. Teraz sięgałam chętnie po pozycje wydawane przez regionalne wydawnictwa: Borussia, Książnica Polska, Biblioteka Mazurska. Wydawały książki, mówiące o tajemniczości i niezwykłości Prus Wschodnich. W ręce wpadł mi album pełen przedwojennych fotografii, zatytułowany *Fotograf przyjechał!* Krople codzienności zamknięte w kadrach. Piękne. Wzruszające. Patrzą na mnie oczami jakby wszechwiedzącymi, ponieważ bogatszymi o ten czas, który ja dopiero poznaję.

Dzięki Niemcowi odkrywałam oto tajemnice różnych miejsc, a przede wszystkim mojego miasteczka. Tajemnice, które ledwie przeczuwałam, stąpając po kamiennych schodach mojej kamienicy. Pewnie takich tajemnic kryje się tu jeszcze sporo.

Po pracy pobiegłam szybko do domu. Piotr zaoferował, że mnie podwiezie. Zgodziłam się skwapliwie i obiecałam sobie, że jutro już na pewno zadzwonię do mechanika. Teraz nie mam do tego głowy. Miasteczko nie jest duże. Wszędzie docieram na piechotę. Rozruszam mięśnie, schudnę i na dodatek nie zapłacę za benzynę. Przepraszam, gaz. Bo moja astra ma od czasów Jacka zbiornik z gazem. Ach, zupełnie zapomniałam! Przecież w piątek miałam jechać do Torunia! Dziś jest już czwartek. Nie sprawdziłam pociągów, nie spakowałam bagaży. I jeszcze ten Martin. Szukanie pieca. Czy nie zabraknie mi czasu? Na szczęście tamci Niemcy wyjeżdżają ze swoją delegacją dopiero we wtorek.

Piotr pożegnał się ze mną radośniej niż zwykle. Chyba pomogło mu publiczne zabranie głosu. Dowartościował się pewnie i wyszedł na mądrzejszego od Artura. Popatrzyłam na niego z ciekawością. Kiedyś był nauczycielem języka polskiego. Zrobił specjalizację z informatyki. Trochę uczył w szkole, teraz pracuje w redakcji i czasem prowadzi kursy komputerowe dla bezrobotnych. Małomówny, nie wiem, jak nawiązuje kontakt ze słuchaczami. Rozwiedziony, jego była żona mieszka za granicą. Ma z nią nastoletniego syna. Tyle nam o sobie powiedział podczas jednej z imprez integracyjnych, po dwóch piwach.

Piotr był wysokim, lekko szpakowatym szatynem. Miał interesujące oczy. Niebieskie z granatowymi obwódkami. Ubierał się raczej skromnie, jednobarwnie. Spojrzałam na jego dłonie – miał długie palce, które teraz zaciskał na kierownicy. Był przystojny, ale tą dziwną przystojnością, którą trzeba odkryć. Nieco zaniedbany. Była w nim jednak jakaś łagodność.

Gdy wysiadałam z samochodu z torebki wysypały się różne przedmioty. Dwa pendrive'y. Perfumy. Gwarancja na pralkę. Recepta. Szyszka.

– Czy kobiety muszą to wszystko ze sobą nosić? – rzucił retorycznie Piotr. Nie odpowiadam. Jasne, że muszą, skoro noszą. Pochylił się, szukał szyszki. Gdzieś się poturlała. Zrezygnował.

– Po co ci ta szyszka?

– To pamiątka z Miejsca Mocy koło Białowieży. Byłam tam w zeszłym roku na wakacjach. Ewka, moja przyjaciółka z Torunia, ma tam rodzinę. Było niesamowicie. Szyszkę zabrałam stamtąd na szczęście. Ty wiesz, że naprawdę czułam tę moc? Takie prądy mi przez ciało szły! Możesz się ze mnie śmiać, ale tak właśnie było! – opowiedziałam szybko, pakując kanapkę rzeczy. – Tej szyszki chyba nie znajdziemy. Niech zostanie. Może tobie przyniesie szczęście. Mam w domu drugą i jeszcze dwa parokilowe kamienie. Targałyśmy je do samochodu przez las. Spory kawałek.

– W sumie dobrze, że w torebce nosisz tylko szyszkę. Gdyby kamień, to by było gorzej... – Piotr uśmiechnął się. Ładnie się uśmiechał. Miał zmarszczki wokół oczu. Zdałam sobie nagle sprawę, że pierwszy raz widzę go tak pogodnego. Naprawdę! W sumie, dlaczego wciąż jest sam? Mógłby znaleźć sobie kobietę, ogarnęłaby go trochę może?

– Dobra, niech zostanie na szczęście – dodałam beztrosko. Zapięłam torebkę, wysiadłam przed samą kamienicą. Patrzyłam teraz na nią oczyma Martina. I małego Hansa.

– Aha, Ludka... – Piotr nagle zawiesił głos.

– Słucham? – zmrużyłam od słońca oczy. Nie wiedziałam, w którym miejscu torebki są moje okulary. Już nie chciało mi się ich szukać.

– Może dasz się zaprosić na lampkę wina dziś wieczorem?

– Co? – zadziwiła mnie jego propozycja. Dziś wieczorem? Przecież nie mogę! Szukamy pieca! Z Martinem.

– Piotrze, ja dziś... hm... nie... Wiesz, umówiłam się. Sprawę mam pilną. No, muszę... Nie mogę, naprawdę...

Piotr wyraźnie posmutniał. No co miałam mu powiedzieć?

– A kiedy? Jutro? –ton jego głosu stał się jeszcze bardziej nieśmiały.

– Jutro jadę do Torunia, wracam w niedzielę wieczorem – rzekłam z udawanym smutkiem.

Stałam przed samochodem jak kołek w płocie i nie wiedziałam, jak gadać z Piotrem. Nie mam ochoty na żadne wino. Piotr jest taki jakiś... nijaki. Ale przecież nie mogłam mu tego powiedzieć! Chciałam być miła. Pochyliłam się, żeby podać mu na pożegnanie dłoń i wtedy pojawił się Martin. Cały uśmiechnięty jak na folderze promującym dobrą niemiecką markę pasty do zębów, epatujący swoją młodością. Kurczę, ile on ma w ogóle lat? Pewnie jakoś w moim wieku! Albo młodszy? Czyli po trzydziestce. Pomachał do mnie. Butelką wina i albumem ze zdjęciami. Po czym głośno przywitał się ze mną po niemiecku. Piotr zgasł, powiedział suche: „To na razie", i odjechał. Szkoda Piotra. Na pewno opowiem mu, kim jest Martin.

Martin przyszedł, ponieważ tak ustaliliśmy. Nie chciałam umawiać się z nim w kawiarniach, skoro moja kamienica była dla niego źródłem tylu doznań. Przyznałam się, że nie rozmawiałam jeszcze z sąsiadami. Odłożyliśmy zatem poszukiwanie pieca na następny dzień. Jutro po prostu nie pójdę do pracy. Bo po południu wyjeżdżam do Torunia.

Zatem dzisiaj zajmiemy się czymś innym. Mój gość opowiedział, że mama podstępem wcisnęła mu do torby album ze zdjęciami. Nie chciał go zabierać, mówiąc, że zajmuje za dużo miejsca. Podłożyła mu więc album w nocy, na samo dno. Martin przywiózł go ze sobą, nie wiedząc o tym. Dopiero dziś, gdy szukał ubrań, natrafił na jego twardą, solidną okładkę.

– W sumie dobrze się złożyło. Bo mam tu sporo ciekawych zdjęć rodzinnych i mam też stare fotografie Mrągowa! – pochwalił się Martin. Te mnie, przyznaję, najbardziej interesują. Przez historię małego Hansa wciągnęła mnie przeszłość mego mazurskiego miasta.

Zaparzyłam herbatę, a Martin wyciągnął z torby butelkę wina.

– Wypijemy za spotkanie! – zdecydował.

Zgodziłam się. Będzie nam łatwiej przełamać lody. Martin był trochę jakby z innej bajki. Za bardzo poukładany, mimo lekkiego romantyzmu i nostalgii, jaką słychać w jego głosie. Niemcy w ogóle są trochę dziwni, ale może to tylko stereotyp, który po butelce wina przełamię?

Podałam korkociąg. Martin siłował się z korkiem, ja wybrałam numer do Artura. Muszę mu powiedzieć, że jutro nie będzie mnie w pracy. Artur miał wyłączoną komórkę. No cóż, nie ma rady, będę musiała zadzwonić do Piotra. Przecież nie będę się tłumaczyć stażystce Joli!

– Ludka, witaj! Czemu dzwonisz, co się stało? – Piotr był nieco zdziwiony, ale wyraźnie ucieszył się. Chyba brzmiała w nim nadzieja na to wino wieczorem.

– Piotr, nie mogę przyjść jutro do pracy, ale teksty są u mnie na komputerze. Możesz je już łamać – rzuciłam szybko.

– Ach, tak... – usłyszałam rozczarowanie. – No dobrze. Jasne. Miłej zabawy! – głos stał się nagle suchy. Służbowy. Na koniec – ironiczny.

– Piotr, ja...

Trzask. No i miałam kłopot. Obraził się. No bo jak to wyglądało. Nie miałam czasu na wino z nim, a zamierzałam je wypić z jakimś Niemcem. Pewnie poczuł się jak chłopak na zabawie wiejskiej, odtrącony przez dziewczynę, która za chwilę zatańczyła z innym, który ją poprosił. Chciałam Piotrowi opowiedzieć, że to syn Hansa Ritkowskiego, że jest z tej niemieckiej delegacji i przyjechał tu nie tylko służbowo, ale też po to, by znaleźć swoje korzenie. Ale Piotr odłożył słuchawkę. Postanowiłam, że opowiem mu w poniedziałek.

– Udało się! – Martin ucieszył się jak dziecko. Chyba niezbyt często otwierał wina. Na początku męczył się z korkociągiem, który przecież jest dobry, uznanej firmy. A teraz, rozlewając wino do kieliszków z Ikei, od razu poplamił stół. Dobrze, że nie położyłam obrusa!

Wznieśliśmy toast, wypiliśmy po łyku. Czerwień i cierpkość wina rozlała mi się po ciele. Ciepło, przyjemnie. Siadłam na kanapie, nogi podciągnęłam pod siebie. Sięgnęłam ręką po album.

Przedwojenne uliczki miasta. Wojskowa defilada na placu koło ratusza. Rynek brukowany kocimi łbami, otoczony mazurskimi kamienicami – w miejscu, w którym teraz jest tylko plac. Jeziorko Magistrackie, otoczone poskręcanymi drzewami, z parą spacerującą wokół. Pani ma koronkową parasolkę i długą suknię, pan – ciemne, eleganckie ubranie. Zakochana para przy Źródełku Miłości, w lesie nad Jeziorem Czos. Zupełnie zapomniałam o tym Źródełku, w podstawówce chodziło się tam na pierwsze randki z chłopakami. I przysięgało miłość na wieki. Która kończyła się po tygodniu.

Opowiedziałam o tym Martinowi. Powiedział, że chciałby się tam wybrać, bo może jego dziadkowie też tam chodzili? Zrobiłby ładne zdjęcia. No jasne, tylko kiedy? Przecież nie mam czasu. Opowiedziałam mu o swoich planach, że wybieram się już jutro wieczorem do Torunia, a wracam w niedzielę. A on wyjeżdża we wtorek. I jeszcze musimy znaleźć ten piec.

– No to przedłużę pobyt. Znajdź mi tani hotel. Jakoś się szefowi wytłumaczę. Chcę to wszystko poznać. Porobić zdjęcia. Ojciec już starszy, nie wiem, czy da radę kiedyś tu przyjechać. Muszę to zrobić dla niego – zdecydował nagle.

Zaskoczył mnie.

– No... dobrze.

– A ty po co jedziesz do Torunia? – spytał po chwili. Pił już trzecią lampkę wina. Był wyraźnie odważniejszy.

– Do przyjaciółki.

– Z kim jedziesz?

– Z innymi przyjaciółkami. Jesteśmy w sumie cztery. Trzymamy się od lat ze sobą. Jeszcze od czasów przedszkolnych.

– Zazdroszczę – westchnął. – Wiesz, to może pojadę z wami? Pozwól, proszę. Zobaczyłbym Toruń. Mogę mieszkać w hotelu. Nie będę kłopotliwy. Polska mnie chyba powoli wciąga. I pomyśleć, że kiedyś po prostu... hm, nie lubiłem Polaków. Że złodzieje samochodów, że pijaki. Niestety, tak się u nas mówi. I że tylko kombinujecie. I że macie takie powiedzonko: „Polak potrafi". I kolejne: „Na zdrowie!" Ale im dłużej tu jestem, tym bardziej zmieniam zdanie. Polska gościnność, życzliwość. I doskonała znajomość niemieckiego! Mogę pojechać z wami do tego Torunia?

No nie, Martinie, znamy się zaledwie dwa dni, przyjechałeś nagle z dalekich Niemiec, a jesteś w moim domu już drugi raz, znam całą historię twojej rodziny, pobrudziłeś mi stół winem, widziałeś mój zielony stanik na drzwiach od łazienki (nie mówiąc o bamboszkach!), a teraz jeszcze chcesz jechać ze mną do Torunia, do moich spraw i moich przyjaciółek. Jeszcze czego!

I nagle, wbrew samej sobie, zgadzam się.

Martin szczerze się ucieszył. Znów rozlał wino. Tym razem do kieliszków! Skończyliśmy butelkę pod zamówioną właśnie pizzę (od rana nic nie jadłam!) i postanowiliśmy nie kończyć jeszcze tego wieczoru. Zdjęć sporo, a oglądaliśmy je wolno, studiując każdy szczegół. Wyszliśmy więc prosto w wieczór miasteczka do sklepu całodobowego, żeby dokupić jeszcze jedną butelkę rubinowego płynu.

Pani Halinka w sklepiku Pod Kasztanem jak zwykle na posterunku. I Malinowski kiwa się przy niej jak wańka-wstańka, ale dziś grzecznie kupuje tylko pudełko zapałek.

– Stara mnie sklęła – mamrocze. No cóż, będzie miał kilkudniowy odwyk. A potem znów wyląduje z kolegami na murku przed sklepem, popijając browarki.

Obciach trochę, wprowadzać Martina do sklepu z takimi klimatami, dopiero co powiedział, że zmienia o nas zdanie. Mówię mu więc, żeby poczekał na zewnątrz. Martin zostaje. Ja wchodzę. Biorę trzy, a co tam, butelki wina. Nie, żeby zaraz je wypić, ale na zapas może? Nie wiadomo, kiedy się przydadzą. Wkładam je do płóciennej siatki. Wychodzę. Martin stoi pod ścianą sklepu i usiłuje coś wyjaśnić przechodzącym mężczyznom. Przyszli podpici i poprosili go o ogień. Martin mówi do niech po niemiecku, że nie rozumie. Oni do niego:

– Ty szwabie, dawaj wreszcie ten ogień!

Wkurzyłam się. Schwyciłam Martina za łokieć, odciągnęłam od nich i zawołałam panią Halinkę. Ona znała tu wszystkich. Niech ich stąd przegoni! Pani Halinka wybiegła ze sklepu, za nią Malinowski. Zrobił się rejwach. Sklepowa krzyczała na pijaczków, jednego popchnęła przed sobą. Spotulnieli przy niej niczym dwa stare barany. Malinowski przypalił im wreszcie te papierosy kupionymi właśnie zapałkami. Odeszli razem.

– Bardzo przepraszam państwa – ukłoniła się nam potem nisko pani Halinka. Było jej głupio. Mnie też, bo niepotrzebnie naraziłam Martina na takie przeżycia. Mogłam zabrać go ze sobą do sklepu. Przeprosiłam go również, wściekła na swą głupotę i szczęśliwa, że nie stało się nic więcej. Martin machnął ręką i dodał:

– Spójrz, jaki piękny wieczór. Jak ładnie księżyc odbija się w tym waszym bruku. Jak w lustrze.

Rzeczywiście. Musiało chyba lekko pokropić, bo przedwojenny jeszcze bruk na głównej ulicy miasta – tej właśnie, która kiedyś nosiła imię niemieckiego przywódcy, a dziś jest drogą wylotową na Warszawę, od której wzięła swą nazwę – zrobił się połyskliwy jak tafla jeziora. Księżyc w jasnej pełni przeglądał się w ciemnych kamieniach.

Martin był naprawdę romantyczny. Że też zwracał uwagę na takie drobiazgi! Nigdy wcześniej żaden mężczyzna nie mówił do mnie w ten sposób. I nagle Martin objął mnie ramieniem. Jego kurtka pachniała czystością, niemieckim proszkiem, płynem do płukania i wodą toaletową. Kręciło mi się w głowie, to chyba ten ciepły kwiecień. I czerwone wino. Prawie na głodniaka. Mieszanka wybuchowa. Co ja tu robię, z Niemcem na środku ulicy, dźwigającym trzy butelki wina?! Chyba zwariowałam!

Reprodukcja dawnego obrazu, przedstawiającego Sensburg w 1812 roku. Budynek w głębi, za tłumem, wyróżniający się pruskim murem, to strażnica bośniacka, przy której został potem wybudowany ratusz. Tę właśnie reprodukcję miał w swoim albumie syn Hansa Ritkowskiego.

Rozdział IX

O tym, że kamienica wciąż szepcze, a wino działa.
Magia Mazur też.

Weszliśmy po schodach. Jak zwykle poręcze skrzypiały magiczną starością. Martin od naszego wspólnego spaceru księżycowym brukiem był mi znacznie bliższy. Tak, to chyba wino. Szumiało mi w głowie, to zaczynało być niebezpieczne. Przecież nie zabliźniam się z mężczyznami do razu, a wręcz przeciwnie, jestem raczej czujna i podejrzliwa. Miałam na tyle odwagi, by zadać dość irracjonalne pytanie:

– Słyszysz? Ta kamienica szepcze. Zawsze tak szeptała. Nikt mi nie chciał wierzyć. Powiedz, że choć ty mi wierzysz. – Chciałam go sprawdzić, chciałam zobaczyć, jak wypadnie ten egzamin – może trochę z magii?

– Szepcze, Ludmiło, szepcze. Naprawdę. Opowiem o tym memu ojcu. Że mieszkał w szepczącej kamienicy – Martin wtulił nos w moje włosy. Jestem niska, on bardzo wysoki. Stałam więc przed nim na stopniu, jak na taborecie. Mimo to Martin i tak musiał się nade mną lekko pochylić.

Zadźwięczały butelki w torbie. To przerwało kontemplację szeptów. Naszych i kamienicy. Jak dobrze, że znam niemiecki, że się go tak pilnie uczyłam! Mogłam sobie poszeptać z tym Niemcem, a moja kamienica rozumiała nas oboje.

Otworzyłam drzwi, klucz lekko przekręcił się w zamku. Wyskoczył na nas kot. Całkiem o nim zapomniałam. Nic dziś nie jadł, chyba się na mnie obraził! Szybko wpadłam do kuchni, wyciągnęłam kitekata i wyłożyłam do miski. Martin swoim zwyczajem poszedł do łazienki, umyć ręce. Może tam siedzieć choćby całą dobę. Bamboszki schowane, moja bielizna osobista spoczywa zgrabnie złożona w szafce. A częściowo jest na mnie. Nic się nie wala niepotrzebnie, dziś mogę przyjmować gości choćby w łazience!

Otworzyłam wino, mnie wyszło to zgrabniej niż Martinowi. Nie, żebym była jakąś pijaczką, ale te babskie wieczory robią swoje. Miałam przeczucie, że Martin ma ochotę na więcej intymności, ale nie byłam pewna, czy już jestem gotowa. Przecież zupełnie się nie znamy, zaledwie trzy dni temu prosił mnie o zrobienie zdjęcia przed bramą do kamienicy. Następnie był bankiet. Potem jego opowieść. Nie, to kompletnie bez sensu. Może miał w tych swoich Niemczech jakąś żonę i gromadkę dzieci? Przecież nie mogłam tak, po prostu, poddać się nastrojowi, emocjom, może nawet szczypcie magii, którą wywołały jego wspomnienia, fotografie w rodzinnym albumie i wreszcie ten bruk, po którym szliśmy objęci. I z takimi myślami zastał mnie Martin wchodzący do kuchni. Zaczynał już się czuć jak u siebie w domu. Wyciągnął nowe kieliszki, bo tamte, które pozostawiliśmy w zlewie, przyciągnęły już masę drobnych muszek. Umyłam te brudne. Rozstawił czyste. Nalał wino. Zapalił świeczkę na parapecie. Podszedł do mnie z kieliszkami.

Spojrzałam na niego – ładny, choć zupełnie nie w moim typie. Wolałam mężczyzn czarnowłosych i czarnookich, jest w nich jakaś dzikość, nieokiełznanie. A ten, który stoi przede mną, wyglądem przypominał cherubinka.

Ja Martinowi najwyraźniej się podobałam. Nie miał takich dylematów. Zagarnął mnie do siebie, nie pytając o przyzwolenie. Zresztą chyba już mu je dałam, bo przecież zgodziłam się na objęcie wtedy, na ulicy, i na przytulenie w korytarzu.

Nasz pierwszy wspólny pocałunek miał nieznany mi smak. Twarz Martina pachniała wiatrem i wilgocią kwietniowego powietrza. Usta miał delikatne jak motyl, cały był delikatny.

Ale ja nic o nim nie wiem, nie mogę przecież w ten sposób!

– Martin... – przerwałam nagle. Odchyliłam głowę do tyłu. Spojrzał na mnie zdziwiony, jak chłopiec przyłapany na gorącym uczynku.

– Słucham... Nie chcesz? – ujął moją twarz w dłonie, przybliżył do swojej twarzy. Nie miałam siły się bronić. Musiałam jednak powiedzieć:

– Martin, ja przecież nic o tobie nie wiem. Znam historię twej rodziny, ale nie wiem, czy masz żonę, dzieci. Ja nie chcę...

– Ludmiło, nie mówmy teraz o tym ...

Nastroszyłam się jak kot. Jego słowa obudziły we mnie czujność!

– Jak to: „Nie mówmy", Martin? Nie chcę być mazurską przygodą!

– Ludmiła... Nie jesteś... Naprawdę.

– To powiedz mi, czy nie zostawiłeś nikogo w tych swoich Niemczech. Bo jeśli tak, to ja nie chcę! – mój głos zaczął drżeć. To wszystko za szybko się potoczyło. Moje życie biegło po utartych torach, być może nie spełniałam w nim wielkich marzeń, ale przynajmniej miałam spokój. Pozbierałam się po Jacku, wyprostowałam. A teraz wszystko zaczęło mi się znów rozsypywać jak koraliki.

– Ludmiła, a ty? Jesteś sama?

– Ja tak – odpowiedziałam krótko, głosem naburmuszonej dziewczynki.

– Tak się domyślałem. W twojej łazience nie ma śladów mężczyzny. Gdyby był, na pewno by coś zostawił.

– Ależ jesteś spostrzegawczy. Ja nie mogę powiedzieć, co widzę w twojej łazience. Bo jej nie znam.

– Ludmiła. Mieszkam z rodzicami. Nie jestem całkiem białą kartą. Ale to już nie ma znaczenia. Mój związek zakończył się. Ludmiła, naprawdę... Jestem teraz sam... – wziął moją dłoń, pocałował jej wewnętrzną stronę. Nie wiedziałam, że na mapie ciała mam w ogóle takie miejsce. Zakręciło mi się w głowie. Znów było jak wtedy, na ulicy, na schodach, kiedy wtulał się w moje włosy.

Nie mogłam się oprzeć. Czy była to tęsknota za czymś ulotnym i czułym, co podskórnie wyczuwałam w Martinie? Przyjechał tu do mnie z dalekich Niemiec, pokazywał inny świat! Nie zaprotestowałam, gdy prowadził mnie do sypialni, czując się jak we własnym domu. Torował mi sobą drogę, trzymał za rękę. Gdy rozpinał mi zieloną sukienkę, szamocząc się nieco z zamkiem. Gdy opadła potem na nią bezszelestnie jego koszula, łącząc się w jakimś przypadkowym łańcuchu, mimowolnie zerkałam, czy do siebie pasują. Widziałam, jak lekko uśmiechał się, rozpinając zielony stanik, ten sam, który widział wtedy, wiszący na drzwiach. Patrzyłam na jego tors, gładki i opalony, choć nie takie lubię, wolę te z czarnymi włoskami, układającymi się pod palcami. Ale po chwili nie myślałam już o tym, już pogodziłam się z tym, że Martin jest po prostu inny. Jak inny jest świat, z którego przychodzi.

Nie protestowałam, gdy zachłannie przygarnął mnie, kładąc się obok na pościeli. Jego profil grał nade mną w blasku nocnej lampki, przybliżał się, oddalał, ja z nim, kręciło mi się w głowie, szumiało. Jego skóra pachniała jeszcze wiatrem, towarzyszył mu ledwo wyczuwalny zapach kurtki, wody, potu. Wszystko się mieszało, a ja z węchem czułym jak pies chłonęłam go całą sobą. Płynęłam szybko razem z nim, upojona czułością, zbyt odważnie może, ale nie mogę inaczej. Dopiero cichy jęk Martina przerwał tę harmonię zapachu i czułości.

Po chwili piękny i całkiem nagi przyniósł mi do łóżka wino. Pierwszy raz w życiu doświadczyłam aż tak silnego przywiązania, przynależności. Czułam się całkowicie jego, aż bałam się, że się zakocham, zatracę, że w tej magii, jaka pojawiła się między nami, nie będzie miejsca na codzienność. Zasnęłam na jego ramieniu.

Rozdział X

Magia odchodzi, codzienność zostaje.
A może jednak jest trochę magii również w codzienności?

Obudziłam się około piątej. Na początku zastanawiałam się, gdzie podziała się moja kołdra i dlaczego tak bardzo chce mi się pić. Zagubiona świadomość powróciła, gdy odwróciłam głowę. Obok mnie, na zaanektowanej zupełnie poduszce, owinięty kołdrą, w pozycji embrionalnej posapuje Martin. Rozczochrany, zaróżowiony od snu wyglądał wzruszająco. Ale wzruszenie nie było jedynym uczuciem, jakie zaczynało mną targać. Pojawiło się kolejne – coś z pogranicza zdziwienia i wyrzutów sumienia.

„Zupełnie zwariowałam" – mamrotałam nieprzytomnie, szukając szlafroka. Jasne, nie ma, bo przecież wcale go wczoraj nie założyłam. Wręcz przeciwnie, zostałam rozebrana z tego, co miałam na sobie. Znalazłam na podłodze sukienkę. Próbowałam ją założyć. Nie dałam rady. Za dużo kombinacji z otworami na głowę i ręce. Nie w tym stanie. Obok sukienki leżała koszula Martina. Łatwiejsza w obsłudze. Sięgała mi przed kolana, rękawy zawinęłam do łokci. Kołnierzyk pachniał Martinem. Przybliżyłam do nosa, wciągnęłam mocniej powietrze. Za chwilę przestanę czuć jego zapach. Podobno zmysł węchu najszybciej się męczy.

Lustro w łazience nie kłamało. Zaspana, z włosami splątanymi w niewiarygodnie skomplikowane pasma – to nie był widok, o którym marzy mężczyzna. Na dodatek... zupełnie obcy. Nie oszukujmy się. Poszłam do łóżka z obcym facetem, prawie przypadkowym. Zagranicznym gościem. Na dodatek on niedługo wyjeżdża do siebie, po co mi to było?

Ulica Warszawska, która nazywała się tak również przed wojną. Po lewej stronie widać niewysokie drzewo — kasztanowiec, który dał nazwę małemu sklepikowi, mieszczącemu się tuż obok. Do sklepu Pod Kasztanem przyszła Ludmiła z Martinem podczas ich pierwszego spaceru w pewien kwietniowy wieczór. Księżyc odbijał się wtedy jasną plamą w przedwojennym bruku, uwiecznionym na starej fotografii. Ulicę tę przed wojną przemierzał niegdyś mały Hans, idąc do szkoły lub na lekcje muzyki. Droga prowadziła wprost do rynku.

Miałam ochotę obudzić Martina, nakazać mu się ubrać i wystawić go za drzwi. Umyłam twarz, zęby, rozczesałam włosy. Nie, jeszcze wezmę prysznic. Zmyję z siebie wieczorne szaleństwo...

Z prysznica poleciał na mnie letni deszcz. Prawdziwy. Specjalna końcówka prysznica doskonale imituje deszczową rozkosz. Delikatny żel pod prysznic, z zapachem niepowtarzalnym, delikatnym (świat bez zapachów byłby nudny), nałożony na dłonie wprawił mnie w wielką błogość. Nuciłam pod nosem piosenkę Edyty Górniak: „Dziękuję ci za to, że cię mam, za te wszystkie chwile szczęścia, które razem z tobą los mi dał. Dziękuję ci, za to że cię mam"... Już nie nuciłam, a śpiewałam, oddając się cała rozkoszy czystości i muzyki, a w słowach wyśpiewywanych znalazłam nagle to, co wydarzyło się między mną i Martinem. Była w tym lekkość, spontaniczność. Nie, już nie żałowałam. Może właśnie tego potrzebowałam? Przecież nic nie zdarza się przypadkowo?

Pukanie do drzwi.

– Umyję ci plecy, jak mnie wpuścisz – usłyszałam.

No nie, szalony Martinie. Nie do wiary, jeszcze przed chwilą śpisz jak niemowlę, a teraz się dobijasz!

– Poeta z mego kraju, Goethe, mawiał: „Gdzie słyszysz śpiew, tam wchodź. Tam dobre serca mają". Wpuścisz? – nie rezygnował.

Kompletny wariat. Ale pozwoliłam mu wejść. Martin, zawinięty w prześcieradło, okazał się wzorowo przygotowany do wizyty. Miał nawet przy sobie szczoteczkę do zębów!

– Zawsze noszę zapasową w torbie, dużo podróżuję – wyjaśnił, chyba po to, bym nie pomyślała, że często budzi się obok obcych kobiet w obcych domach.

– Nie, no jasne, rozumiem, przecież nie pytam – uspokoiłam go. Przecież rozumiałam, miał gdzieś jakieś swoje życie. – Pasta jest na półeczce – wyjaśniłam, wychylając głowę z kabiny. Deszcz tłumił moje słowa. Usłyszałam skrobanie palcem w kabinę.

– Czy mógłbym się z tobą wykąpać?

Jego pomysły wyzwalały we mnie coś, czego nie znałam. Niech sobie będzie szalony, niepokorny, zaskakujący. Wszystko, byle nie był nudny. Ale wspólnej kąpieli nie zaplanowałam! Tymczasem Martin wcale nie czekał, aż go wpuszczę. Wszedł, zostawiając prześcieradło na podłodze. Próbowałam przez chwilę zasłonić się przed nim, nie nawykła bowiem jeszcze moja nagość do jego spojrzeń, ale za chwilę całe moje ciało było już przykryte męskimi ramionami jak płaszczem. I zaczynamy znów kołysać się w swoim rytmie, w tym deszczu z góry, nieprawdziwym wprawdzie, ale tak samo błogim i oczyszczającym.

– Nie mam zbyt wiele na śniadanie, może płatki? – rzuciłam lekko i radośnie. Krzątałam się po kuchni w jego koszuli, on paradował owinięty w pasie moim różowym ręcznikiem. Poczucie przynależności nie opuszczało mnie. Byłam jego kobietą. On moim mężczyzną. Choćby miał wkrótce wyjechać! Chwilo, trwaj! Wlałam mleko do garnka, wsypałam płatki. Martin oglądał obrazki na ścianie.

– Kto je namalował?

– Ja – przyznałam.

– Niemożliwe!

– Kiedyś, na studiach więcej malowałam. Teraz nie mam czasu.

– Naprawdę piękne.

– Możesz wybrać sobie jeden z nich.

Na obrazkach widniały polne kwiaty. Lubię akwarelę, bo jej lekkość wspaniale oddaje emocje. Kroplę rozwodnionej farby można poprowadzić w niepowtarzalny kształt. Takich możliwości nie daje cięższe malarstwo olejne. Akwarela jest jak muzyka. Próbowałam wyjaśnić to Martinowi, pomagając sobie słownikiem, który od niedawna zajmował poczesne miejsce na moim stole. Martin słuchał, jednak miałam wrażenie, że myślami wędruje gdzieś indziej

– Mówiłaś wczoraj, że mogę jechać z wami do Torunia. O której wyruszamy? Muszę się spakować.

Jezu, Toruń. W tym szaleństwie zapomniałam, że dziś wyjeżdżamy z dziewczynami. I rzeczywiście, obiecałam wczoraj Martinowi, że pokażę mu miasto Kopernika. Co ja powiem dziewczynom? Że kim on jest dla mnie? Kolegą z Niemiec? To czemu wcześniej o nim nawet nie napomknęłam? Przedstawicielem niemieckiej delegacji? To czemu zabieram go na prywatne spotkanie? Kuzynem? Prywatnym nauczycielem języka niemieckiego? Bez sensu.

– Martin, ale co ja powiem dziewczynom?

„Trudno, coś się wymyśli" – zachichotałam, widząc oczyma wyobraźni pytające twarze Sylwii i Izki. Za to Ewka na pewno się cieszy. Prywatne konwersacje.

– Powiedzmy im prawdę – odpowiedział beztrosko. On nie ma żadnych problemów.

– Czyli, co?

– Że jestem twoim chłopakiem. Bo chyba jestem, prawda? – popatrzył swoimi niebieskimi oczami w głąb moich, ciemnych. I spojrzenia nasze skrzyżowały się jak dwa żywioły barw, a w nich ukryty cały świat i spokój. I szczęście znienacka złapane w dłonie. Zobaczyłam w jego źrenicach radość i pewność wszystkiego, co stało się między nami.

– Jasne, jesteś – przytaknęłam.

On pocałował moje palce i powiedział:

– Po prostu ze mną bądź. Jesteś moim mazurskim przeznaczeniem.

Kiedy wyszedł, żeby się spakować, powróciła do mnie rzeczywistość.

Trzeba sprawdzić, o której odjeżdżają pociągi. Przygotować się do wyjazdu, no i odezwać się do dziewczyn.

– Sylwia?

– Dzwoniłam do ciebie wczoraj, gdzie byłaś?

– Miałam wyciszone dźwięki, sorki. Pociąg o czternastej. Najpierw do Olsztyna.

– Do Olsztyna zawiezie nas Maciek – komunikuje Sylwia.

– Dobrze, zmieścimy się chyba... – policzyłam w myślach wszystkich pasażerów.

– Czemu mamy się nie zmieścić. Trzy nas jest, to w czym problem? – spytała beztrosko Sylwia.

– No, bo ja... Nie jadę sama...

– Co to znaczy: „Nie sama"? A z kim?

– Sylwia, po prostu, z kimś, no wiesz... chcę komuś pokazać Toruń... – jąkałam się niczym pensjonarka złapana na kłamstwie. Nie jest mi łatwo przyznać się do czegoś tak szalonego.

– Znaczy, Ludka, to facet jakiś czy co? – słychać wręcz przez słuchawkę, że Sylwię skręca z ciekawości.

– No... znaczy... nie wiem, jak to powiedzieć. Facet... przecież nie baba! – wykrztusiłam wreszcie z wyraźną ulgą.

– Ale co, fajny jakiś? Gratuluję, czemu nic nie mówiłaś? To od niedawna pewnie, co? Gdzie go poznałaś, czemu ja nic o nim nie słyszałam?! – nie wiem, na które pytania odpowiadać najpierw.

– Sylwia, wszystkiego się dowiesz w czasie podróży.

– Niby jak, przecież on jedzie z nami, będziemy przy nim gadać?

– Sylwia, on jest Niemcem... – dodałam. Uff, znów ulga.

– Żartujesz! Niemcem? Jeszcze powiedz, że blondynkiem z niebieskimi oczami. Skąd ty go wytrzasnęłaś!? Ludka, całkiem zwariowałaś? Międzynarodowe związki mi tu tworzysz? Jak ja mam z nim gadać?

Uspokoiła się dopiero, gdy usłyszała, że on jest w porządku i że na pewno jej się spodoba. I że będę dokładnie tłumaczyć każde jego słowo. Bo Sylwia nie zna niemieckiego. Często powtarza, że ma na niego simlocka. Koniec, kropka. Potem dzwonię do Izy. Już spakowana. Niepokoiło ją moje milczenie, ale mnie nie szukała.

– Na pewno nie miałaś czasu. Przecież wiem, jaka jesteś zapracowana – wytłumaczyła mnie samej sobie. Kochana Iza. Chyba nic nie jest w stanie wyprowadzić jej z równowagi. I na wszystko znajdzie usprawiedliwienie.

– Izuś. Pojedziemy audi Sylwii do Olsztyna, tam złapiemy pociąg do Torunia.

– Oczywiście, nie ma problemu, jeszcze lepiej. Jakby co, to Rysiu też by nas zawiózł. Mówił, że chętnie.

– Iza, nie jadę sama.

– A z kim?

– Z moim chłopakiem – wypowiedziałam to już raz drugi w ciągu kwadransa. Uff. Oswoiłam się. Za pierwszym razem byłam bardziej speszona.

– Znam go? Z Mrągowa?

– Nie. Importowany. Z Niemiec – dodałam ze śmiechem.

– Aha, no to dobrze – odpowiedziała spokojnie, jakbym powiedziała jej właśnie o tym, że zamierzam ugotować kompot. Cała Iza. Niczemu się nie dziwi, wszystko rozumie. A co sobie w głowie myśli, to już wie najlepiej ona sama, bo wylewność nie jest jej cechą. No chyba, że po dwóch piwach. Czasem wydawało mi się, że lubię Izę najbardziej. Choć, gdybym miała wybierać... Nie, wolałabym nie. Wszystkie trzy są moje, kochane, sprawdzone.

Zadzwonił telefon. A już szłam się pakować.

– Ludmiła? – to Piotr.

– Słucham?

– Artur pyta, czy będziesz w pracy w poniedziałek, bo chciał wziąć wolne, a ktoś musi przyjąć praktykantów, dwoje przychodzi do nas. Studenci dziennikarstwa.

Jakiś nerwoból powrócił. Praca zaczęła mnie stresować, nigdy wcześniej tego nie miałam. Każda wiadomość stamtąd budziła niepokój. Próbowałam się opanować.

– Spoko, będę.

– To dobrze. Wiesz, pytam, bo taka jesteś ostatnio zajęta, że lepiej wiedzieć.

„Piotrze, to było złośliwe". Tak sobie myślę. Ale mówię co innego:

– Powiedz, że spokojnie może brać w poniedziałek wolne.

– No to cześć. Miłego weekendu – też zabrzmiało złośliwie. A może mi się zdaje? Przewrażliwiona jestem, wydaje mi się, że wszyscy wiedzą...

Torba spakowana. Nie wzięłam wprawdzie wiele rzeczy, ale i tak bagaż spory mi się zrobił. Jeszcze pakuję do torby kosmetyki i wielgachną suszarkę do włosów (turystyczna nie daje takiego komfortu. Już wolę dźwigać!). Zadzwonił telefon. Nie dadzą mi chyba spokoju! To Ewa.

– No to o której będziecie. Tym o dwudziestej?

– Tak.

– Spakowana? A dziewczyny?

– Też, wszyscy. Dziewczyny też. Ale wiesz, ja...

– Wiem, wiem, Sylwia już do mnie dzwoniła. Fajnie, podszkolę język! – rzuciła z radością. Jak ja ją znam! – Tylko... No wiesz... Z noclegiem. Mogę położyć was razem? Bo wtedy dziewczyny by spały w gościnnym, ja w swoim, a wy w tym mniejszym, dobrze?

– No tak. Razem.

– Staruszko, to znaczy, że wy już... ? – spytała, przyznam, dość bezpośrednio. No i mam, musiałam się tłumaczyć teraz jak nastolatka przed rodzicami. Te moje przyjaciółki był doprawdy niemożliwe!

– Ewka, przestań!

– No dobra, nie pytam już. Zrobię wam małżeńskie łoże z tego welurowego materaca. Lecę sprzątać. Na razie! Aha, nie zapomnij ogórków!

Trzask. Rzeczywiście, ogórki. Zapomniałabym. Wyciągnęłam dwa słoiki typu wek z mojej spiżarenki, którą wydzieliłam z rogu kuchni.

Najpierw przetarłam je z kurzu ściereczką, potem owinęłam w ręcznik i spakowałam do torby. Dochodzi jedenasta. Dobrze, że tak wcześnie wstałam. Przepraszam, wstaliśmy. Właśnie uświadomiłam sobie, że mogę od dziś mówić w liczbie mnogiej. Wstaliśmy razem z Martinem. Jak to pięknie brzmi! Ale... To chwila tylko, a potem Martin musi wrócić do Niemiec. Nawet jeśli weźmie kilka dni urlopu, to przecież kiedyś jego życie upomni się o niego, będzie musiał wrócić, opowiedzieć ojcu o jego dawnym heimacie. Co wtedy będzie z nami? Jest Internet, skype, telefony. Ale to za mało. Brak dotyku, czułości, śniadań, kolacji, spacerów. Brak bliskości. Czy można kochać na odległość? Dlaczego dzielą nas nieubłagane setki kilometrów. Dopadł mnie jakiś smutek, zakłuł w serce i sprawił, że zaczęłam płakać, poruszona tym, z czego nagle zdałam sobie sprawę. Nieuchronność braku naszej przyszłości stała się dla mnie nieznośna. Dlaczego Martin nie jest stąd?

Poszłam do sąsiadki, załatwić opiekę nad kotem. Podczas mojej nieobecności potrzebne mu będzie karmienie i pojenie. Kuwetka ze świeżym żwirkiem już przygotowana. Sąsiadka, pani Marysia, zawsze chętnie się tego podejmuje. Sama ma dwa koty i wie, że również może na mnie liczyć w podobnych sytuacjach. W ogóle jest kochana. Gdy tylko widzi, że coś ze mą nie tak, zaraz robi herbatę i zagaduje. Opowiada o sobie i nawet nie zauważam, jak wyciąga mnie ze smutków.

– Pani Marysiu, a ja mam jeszcze jedno pytanie. Nie wie pani, czy w którymś z mieszkań naszych sąsiadów stoi duży piec z malowanymi ręcznie kaflami?

– Nie wiem, a czemu pytasz, Ludziu?

– Jeden Niemiec pytał, jego tata tu mieszkał przed wojną. Nie wie tylko, w którym mieszkaniu, ale podobno był w nim piec, duży, kaflowy.

– Ludziu, a co, on chce przyjechać? – zaniepokoiła się pani Marysia. Po ostatnich medialnych doniesieniach o tym, że Niemcy odzyskują swoje mienie, pewnie czuje się niepewnie. Niepotrzebnie.

– Nie, pani Marysiu, on tylko chce, żeby jego syn to zobaczył, poznał historię rodziny. Spokojnie.

– No ale wiesz, Ludziu, jak to jest. Strach to strach. Jak tylko tu w latach pięćdziesiątych nastałam i dostałam pracę w przychodni, ludzie mówili, że to wszystko tylko na chwilę, że i tak nam kiedyś Niemcy to zabiorą.

Zobacz, Ludziu, ile w naszym mieście budynków takich byle jakich, stawianych jak prowizorki. Na przykład ten na Warszawskiej, naprzeciwko kina. Kiedyś tu były normalne kamienice, w czasie wojny więziono w nich jeńców. Potem zostały zniszczone, a na ich miejsce postawiono jakby baraki, które dotrwały do dziś. Prowizorka stoi latami! Ludziu, my w strachu tu żyliśmy, co się dziwić? Rodzinę miałam na Wileńszczyźnie, mąż pochodził z Kurpi. Wszyscyśmy tu wymieszani jak w tyglu jakimś. No, nie martw się. Ja tam mogę popytać, bo nie u wszystkich sąsiadów byłam, po kominkach nie chodzę. U Rafalskich na dole to pewnie nie ma żadnego pieca, bo by go na wódkę sprzedali. Wiesz, u pani Zosi nie byłam, tyle co w kuchni i jednym pokoju. Jakoś się z nią nie spotykam, choć ostatnio może trochę więcej. No i u tych z pierwszego piętra, Matysiaków, to też nie byłam nigdy. Ale mówisz, że ten Niemiec nie chce spraw zakładać? Swego mienia nie chce odzyskiwać? – upewnia się pani Marysia.

– Nie, na pewno. Znam go. Ja teraz o nim pisałam artykuł, dziś się nawet w tygodniku ukazał, jak pani kupi, to zobaczy – uspokajałam ją, jak mogłam.

– No, jak do gazety, to ja zapytam. Może i o nas napiszesz, co? Że razem z tobą pieca szukamy – uśmiechnęłam się już spokojna.

– Jasne, pani Marysiu, kiedyś napiszę. Ale popyta pani. Ja wrócę w niedzielę wieczorem albo dopiero w poniedziałek po pracy. Zostawiam klucze i życzę miłych chwil z moim kociakiem. A to dla pani za fatygę – włożyłam jej w dłoń paczkę kawy i tabliczkę czekolady. I dwie saszetki mięsne dla jej mruczących czworonogów.

– Oj, nie trzeba było, Ludmiło, to sama przyjemność, a na ciebie też mogę przecież liczyć. Niepotrzebnie się wykosztowałaś – pani Marysia mówi tak zawsze, ale prezenty przyjmuje, bo żyje tylko z renty, skromnie i wszystko na pewno jej się przyda.

Kot miał już opiekę. Mogłam spokojnie jechać. Mimo to, daleko mi było do owego spokoju. Zajęczy niepokój wkrada mi się oto w serce i choć próbuję go odegnać, powtarzając, że warto cieszyć się chwilą, coś nie pozwala mi na to. Niepokój powraca i uparcie kołacze się w moich myślach.

Jeziorko Magistrackie to centrum mazurskiego miasteczka. Ludzie schodzili ze Wzgórza Jaśniłe wprost na brzeg, mijając fantazyjne mostki i pokrzywione wiatrem płaczące wierzby, które do dziś są wiernymi towarzyszkami Magistrackiego.

Rozdział XI

Czas na kilka wspominek z Torunia, które wyjaśnią, dlaczego Ewa zamieszkała w mieście Kopernika. Może lepiej było zostawić ogórki w domu?

Był taki czas, że Toruń w moje życie wniósł wiele nowego. Przede wszystkim te chwile, które spędziłam, smakując nie tradycyjne pierniki, a kulturę. Jak na mieszkankę małego miasteczka przystało, kulturę dużego miasta potrafiłam docenić. Kiedy tylko Ewa zdecydowała się związać swoje życie z tym właśnie miastem (tam dostała propozycję pracy!), zawezwała nas do siebie, żebyśmy pomogły jej przeprowadzić się i zapoznać nowe kąty. Oczywiście przyjechałyśmy wiedzione ciekawością, jak można mieszkać w centrum starego Torunia (tam znalazła stancję), na ulicy Most Pauliński i nie zwariować z radości, że do Szerokiej tylko krok. I do ruin zamku, i pod Krzywą Wieżę, i do tych wszystkich uliczek i zaułków, i na brzeg Wisły.

Przywiozła nas Ewa barwnym tramwajem prosto na Stare Miasto. Nie chciałyśmy nawet oglądać jej mieszkania, tylko pobiegłyśmy na uliczki wypełnione ludźmi, kwiatami, barwnymi wystawami i klimatem, jaki tylko Toruń posiada. I wtedy zaczęła się ta wielka miłość do miasta Kopernika, podsycana kolejnymi wizytami, kartkami z pozdrowieniami (w czasach, kiedy się jeszcze pisało kartki!) i linkami do ciekawych miejsc, wysyłanymi już bardziej współcześnie przez korzystającą z życia Ewę. Początkowo sama była zachłyśnięta miastem, potem – stopując nieco – poddawała się zawodowym obowiązkom i tak oto proza wdarła się w jej życie do tego stopnia, że przestała już zauważać uroki Mostu Paulińskiego, Szerokiej, Ducha Świętego i innych uliczek, które stały się dla niej tylko sposobem docierania na miejsce. Ożywiała się w czasie naszych wizyt.

Tydzień przed sprawdzała koncerty, wystawy i wieczory autorskie, na które warto pójść. Potem fundowała nam kolejne atrakcje popędzane wskazówkami zegara. Czasem nieziemsko głodne i zmęczone docierałyśmy do jej przestronnego trzypokojowego mieszkania, które z czasem, dzięki pieniądzom rodziców, przestało być stancją, a stało się jej prywatnym lokum. Wiele takich chwil pozostało w pamięci, jednak wyjątkowo miło wspominam wieczór autorski Jana Szczepańskiego, którego wówczas nie śmiałam spytać o mój ulubiony esej *Święty*, w obawie, że pytanie nie zostanie właściwie sformułowane i wszyscy uznają mnie za prowincjonalną gęś. Potem był kolejny miły wieczór – poety Ryszarda Krynickiego. Kochałam jego piękny wiersz o różanosutkiej, która była jakby jutrznią dla podmiotu lirycznego. Kiedy dowiedziałam się, że Krynicki będzie w Toruniu, w te pędy pobiegłam do Domu Muz wraz z Ewą, nie znającą się na literaturze kompletnie, by zobaczyć, jak wygląda ten, który pisze takie piękne strofy kobiecie. I ukazał się moim oczom mężczyzna postawny i zdecydowany, elegancko ubrany, z klasą. Robił wrażenie.

Przyjechałam też kiedyś do Ewy na wakacje, zapisałam się do pracowni akwaforty, która mieściła się naprzeciwko najstarszego w Toruniu kościoła. Ta akwaforta strasznie mnie wymęczyła. Najpierw żmudne odtłuszczanie blaszek, potem trzymanie nad sadzą i kreślenie igłą rysunków, które wychodziły zawsze inaczej niż projekt z wyobraźni, a wreszcie trzymanie w roztworze kwasu, by wyżarte nim rowki zdecydowały o końcowym efekcie dzieła. Ten proces trwał dla mnie stanowczo za długo. Wciąż bolała mnie głowa, pewnie od oparów roztworu. Przyjemność odnajdowałam jedynie w powielaniu akwaforty i zapachu farby drukarskiej, ale na to musiałam zbyt długo pracować. Ołówkiem i akwarelą tworzyło się szybciej i prościej i przy tej technice wtedy, w Toruniu wypoczywając, pozostałam. Ewa namawiała mnie nie tylko do malowania, ale i do sprzedaży moich prac. Zaprowadziła mnie najpierw do galerii pod ratuszem, potem do księgarni w Alma Mater. Prace zostały przyjęte w komis i – niespodziewanie dla mnie samej – sprzedane dość szybko.

Entuzjazm, jaki mi wówczas towarzyszył, gdy wydawałam na wspólną kolację te pierwsze zarobione za obrazy pieniądze, przyniósł ze sobą mocne postanowienie, że parać się odtąd będę malowaniem, choćby dorywczo, ale czerpiąc z tego radość i poczucie przynależności do artystycznego świata. Nie udało się. Studiowałam dziennikarstwo i to ono stało się z czasem moim głównym źródłem utrzymania. Zawsze jednak w Toruniu ładowałam artystyczne akumulatory i wciąż z tym samym zapałem przekraczałam bramy tego miasta.

Ewa wiedziała, ile dla mnie znaczą wizyty u niej, jak wielką są odskocznią od prowincjonalnej nieco codzienności, której jednak zupełnie świadomie nie zamieniłabym na tę wielkomiejską. Moja przyjaciółka bez wahania zgadzała się na każde odwiedziny, z których skwapliwie korzystałam przeważnie sama, bo Sylwia i Iza pozostawały w swoich domach jako wzorowe Matki Polki, najpierw przewijające słodkie bobaski, potem prowadzające za rączkę pociechy do przedszkola.

Czułam, że czas mija, że miło byłoby też poddawać się tym słodkim obowiązkom, jednak na horyzoncie nie było odpowiedniego kandydata, zresztą z biegiem lat coraz trudniej o wolnego faceta. Przeważnie byli już żonaci, najwyżej mógł się trafić jakiś z odzysku. Ewa była więc dla mnie tą, która rozumie moje rozterki, bo ma ten sam problem. Była i jest – bo rozterki pozostały, a nawet, mam wrażenie, stają się coraz silniejsze. Lata lecą, trzydziestka przekroczona, męża i dzieci nie ma, a prowincja nie sprzyja takim postawom. Tylko w dużych miastach mówi się o modzie na bycie singlem. W małych to wciąż staropanieństwo.

Oj, Ewo, Ewo, jak przyjadę, to znów sobie od serca pogadamy o naszym wspólnym losie. Choć może mój wreszcie powoli zacznie się odmieniać? Tego również tobie życzę, moja serdeczna przyjaciółko!

Pogrążona w odmętach myśli, po trosze będących wspomnieniami, a po trosze czarowaniem marzeń, nie słyszę pukania do drzwi. Musiało się powtórzyć, zanim przerwałam malowanie paznokci – żeby mieć na wyjazd ładniejsze (może Ewka nie zagoni mnie do zmywania!) – i dobiegłam do drzwi. To pani Marysia. Chyba ma dobre wieści, bo uśmiecha się, zadowolona, jakby wykonała ważną misję:

– Ludmiłko kochana, byłam u sąsiadów i pytałam o ten piec, nie ma u nich takiego w niebieskie wzory, ale panią Zosię z pierwszego piętra trudno mi jakoś przekonać. Mówi, że Niemca za próg nie wpuści, bo jej mieszkanie odbierze. Ludmiłko, co się dziwić, stara już jest kobieta, wojnę przeżyła, pewne rzeczy trudno jej zrozumieć.

– Pani Marysiu, naprawdę dziękuję za pomoc, pani zawsze jest taka serdeczna. Ja porozmawiam z panią Zosią, może się da namówić.

– To ja już biegnę, kochana, bo czas pewnie i na ciebie – wyraźnie nie chciało jej się wracać do mieszkania, do którego drzwi stoją teraz przede mną otworem, bo pani Marysia rzadko kiedy zamykała, rozmawiając ze mną. – Pamiętaj, ja tu wszystkiego dopilnuję, jak zawsze. Aha, i chciałam ci jeszcze powiedzieć, że będziesz miała okazję się zrewanżować, bo chcę wyjechać za dwa tygodnie do siostry.

Uśmiechnęłam się, mówiąc, że się cieszę i że jest bardzo miła i wtedy usłyszałam kroki na schodach. Ktoś szedł cicho, minął już pierwsze piętro, zaraz dotrze do mnie. Kroki stawały się coraz wyraźniejsze, a pani Marysia z każdym skrzypnięciem coraz bardziej zaciekawiona, teraz już wiedziałam, że nie zniknie za drzwiami. Nareszcie ukazał się. Z torbą na jednym ramieniu i z aparatem fotograficznym na drugim. W jasnobłękitnych dżinsach, zabójczo opinających jego biodra i długie szczupłe nogi. Ach, jaka szkoda, że stąd nie widać pośladków! Znajoma kurtka rozpięta, jasnopopielata bluza sportowa pod spodem. Podszedł do nas taki ładny, pachnący dobrą wodą toaletową, po czym odważnie i głośno przywitał się z nami po niemiecku. I pocałował mnie bezceremonialnie w policzek. Pani Marysia spojrzała pytająco.

– Ludmiłko, to znaczy... Czy to jest ten pan z Niemiec...? To jakiś bliski znajomy?

Martin zakłopotał mnie trochę tą wylewnością, pani Marysia gotowa sobie pomyśleć o mnie najgorsze rzeczy.

– Pani Marysiu, to znaczy, poznaliśmy się, wie pani...

– Oj, Ludmiłko, mogłaś przecież powiedzieć, że narzeczony przyjechał.

Odwróciła się i poszła do siebie. No nie, tylko tego brakowało, żeby się pogniewała i nie przyszła do mojego kota! Co kot winien?!

– Martin, dlaczego jesteś tak wcześnie? – spytałam zaskoczona, zamykając za nami drzwi.

– Chciałem jeszcze pobyć tylko z tobą. Cudem udało mi się wyrwać z delegacji. Wyobraź sobie, dziś moja grupa wyjechała zwiedzać Świętą Lipkę i Wilczy Szaniec. Nalegali, żebym jechał z nimi, potrzebny im fotograf. Żebyś wiedziała, ile musiałem się namęczyć, żeby pojechać z tobą!

– Nie chcę, żebyś miał przeze mnie kłopoty!

– Na szczęście zabrałem zapasowy aparat, taki prosty w obsłudze, zawsze go biorę, na wypadek, gdyby coś mi się stało z tym lepszym. Dałem im i niech robią sami zdjęcia, na pewno sobie poradzą. Żebyś wiedziała, jak się dopytywali, dokąd i z kim jadę! Oj, nie było łatwo, ale jestem – stanął przede mną wyprostowany, przeczesując palcami jasną czuprynę, lekko nażelowaną.

– Świetnie. Moje przyjaciółki nie mogą się już doczekać, żeby cię poznać – uśmiechnęłam się z ulgą. Chyba dopiero teraz dotarło do mnie, że naprawdę ze mną jedzie! – Z Ewką będziesz ćwiczył niemiecki, Sylwia będzie cię obserwować, a Iza zaakceptuje od razu.

– Mam tremę – przyznał.

– Nie martw się, będzie dobrze – powiedziałam i przytuliłam się do niego. Sama, z własnej woli! Martin zamknął mnie sobą jak w kole ratunkowym. Pocałował włosy, wsunął palce w moje rude pasma.

– Ludmiło, Ludmiło – wyszeptał. – Bądź ze mną, proszę, zawsze. Zwariowałem zupełnie w tej Polsce... Żebym wiedział...

I znów jesteśmy razem, ciesząc się sobą w jakimś wariactwie. A jeszcze tydzień temu... Czy ja się nie zakochałam?

Kiedy przyjechała po nas Sylwia, byliśmy już w pełnym rynsztunku. Spojrzała na mnie badawczo:

– Zapnij bluzkę – szepnęła, stojąc w przedpokoju, do którego wyniosłam swoją torbę. Pogroziła mi palcem. nie wiem, czy na poważnie, czy ze śmiechem. Zawstydzona, spuściłam wzrok. Nigdy chyba się nie pozbędę tego uczucia, że może robię coś źle, niewłaściwie, że to wszystko za szybko, za nagle, zupełnie dla mnie niezrozumiałe.

Wsiedliśmy do audi. Mąż Sylwii obserwował Martina w lusterku. Rozmowa się nie kleiła, bo tylko my dwoje znaliśmy niemiecki. Podjechaliśmy pod blok Izy, czekała już na parkingu. Wsiadła. Jakoś musimy się pomieścić. Ja przesunęłam się na środek, Martin niech siedzi z boku. Wyjechaliśmy na drogę do Olsztyna. Bałam się bardzo. Pierwszy nasz wspólny wyjazd, a trochę sztywno to jakoś przebiega, dziewczyny przestraszone, Martin też, nie wiem, co robić... Czy to na pewno był dobry pomysł?

Wysiedliśmy na dworcu głównym, trzeba było kupić bilety. W jednej kasie przerwa, bo zawiesił się system, do drugiej długa kolejka. Wpadliśmy na pomysł, że ja zajmę dla nas miejsca w pierwszym wagonie, razem z Martinem zatargamy bagaże, a dziewczyny w tym czasie kupią bilety. Szliśmy obładowani przez peron, Martin niósł swoje dwie torby i dwie Izy (podobnie jak ja, wzięła ubrania i kosmetyki oddzielnie!) oraz siatkę Sylwii z prowiantem na drogę, ja miałam swoją torebkę oraz dwie własne torby oraz jedną Sylwii. Ona spakowała się w jedną. Podążaliśmy jak wielbłądy przez pustynię, ileż to kobiety potrafią nabrać, nawet jeśli jadą tylko na dwa dni! Znaleźliśmy peron, pociąg na szczęście już był podstawiony. Wsiedliśmy do pierwszego wagonu i drugiego przedziału – tak właśnie byliśmy umówieni. Akurat w tym siedzieli dwaj żołnierze, ale trudno, najwyżej potem się przesiądziemy.

Rozłożyliśmy bagaże na półkach i usiedliśmy. Co chwila zerkaliśmy na wolno przesuwające się wskazówki zegara. Mieliśmy jeszcze dwadzieścia minut do odjazdu. Zadzwoniła moja komórka. To Iza.

– Sylwia mówi, że nie wzięła nic do picia. Możesz wyskoczyć i kupić? Tu kolejki, boję się, że my nie zdążymy, możesz? – spytała, przekrzykując dworcowy megafon.

– Dobra, wyślę Martina, ja zostanę w przedziale i popilnuję wszystkiego. Może przyjść konduktor, to się z nim nie dogada. Pamiętajcie, pierwszy wagon, drugi przedział – upewniłam się.

Wyjaśniłam Martinowi, gdzie może kupić napoje. Daszek kiosku widać było z daleka. Zapewnił, że poradzi sobie, tylko prosi mnie o pieniądze, bo ma same euro. Nie zdążył wymienić. Jasne, nie ma problemu. Dałam mu całą torebkę, w obawie, żeby nie pogubił pieniędzy. Torebka ma sportowy fason, choć jest niemęsko zielona, ale od biedy ujdzie i u chłopa. „Mam nadzieję, że nikt nie nazwie go Tinky Winky" – roześmiałam się w myślach. Martin wyszedł z przedziału, spoglądałam za nim, gdy szedł przez dworzec sprężystym krokiem. Przyjemnie mi było tak patrzeć na niego. Choć wolałabym, żeby był tu przy mnie. Mija pięć minut, dziesięć. Zaczynam się niepokoić. Żołnierze chyba zauważyli moje podenerwowanie, bo pocieszają: „Narzeczony zaraz wróci. To obcokrajowiec jakiś, tak? Może nie potrafi się dogadać?"

Do odjazdu pociągu zostały jeszcze trzy minuty. Zaczynałam zdawać sobie sprawę z beznadziei mojego położenia. Siedzę oto w przedziale, mam bagaże współtowarzyszy podróży, ale ich nie ma tu ze mną, a ja na dodatek nie mam biletu na pociąg i, przede wszystkim, żadnych pieniędzy. Odruchowo sięgnęłam po komórkę, żeby zadzwonić do dziewczyn. Ale komórka została w torebce, a torebkę zabrał Martin! Dwie minuty. Zawołałam do konduktora na peronie, czy gdyby zaszła taka potrzeba, mógłby wstrzymać pociąg? Moi znajomi jeszcze nie wrócili, stoją w kolejce po bilety. Konduktor poinformował mnie oschle, że nie jest to możliwe. Jedna minuta. Boże, zostałam chyba pokarana za moją lekkomyślność. Trzydzieści sekund. Nie ma ani dziewczyn, ani Martina. Pociąg ruszył. Blada opadłam na siedzenie.

– Co ja teraz zrobię? – spytałam żołnierzy bezradnie.

– Nie może pani zadzwonić? – odpowiedział mi pytaniem jeden z nich. Nie mogę. Nie mam przecież komórki.

– Nie zna pani do nikogo numeru? Pożyczę swój telefon – żołnierz podał mi aparat.

Nie znam na pamięć numerów. Nie jestem książką telefoniczną. Natomiast jestem w opałach. Jadę na gapę. Bez pieniędzy. Z masą bagaży. I nagle olśnienie! Mam jeszcze szansę – po prostu wysiądę na Dworcu Zachodnim i stamtąd jakoś wrócę na Główny. Nie wiem wprawdzie, w jaki sposób, ale w tym momencie wydaje mi się to rozsądnym posunięciem. Poinformowałam o moim zamiarze żołnierzy. Przytaknęli. Znaczy, dobrze wymyśliłam, choć nie wiem, jaka logika mną kierowała.

Dojechaliśmy do Zachodniego. Pociąg się zatrzymał. Poprosiłam żołnierzy, żeby powyrzucali mi przez okno wszystkie bagaże, bo przecież nie dam rady ich kolejno wynosić. Wyskoczyłam na peron z torbą Sylwii i aparatem Martina. Postawiłam je na ziemi i po kolei odbierałam pozostałe torby, wyrzucane przez okno. Nie nadążałam, więc niektóre z nich spadały obok mnie na ziemię. Jest już za późno, by krzyknąć, że czerwona torba (to moja!) nie może być wyrzucona. Ze względu na obecność kiszonych ogórków. W dwóch słoikach. Nieświadomy niczego żołnierz, zadowolony, że wykonuje dobry uczynek, upuszcza moją torbę na ziemię. Słychać głuchy trzask. Pojawia się plama, z początku mała, potem coraz większa. Biorę tę cieknącą torbę w rękę – nie wiem, po co! – oraz aparat Martina i podbiegam do konduktora, zapytać, czy nikt na Dworcu Głównym nie usiłował zatrzymać pociągu. Jeszcze miałam nadzieję, że może się spóźnili. Konduktor nie przypomniał sobie takiej sytuacji.

Załamanie. Bagaż na peronie, ogórki zaraz wypłyną. Wracam już zrezygnowana i nagle odwracam głowę, zerkam kątem oka na pociąg i widzę... przepychające się w wagonie dziewczyny, a za nimi zdezorientowanego Martina! Robi mi się niedobrze. Zaczynam wołać, bo za chwilę ruszy pociąg i pojadą beze mnie! Oni nie słyszą, na szczęście ktoś z pasażerów zwraca im uwagę. I teraz już wszyscy na mnie spoglądają ciekawie. I obserwują oto biegającą po peronie z cieknącą torbą, aparatem przerzuconym przez ramię, w rozpiętym płaszczyku z wymykającym się ze szlufki paskiem, dziewczynę z szałem w oczach, machającą ręką do pociągu, jakbym go łapała na stopa. Dobiegłam do miejsca, gdzie zostawiłam bagaże i zawołałam do żołnierzy z mojego przedziału, że oto moi współtowarzysze podróży znaleźli się właśnie i że torby trzeba powkładać z powrotem do pociągu.

Żołnierze okazali się wyrozumiali i chętni do pomocy. Stara, dobra wojskowa szkoła. Sprawnie spakowali mnie, mokrą i zziajaną, z powrotem, tak szybko, że zanim dobiegł do nich Niemiec z zieloną damską torebką i dwoma butelkami soku, oni wręczyli mu tylko czerwoną torbę. Akurat TĘ torbę. Jasnobłękitne dżinsy od razu plamią się sokiem z ogórków, zmieszanym z piachem. I oto mój wymuskany Martin oraz cały wagon zaczyna pachnieć czosnkiem, chrzanem i koprem. W tym momencie pociąg rusza. To cud, że zdążyliśmy.

Dziewczyny płakały ze śmiechu aż do Ostródy, Martin nie wiedział, co powiedzieć. Bezradnie starał się zetrzeć plamy, wąchał swoje dłonie i krzywił się. Sylwia, rozbawiona do łez, zaczęła nareszcie opowiadać:

– Słuchaj Ludka, ten twój Martin zgubił się chyba. Jak wracałyśmy z biletami, to był na sąsiednim peronie. Zaczęłyśmy go wołać, tak wiesz, halo i te inne! Na początku nas nie poznał, potem zaczął przedzierać się do nas na skróty przez ogrodzenie, zatrzymali go sokiści i pokazali mu, że na peron obok ma iść przejściem podziemnym. Dobrze, że nie zapłacił mandatu, chyba tylko dlatego, że obcokrajowiec. Poczekałyśmy na niego, ale nie było już czasu biec do pierwszego wagonu, więc wsiadłyśmy w ostatni. Pociąg ruszył, a my dzwonimy do ciebie, żeby ci powiedzieć, że jesteśmy i żebyś się nie martwiła. I nagle słyszymy twoją komórkę! Z torebki, a torebka u Martina na ramieniu! Po co ty dałaś Martinowi całą torebkę?

Nie wiem, po co. Ale już wiem, co to znaczy, że kobiety są z Wenus. I inaczej niż mężczyźni, wykorzystują swoje półkule mózgowe. Tym razem punkt dla mężczyzn... Teraz śmiejemy się wszyscy, razem z żołnierzami. Nawilżaną chusteczką wycieram Martinowi plamy na spodniach. Jest trochę wystraszony, ale już odzyskał dobry humor. Izka chichocze w kącie, Sylwia trzeci raz opowiada nam całą historię, a ja... oddycham z ulgą, że nie jadę już na gapę.

Pierwsze lody między Martinem i dziewczynami zostały przełamane. Dalsza część podróży minęła jak z bicza strzelił, ale przez całą drogę nie miałam odwagi zajrzeć do mojej torby.

– Śmierdzicie – rzekła na powitanie Ewa. Pocałowała mnie w czoło, ciekawie zerkając na Martina. Był lekko zmieszany, ale wyraźnie ożywił się, słysząc niemiecki Ewy. „Choć jedna z nich sobie z nim pogada" – myślę z radością. I kiedy Martin zostaje porwany przez Ewę w celach zwiedzania mieszkania w toruńskiej kamienicy, my zbieramy się do wypakowywania rzeczy. Z obawą otwieram torbę. Na szczęście zbił się tylko jeden wek z ogórkami. Drugi przetrwał peronowy wstrząs i powędrował do Ewczynej szafki. Iza wyciągnęła ze swojej torby woreczek suszonych grzybów z minionej jesieni, a Sylwia – piękny szal w kolorze sjeny palonej, z frędzlami zakończonymi małymi złotymi dzwoneczkami.

– Będzie nam Ewa dzwoniła jak owca na hali – śmiałyśmy się, mając nadzieję, że nasze dary spodobają się gospodyni.

– Fajny ten twój Martin, szkoda tylko, że nie zna polskiego – szepnęła mi Iza, gdy wstawiałyśmy nasze torby do salonu. Patrzyła na mnie spod swojej blond grzywki, niezmiennej od siódmej klasy szkoły podstawowej, kiedy to obcięła długie warkocze i zdecydowała się na przykrycie czoła warstwą włosów. Mody mijały, a grzywka Izy wciąż była na swoim miejscu jako jej znak rozpoznawczy. Teraz moda na grzywki powróciła i Iza wydaje się bardzo trendy. Na dodatek w ogóle nie widać po niej lat. Zmieniła się niewiele, może troszkę przytyła po urodzeniu dzieci, ale to dodało jej tylko ciepła. Twarz ma okrągłą, cerę lekko bladą, co dodatkowo ją odmładza. Może trudno to sobie wyobrazić, ale Iza nigdy nie była w solarium! Pewnie nawet nie umiałabym z niego skorzystać! Iza nie ubiera się supermodnie, nie biegnie ślepo za pomysłami projektantów mody, ma wciąż ten sam od lat sportowy styl, bo lubi czuć się wygodnie, a nie sztywno i elegancko.

Ma duży problem, gdy wychodzi gdzieś z Rysiem na wielką galę, jak na przykład bal nauczyciela. Wtedy pożycza coś ode mnie, bo mimo iż jestem szczuplejszą od Izy, mam parę nieco luźniejszych strojów. Bywa, że są to sukienki sprzed kilku lat, Izie to jednak nie przeszkadza. W ogóle jest typem nonkonformisty. Gdy zauważy, że świat kobiet oszalał na punkcie korali, na pewno ich nie włoży i będzie nosić broszki. Zawsze pod prąd, jedynie, gdy chodzi o dzieci, staje się uległa. Mogą okręcać ją wokół palca. To wzorowa Matka Polka, widząca cały świat tylko w ich oczach.

Sylwia to jej przeciwny biegun. Prowadzenie hurtowni odzieży używanej wykształciło w niej szczególny styl – wcale nie krzykliwy, rynkowo-stadionowy, a spokojny, z wyciszoną paletą barw. Jest dość elegancka, nie kiczowata. Czasem podrzuci coś Izie, mając dosyć jej noszonych od lat butów typu osiołki czy spodni z wysokim stanem, ta jednak bywa ostrożna w eksperymentowaniu ze strojem i, jak mówi, nie lubi donaszać. Bywa, że przynosi ciuchy, podarowane jej przez Sylwię, do mnie, wiedząc, że ja donaszania się nie boję. Wręcz korzystam z niego, bo lubię często zmieniać zawartość swojej szafy. Ciuchlandy doskonale mi to umożliwiają, pozwalają też realizować garderobiane pomysły, które czasem posiadam. Sylwii to dobrze, ma fajnie rzeczy na wyciągnięcie ręki. Za małe pieniądze.

Zrobiłyśmy herbatę. Wszystkie trzy czujemy się w kuchni Ewy jak u siebie w domu. W końcu pomagałyśmy ją urządzić, a nawet niektóre przedmioty są ofiarowane przez nas. Na przykład czajnik elektryczny, porcelanowy serwis do kawy czy miedziana cukiernica, kupiona na pchlim targu za grosze. Zajrzałam do lodówki w poszukiwaniu czegoś do zjedzenia. Jest! Sałatka z ananasami, pieczona karkówka i niskosłodzona konfitura z aronii. Ewa wiedziała, co jej przyjaciółki lubią najbardziej. Właściwie ta sałatka to mój przysmak, dziewczyny tylko się dostosowują, skwapliwie wybierając z niej kawałki sera i ananasów. Izie więcej radości sprawia zjedzenie dobrego ciasta, a Sylwia wciąż się odchudza i po każdym kęsie czegokolwiek ma wyrzuty sumienia, nie jest więc dobrym kompanem do stołu.

Wystawiłyśmy przysmaki na kuchenny stół, Iza wyciągnęła z szuflady sztućce i talerze, a Sylwia zadzwoniła do domu, by zakomunikować o szczęśliwym dotarciu na miejsce. Do kuchni wrócił rozbawiony Martin, za nim Ewa, opowiadająca mu jakąś historię z dzieciństwa, której byłam główną bohaterką. Pogroziłam jej palcem, by przestała, ale Martin uspokoił mnie, mówiąc, że musi wiedzieć o mnie jak najwięcej i Ewa na pewno mu w tym pomoże, bo ja sama nie jestem zbyt wylewna. Jeszcze tego by brakowało, żebym mu opowiadała o swoim wypożyczaniu wózków niemowlęcych, stawianych w piwnicach i korytarzach oraz jeżdżeniu w nich po całej ulicy, albo o wyciąganiu listów ze skrzynek pocztowych i oddawaniu ich nadawcom! I tak obawiam się, że po wizycie w Toruniu, Martin będzie wiedział o mnie stanowczo za dużo, więcej niż ja o nim. „Mój drogi, kiedyś i ja zawitam w twe rodzinne strony i porozmawiam sobie z twoimi kolegami, zobaczysz" – odgrażałam się w myślach.

Dziewczyny domagały się tłumaczenia na polski każdego zdania, więc w skrócie opowiedziałam, o czym mówiliśmy.

– Tłumacz, tłumacz, my też chcemy wiedzieć! – wykrzykiwały. Postanowiłyśmy więc z Ewą dzielić się kolejnymi fragmentami rozmowy, przez co nasza wspólna rozmowa znacznie wydłużyła się.

Wreszcie idziemy coś zjeść. Sałatka Ewy była, jak zwykle, wyśmienita. Martin pochwalił, zmartwiłam się w duchu, że nie przyrządziłam mu nic do jedzenia. Hm, właściwie nie wiem nawet, co Martin lubi? Trzeba to nadrobić... Przepis na tę pyszną sałatkę jest niezwykle prosty. Trzeba kupić puszkę ananasów w plastrach i dość drobno je pokroić (te w gotowych już kawałkach są za duże), dodać drobno pokrojonego, niezbyt dużego pora (albo nawet tylko jego część), wrzucić woreczek ryżu (wcześniej ugotowanego ze szczyptą soli, żeby nie był całkiem mdły, ale też i niezbyt słony), i wymieszać z majonezem (koniecznie Hellmans babuni! Z innym smakuje fatalnie!) ze średniej wielkości słoika. Ten najmniejszy jest stanowczo za mały. Tajemnicą sałatki jest jednak ser. Żółty, pokrojony w dość grubą kostkę. Otóż, tak jak majonez, musi być specjalny, nie którykolwiek. Najlepszy jest Havarti w czerwonym opakowaniu lub jego brat z tej samej firmy – Śmietankowy. Koniecznie bardzo miękki, taki, który w temperaturze pokojowej prawie się rozpływa. Z doświadczenia wiem, że takich serów w naszych sklepach jest jak na lekarstwo, przynajmniej u nas na prowincji. Niewykluczone, że w większych miastach wybór jest większy. Ten ser musi się z majonezem przegryźć. Trwa to całą noc, a proces rozciapkowywania się sera odbywa się w warunkach chłodniczych oczywiście. Sałatka osiąga sensowny smak najwcześniej po dwunastu godzinach, a na trzeci dzień jest już całkiem odjazdowa, choć w moim domu do tego czasu nigdy nie dotrwała. Udało się to tylko raz odchudzającej się Sylwii, gdy mąż wyjechał po towar. Ta sałatka uzależnia, pod warunkiem, że zrobi się ją naprawdę według przepisu. Zwykle nakładam jej kopiastą furkę, nie myśląc o zawartości cholesterolu i innych tego typu przeszkodach, do tego skrajam kilka plasterków upieczonej w ziołach do grillowania karkówce i na nią nakładam żurawinę, aronię bądź borówkę, czyli owocowy dodatek do mięs. Moje podniebienie przeżywa prawdziwe rozkosze, gdy rozciamkany ser miesza się ze sprężystym ananasem, a smak tych łagodnych dodatków przełamuje się z ostrością pora. Niesamowite. O tej sałatce pisałam kiedyś w naszym tygodniku. Było mi przyjemnie o niej pisać, pewnie tak, jak Proustowi o napoleonce, w nadziei, że mój opis wywoła w czytelniku takie samo pragnienie natychmiastowego spożycia.

Patrzyłam znad talerza na Martina. Jadł delikatnie, przeżuwał dokładnie, słowem – zachowywał się jak syn dietetyczki z manierami. Ja jadłam wielkimi kawałami, chwytanymi prawie w locie. Ktoś mi kiedyś powiedział, że jem jak drwal w przerwie między jednym wyrąbem a drugim. Przy Martinie starałam się, ale i tak moja kopiasta furka jedzonka znikła szybciej niż jego, choć była nieporównywalnie większa.

– Nie zjedz wszystkiego, zostaw na śniadanie – upomniała mnie Sylwia. Ona pewnie przeliczyła już w myślach wszystkie kalorie oraz czas, jaki będzie musiała przebiegać, by to spalić. Ja nie tyję – na szczęście. Takie mam geny po mamie, która całe życie była niska i drobna, a tata śmiał się z niej, że można ją w całości „do opałki schować".

– O czym tak myślisz? – przerwał moje myślenie Martin. No przecież nie powiem mu, że o opałce, bo nawet nie wiem, jak to powiedzieć po niemiecku. Czy Niemcy w ogóle mają słowo, którym nazywają kosz na opał lub, na Kurpiach, również na ziemniaki? Czy może mówią tylko „kosz"?

– Zastanawiałam się, co dalej w programie naszej wycieczki – wydusiłam, przełykając ser. Trafił mi się sam, tylko z majonezem. Rozpaćkany. Cudo!

– No nie, ty masz jeszcze siłę? Teraz chyba spać, a jutro może gdzieś się wybierzemy? – spytała Iza.

– No wiesz, spać będziesz w domu, dziś idziemy w miasto! – zripostowała Sylwia, a Ewa strzeliła palcami i dodała:

– No pewnie, na toruńską beztroskę. Kończyć mi to jedzenie i ruszamy!

To samo powiedziała po niemiecku. Dbała o gościa, doceniałam to. Martin do razu zerwał się zza stołu i, patrząc na mnie rozradowany, ruszył do drzwi, posłuszny jak na rozkaz. Był bardzo zdyscyplinowany. Czy wszyscy Niemcy są tacy?

Toruń powitał nas wieczorem mglistym, ale rozświetlonym tysiącem świateł. Był ciepły, jak na kwiecień, wieczór, wokół pełno ludzi! Na mojej prowincji wszyscy już dawno spali, po ulicach szwendały się tylko okoliczne burki i etatowe pijaczki, zdążające do sklepu Pod Kasztanem. A tu... Ludzie zachowywali się, jakby dopiero wybiegli z biur i bliscy obłąkania, cieszyli się podarowaną wolnością! Co za świat zwariowany! Z tysiącem barw, hałasem wielkiego miasta, który u nas pojawia się tylko podczas Pikniku Country!

Z Mostu Paulińskiego niedaleko na Szeroką. Szliśmy wolno, śmialiśmy się, opowiadaliśmy różne historie. Moja praca była gdzieś daleko, zapomniałam o Arturze, co do którego dręczyły mnie pewne przeczucia. Za dużo się mówiło o tym, że ma bezrobotną dziewczynę Patrycję.

Porzuciłam złe myśli. Dość pracy i myślenia o niej, choć niepokoje uporczywie wracały. Liczy się tu i teraz. Koniec. Kropka.

Martin szedł najpierw nieco z tyłu, dopiero, kiedy zobaczył, że razem z Ewą tłumaczymy wszystko, o czym rozmawiamy, stał się znów odważny. Widać, męczyła go bariera językowa. Nieśmiało sięgnął po moją dłoń, ja ją przyjęłam dość chętnie, bo chciałam pokazać dziewczynom, że ten piękny facet obok jest naprawdę mój! Choć to moje przyjaciółki, miałam jednak nadzieję, że mi go trochę zazdroszczą! Trudno, ja też kiedyś zazdrościłam Sylwii, gdy w białej sukni szła do ślubu, Ewie – gdy na własność kupowała swoje wielkomiejskie mieszkanie, Izie zaś – gdy wracała ze szpitala z białymi zawiniątkami. „Teraz na mnie kolej" – pomyślałam i beztrosko wysunęłam się z Martinem na przód, żeby moje koleżanki widziały, jak idziemy za rękę i że jesteśmy szczęśliwi. „Muszę z nim porozmawiać, co dalej będzie z nami" – obiecałam sobie. Odwlekałam tę rozmowę, chwytałam chwile radości i szczęścia jakby darowane, jakby miały stać się panaceum na moją cichą samotność, z której nikomu się nie żaliłam.

Paulo Coelho pisał w *Alchemiku*, że w marzeniach wszechświat potajemnie sprzyja. Może moje marzenia znajdą wreszcie swe spełnienie? Szliśmy obok ruin zamku. My, cztery przyjaciółki, doskonale znamy te ruiny.

– A pamiętacie, jak wtedy, w listopadzie, byłyśmy u Ewki we trzy i odprawiałyśmy tu dziady? – zagadnęła Sylwia. Szła sprężystym krokiem, zaglądała wszędzie, cieszyła się. Pewnie tym oderwaniem od rodziny, sieci ciuchlandów. Chyba naprawdę wypoczywała.

– No a jak mamy zapomnieć, skoro wtedy się upiłam – roześmiała się Iza. – To przez was wariatki, nalałyście mi do coli wódki i wmawiałyście, że tylko kilka kropelek! A wy to piłyście z gwinta, bo nie było kubeczków, damulki jedne. Boże, jak mnie wtedy głowa bolała! Co wy ze mną zrobiłyście? Gdyby mnie Rysiu zobaczył, to by się ze mną od razu rozwiódł!

Nie miała Iza doświadczenia w piciu wódki, oj, nie miała. W zgodnym stadle, jakie tworzą z Rysiem, mało było miejsca na tego typu rozrywkę. Wtedy, w tych ruinach biedaczka nam całkiem odleciała. Wlokłyśmy ją uliczkami Torunia, z wielkim wstydem, dobrze, że nieco stłumionym przez alkohol. Noc spędziła w łazience, było nam jej strasznie żal, bo to była wyłącznie nasza wina. Izunia jest taka porządna!

Kupiliśmy pierniki w czynnym jeszcze sklepie. Martin docenił smak toruńskich serc, jadł z apetytem, usta miał całe w czekoladzie i przyprawach. Miałam ochotę polizać te jego usta. Weszliśmy w kolejny zaułek.

– A tu stoi Krzywa Wieża – pokazała pochylony budynek Ewa. I wytłumaczyła, że w Toruniu wystawia się przybyłych na próbę.

– Jeśli staniesz wyprostowany pod wieżą i nie polecisz do przodu, znaczy, że jesteś... Hm, Ludka, jak mu powiedzieć, że jest cnotliwy?

Wyjaśniłyśmy mu ze śmiechem, Martin zaczerwienił się niczym burak i stanął pod wieżą. Widać, że chciał nam zaimponować. Ale co rusz leciał do przodu, i próbował znowu, a wystarczy się skupić i mocno naprężyć. Wreszcie Ewa zwróciła do niego:

– No, już nie udawaj, coś tam z Ludką musiało być i koniec – odciągnęła go od muru. Martin rozśmiał się i przypadł do mnie, w objęciach okręcił wokół siebie, na ciasnej uliczce, aż się przewróciliśmy. Leżeliśmy poplątani i roześmiani, a Sylwia podeszła do nas i rzekła:

– No i mamy dwa upadłe anioły pod Krzywą Wieżą w Toruniu. Czyż może być coś gorszego? – i zrobiła nam zdjęcie.

Piękny wieczór, najpiękniejszy. Lubię te miejsca, które odwiedzamy z dziewczynami, dobrze, że jesteśmy razem, że nasza przyjaźń przetrwała wszystkie próby i nadal mamy ten dziecięcy entuzjazm, by się spotykać, śmiać się, pić razem wino i czekać na marzenia. Wprawdzie Martin na razie jeszcze do nas nie pasuje, jeszcze nie przylega jak klocki lego, ale myślę, że z czasem to się stanie. Bo jest przy mnie miejsce dla niego, zagrzane, wymoszczone jak ptasie gniazdo. Byleby tylko chciał skorzystać i zostać. „Martinie, zrób coś, przeczytaj wreszcie moje myśli" – nalegałam w ciszy swej głowy.

Szliśmy dalej, Ewa pokazywała nam ciekawe miejsca. Dom Muz, poziom wody po powodzi zaznaczony na murach miasta, nasze knajpki zwiedzone wzdłuż i wszerz. Tu kiedyś był koncert Nocnej Zmiany Bluesa, tam są świetne pierogi. Zapadła już noc, czas wracać, zaszliśmy jeszcze do całodobowego, kupiliśmy włoskie wino, jakieś piwo, ale wypijemy je chyba jutro, no, może najwyżej po łyku dziś jeszcze, bo zmęczeni jesteśmy strasznie.

Złota tarcza księżyca oświetliła mury kamienic, brukowane ulice. Idziemy z Martinem przytuleni, dziewczyny za nami. Miasto ucichło. I wtedy zadzwonił telefon. Niemiecka piosenka. To komórka Martina. Pierwszy raz ją usłyszałam. Zdałam sobie nagle sprawę, że on ma jakieś życie poza mną. Może zadzwonili rodzice, zaniepokojeni, że ich syn nie odzywa się z Polski, dawnej ojczyzny Hansa, nie dzwoni, co u niego, czy znalazł ten piec?

Martin sięgnął do kurtki, wyciągnął aparat, spojrzał na wyświetlacz. Zrobił to sprawnie, szybko, jakby chciał przede mną coś ukryć. Rzucił, że zaraz wróci i skręcił za pierwszy załomek muru, machając, byśmy szły, nie czekały, że chce zostać sam. Wyraźnie się zdenerwował. Ja też, bo ten telefon nie wróżył chyba nic dobrego. Uchem starałam się wyłowić jakieś dźwięki, zrozumieć rozmowę, ale nie dałam rady. Nic nie było słychać, Martin celowo ściszył głos. Widziałam go tylko z daleka, jak gestykulował, chodził nerwowo, bezlitosny łysy księżyc swym światłem zdradzał jego tajemnicę. Serce mi waliło, coś jest nie tak, przeczucia mnie nigdy nie mylą. A może tylko mi się wydaje? Może to z pracy, oby nic się nie stało z jego rodzicami! Po kilku minutach wrócił, ale zauważyłam, że – idąc do nas szybko – wyłączył telefon, zdradził to cichy dźwięk. Wrócił już inny, uśmiechnięty, daleko mu do tamtego nerwowego Martina spod księżyca.

Nie uśpiło to mojej czujności, no, może trochę. Postanawiam obserwować go, a może nawet zapytam, co się stało, gdy zostaniemy sami. Póki co, udaję, że nic nie widziałam.

Drewniane schody w kamienicy poprowadziły nas do góry, do królestwa Ewy. Komenderujemy – Martin ma iść pierwszy pod prysznic, a my pościelimy łóżka. Nasz rodzynek chętnie się zgodził, zabierając ręcznik i kosmetyczkę, a ja zaczęłam marzyć o tym, żeby być z nim całkiem sama, żeby wreszcie w ciszy posłuchać jego oddechu. Zakochana?

– Ludka, a coś ty taka zamyślona? – wyrywa mnie z zamyślenia Ewa. – Chyba zakochana jesteś, co? Musisz powiedzieć, skąd go wytrzasnęłaś! Całkiem fajny. I, no wiesz... bardzo przystojny. Ty widziałaś, jakie on ma pośladki? Zresztą na pewno widziałaś, może nawet bez spodni, co? Przyznaj się! – wierciła mi dziurę w brzuchu.

– No właśnie, staruszko, gadaj szybko, jak tam z wami, co? I skąd się wziął, powiedz, bo Niemcy do wzięcia raczej nie przechadzają się uliczkami miasta – dołączyła do niej Iza. No i mam kłopot.

– Oj, przestańcie wariatki, dajcie mi spokój – opędzałam się jak od much.

– No skoro mam ścielić łóżko dla ciebie i tego adonisa, to chyba coś poważnego? – Ewa nie dała za wygraną. Rzuciły mnie teraz na kanapę, łaskoczą i krzyczą:

– Gadaj szybko, no gadaj nam tu i to już! – przewróciłyśmy się po chwili wszystkie, zrobiła się kotłowanina, słychać tylko piski i krzyki, pospadały nam kapcie, Sylwia ściągnęła gumkę do włosów i razem z tymi kapciami cisnęła w kierunku drzwi. I w tej właśnie chwili stanął w nich Martin, owinięty tylko w ręcznik, chyba wyrwany spod prysznica, zaniepokojony. Odchyla drzwi i pyta:

– Co się dzieje?

W odpowiedzi dostaje kapciem w głowę, zupełnie niechcący, bo Iza nieświadoma, że nasz adonis stoi w drzwiach, postanawia, dość energicznie, pozbyć się tego ciężaru.

– Przepraszam, sorry – zająknęła się, wynurzając zza moich pleców.

Musimy potem wyjaśniać Martinowi, że nic się nie stało, że to tylko odezwało się nasze dawno nie wyzwalane wariactwo i że my tak mamy często, czy tego Martin chce, czy nie chce.

– Wy, Polacy, jesteście bardzo spontaniczni, u nas tak się nie zachowujemy – powiedział na koniec i widać, że polska spontaniczność całkiem mu się spodobała.

Nam też, bo przyszedł ją oglądać w ręczniku tylko i dziewczyny miały okazję popatrzeć na grecką rzeźbę, która nagle ożyła i w jego postaci pojawiła się między nami.

– Idź już, dokończ te swoje ablucje – zagarniam go ręką, a dziewczynom pokazuję, że koniec widowiska. Czuję lekką zazdrość o mego Martina.

– Nieeeee – śmieją się moje zwariowane przyjaciółki. – Może niech zostanie tu z nami?!

Oj, jak chciałabym, żeby został, ale tak naprawdę, w moim życiu! Nie powiem wam przecież o tym, jak bardzo się boję, jak wiele chciałabym mu powiedzieć, a wstydzę się, krępuję, nie wiem, od czego zacząć. Myślę o tym wszystkim, gdy zamykam za Martinem drewniane drzwi łazienki. Za chwilę słyszę prysznic. Myje się teraz. Może myśli o mnie. Może myśli, że myje się właśnie dla mnie? Martinie, zawróciłeś mi w głowie...

Jeszcze chwilę paradujemy wszyscy w szlafrokach (kto ma) i piżamach, wypijamy po lampce wina, ale noc już zapada głucha, Toruń zasypia i nikomu się już nie chce siedzieć przy kuchennym stole.

– Idziemy spać! – rozkazuje gospodyni. – Jutro też jest dzień. Jeszcze przed nami sobota i niedziela, wracacie po obiedzie oczywiście. Teraz już do łóżek.

Pewnie, że idziemy, i to chętnie, nareszcie padło to hasło, bo zmęczenie zrobiło swoje, tyle się dziś wydarzyło. Zamknęłam za nami drzwi pokoju, który zagospodarowała nam Ewa. Przytulnie i swojsko. Zasłonki w drobne kwiatki, nanizane niczym na nitki na miedziane druciki, przyczepione do sufitu, w oknach dwa wianuszki ze słomy i suszków, pod ścianą dwa drewniane krzesła, odnowione, wypolerowane, ocalałe od niechybnego spalenia w jakimś piecu, kryształowe stare lustro, też ocalałe, bo wyciągnięte wprost ze śmietnika, wyczyszczone i zabejcowane. Ewa miała dar, spod jej palców wychodziły zupełnie nowe i piękne przedmioty, choćby wcześniej były niewiadomo jak stare i brzydkie.

Na środku pokoju nie leżał jednak materac welurowy, którym mnie postraszyła moja przyjaciółka, ale stało wielkie drewniane łóżko z rzeźbionym wezgłowiem, jeszcze po Ewczynej babci, wciągnięte tu, na piętro kamienicy, dźwigiem. Na to właśnie łóżko, zawsze mi gościnne, gdy przyjeżdżałam, rzucił mnie Martin, choć dawałam mu sygnały, żeby zachowywał się cicho, że dziewczyny nie śpią i że nie jesteśmy u mnie. Nie zważał na moje protesty i sykania, wziął mnie szybko, gwałtownie, jakby chciało mu się pić i spragniony dopadł do szklanki z chłodną wodą. Pewnie dziewczyny słyszały. Jak ja im jutro w oczy spojrzę?

Potem położył się obok mnie, zdyszany, z zamkniętymi oczami. Profil miał łagodny, woziłam po nim palcem i patrzyłam na tę twarz coraz mi bliższą. Księżyc rozpanoszył się w naszym pokoju, profil wyłonił się wolno z ciemności. Odgarnęłam włosy z czoła, Martin zamruczał jak kocur, dotknęłam jego szczupłych, z łagodnie zarysowanymi mięśniami ramion, chciałam go obejrzeć całego, poznać jego ciało, zasmakować je. Nabrałam pewności siebie, śmiałości, jakiej mi zawsze brakowało, moje palce powędrowały wokół jego sutków, skurczonych jak drobne pąki, do brzucha, szczupłego i zapadniętego nieco w dół, do ud sprężystych i wznoszącej się męskości. Martin patrzył na mnie ciekawie, oddychał szybko, rozchylając wąskie nozdrza, zerwał się nagle i dłonią równie zachłanną, co moja, zaczął poznawać w tym zdradliwym blasku księżyca moje ciało, po kawałku dotykając je i całując. Księżyc dodawał temu poznaniu tajemniczości, magii, a cisza w mieszkaniu jeszcze to potęgowała. Pachniałam cała, dla niego, chyba spodobał mu się zapach moich nowych perfum, to Kate Moss. Wciągał ten zapach w półciszy. I za chwilę znów był mi bliski, ale już nie tak gwałtownie, szybko, lecz łagodnie, jakby w rytm muzyki uśpionego za oknem miasta. A ja w głowie miałam piosenkę Edyty Górniak, którą tak lubiłam słuchać w aucie.

„Popatrz, księżyc tańczy razem z nami, niech ta noc obudzi nas, niech namiętność stoczy swoją walkę o czas, nie chcę nic więcej"... Teraz już wiedziałam: świat jest doprawdy muzyką...

Rozdział XII

O tym, że nie ma spotkań przypadkowych i że nieprzypadkowo
jesteśmy właśnie w Toruniu. Mieście dwóch narodów.
Czyli dalszy ciąg zaplatania magicznych nitek.

To miasto dwóch narodów – oznajmił mi rano, na przebudzenie, Martin. Znalazł w mało zagospodarowanym pokoju stare książki o Toruniu, niektóre miały streszczenia w języku niemieckim.

– Nie wiedziałem. Nasze kraje mają wspólną przeszłość – dodał.

Skinęłam głową, przecierając jednocześnie oczy. W sumie, nie powiedziałam mu o tym, a przecież mogłam. Pojechał ze mną z czystej ciekawości, a tymczasem znalazł kolejne nitki, łączące jego naród z moim.

– Martinie, lubię znać historię miejsc, do których powracam. Toruń jest właśnie takim miejscem. Wiele budynków powstało tu w czasach pruskich. Na przykład Collegium Maius, które wczoraj mijaliśmy, to ten budynek uniwersytetu tuż obok więzienia. W Toruniu, jak w każdym mieście, usuwane były ślady niepolskiej przeszłości. Nie dziw się temu, wiem, że usunięto na przykład pomniki. U nas w Polsce tak się robi. Teraz na przykład znikają pomniki z czasów socjalizmu, niektóre barwne i na stałe wpisane w rzeczywistość naszego kraju. A wtedy zniknął na przykład pomnik cesarza Wilhelma I z Rynku Staromiejskiego oraz Kriegsdenkmal – pomnik ofiar wojny niemiecko-francuskiej. A na jego miejscu w latach dwudziestych został wybudowany budynek Urzędu Marszałkowskiego. Oczywiście, zmieniono też nazwy ulic – wyjaśniałam mu.

– Skąd o tym wiesz?

– Lubię czytać o miejscach, które zwiedzam.

– Wiesz, niesamowita jest ta moja podróż do Polski. Przyznam ci się, że kiedy usłyszałem, że jedziemy właśnie tu, bo nasz samorząd chce się

Wzgórze Faenike z Wieżą Bismarcka było miejscem widokowym. Wystarczyło stanąć na jego szczycie, by podziwiać takie właśnie widoki. Na pierwszym planie Jeziorko Magistrackie. Mogli w nim łowić ryby tylko pracownicy Magistratu — stąd nazwa.

zapoznać z polskim, zdziwiłem się. Sądziłem, że zostaniemy przyjęci jak wrogowie, intruzi, a tymczasem, nie zrozum mnie źle, wydaje mi się, że łączy nas tak wiele, jakbyśmy byli bardziej braćmi niż dawnymi wrogami... – siedział w fotelu, jedynym w pokoju, i kartkował tę książkę o polsko-niemieckim Toruniu.

– Martin, za nami kawałek niechlubnej historii, której nie możemy zapomnieć, ale przecież możemy z nią żyć i wyciągnąć z niej wnioski. Ja sama kiedyś nie lubiłam Niemców. Wiesz, chyba dzięki tobie ich polubiłam – dodałam prowokacyjnie.

– Nie?! Nie lubiłaś?! To czemu znasz język?

– Martin, u nas mówi się: „Trzeba znać język wroga" – roześmiałam się.

Usłyszeliśmy pukanie do drzwi.

– Wstawajcie, gołąbki – zawołała Ewa po polsku. Mój gołąbek potrzebował wyjaśnienia, co to znaczy, ten gołąbek. Zaśmiał się.

– Świetne określenie!

W całkiem gustownej piżamce (zabranej specjalnie na Toruń!) przespacerował się korytarzem do łazienki. Ja postanowiłam jeszcze poleniuchować. W sumie – sobota, wolny dzień, poza domem. Zaraz otworzę okno, buchnie na mnie wiosna, niech sobie będzie tu ze mną ta zielona wariatka!

Nie myliłam się, za oknem panowało szaleństwo. Ale wielkomiejskie. Słychać było wprawdzie jakieś wiosenne trele, ale przytłumiał je warkot samochodów, jęk tramwajów i odgłosy obcasów na toruńskim bruku. Zatęskniłam za prowincją. Nie nadaję się do życia w wielkim mieście. Ewa chyba tak, bo wpadła z impetem do pokoju, wiedząc, że Martin się kąpie. Zaróżowiona po porannym prysznicu, w dresie i z włosami jeszcze lekko mokrymi, zmierzwionymi do granic możliwości i wzmocnionymi żelem, wyglądała świeżo i radośnie. Wiosennie. Jakby nie dotyczyła jej ta wielkomiejskość za oknem.

– Jak się spało? – rzuciła, padając obok mnie na łóżko. I puściła oczko. Więc słyszała! Ale obciach! Ale już się nie przejmuję, bo Ewa zmierzwia mi włosy i gilgocze w talii. Śmiejemy się. W tej spontaniczności jesteśmy do siebie najbardziej podobne. Ja też lubię tak paść obok kogoś na łóżku i na przykład pozwolić nogom na bezwładne podskoczenie do góry.

– Super!

– To dobrze! Pierwszy sen zapamiętałaś?

– Nie! Nic mi się śniło.

– A Martinowi?

– Nie wiem. Nie gadałam z nim.

– Przecież było słychać za drzwiami wasze pogaduszki, jakby ptasie radio się włączyło! Hm, nie tylko pogaduszki...

– Martin doszukiwał się wspólnych z Toruniem korzeni. Zostawiłaś tu jakieś książki, a on od razu się nimi zajął.

– O, proszę, nie sądziłam, że się zainteresuje. A już chciałam te książki wyrzucić na śmietnik!

– Myślę, że Martin się nimi zaopiekuje – zaśmiałam się beztrosko. – Wiesz, dopiero przy nim zdałam sobie sprawę, jak wiele łączy nasze narody, jak leży ta historia obok nas, na ulicach, a my biegniemy do swoich spraw i nie zwracamy na to uwagi. A to takie ciekawe, tylko jak tę historię ogarnąć, opowiedzieć? Nie sposób...

– Ludka, może i tak jest, nie wiem, nigdy się nad tym nie zastanawiałam.

– No właśnie, ja też nie. A on, Martin, z taką pasją zabiera się za przeszłość. Żebyś ty wiedziała, jak mówił o swojej rodzinie, o ojcu, który urodził się w Sensburgu.

I opowiedziałam Ewie całą historię. W skrócie oczywiście, bo nie da się ze szczegółami, jak on tamtego wieczoru. A potem już było śniadanie, wycieczka po mieście, koncert Renaty Przemyk, zwiedzanie wystaw, kolacja w toruńskiej restauracji i niedziela – znów wspólne śniadanie, dziewczyny zachwycone, bo oderwane od codzienności, Martin też, ponieważ poznaje nowe miejsce, ja szczęśliwa, że byliśmy tu wszyscy razem, że miałam okazję pokazać Martinowi moje życie, mój świat, którego moje przyjaciółki są główną ostoją.

„To piękne miasto, jeszcze tu wrócimy" – powtarza mi Martin co chwila, dziękując, że go zabrałam. Dziewczyny oswoiły się już z nim, nawet Sylwia próbowała wymawiać niektóre słowa w jego rodowitym języku, widać jednak, że nie ma talentu do niemieckiego. Za to Martin przyswoił już sobie kilka zwrotów po polsku. Te trzy dni wystarczyły, by w miarę swobodnie mógł zachowywać się w restauracji, pod warunkiem, że dostał kartę dań z tłumaczeniem. Wracaliśmy do Olsztyna pociągiem, na dworcu miał czekać na nas Maciek, mąż Sylwii. Dzwonił już do niej i upewniał się, że na pewno przyjeżdżamy o osiemnastej piętnaście.

Reszta podróży upłynęła nam już bez większych przygód. Ja prawie całą drogę spałam, dziewczyny gadały o czymś po cichu, Martin się nie odzywał, patrzył tylko przez okno na zmieniające się krajobrazy. Od piątku miał wyłączony telefon, nie wiedziałam, dlaczego. Nie pytałam, znów zabrakło mi odwagi, dlaczego tak stanowczo odciął się od swego świata. Za to do mnie zadzwonił Artur:

– Kiedy ty właściwie wracasz? Mam nadzieję, że już w poniedziałek, bo będzie planowanie. I przygotuj tematy, pamiętaj, tylko nie jakieś bzdury, a coś, co ludzie chętnie przeczytają – mówił srogo. – I żeby nie trzeba było cię poprawiać. Moja dziewczyna, Patrycja, rozpoczyna u nas staż. Zaopiekujesz się nią! Trzeba jej podsunąć tematy. Musi się na studiach wykazać publikacjami.

Jasne, może jeszcze za Patrycję napiszę te artykuły, ona zgarnie wierszówkę, a ja będę miała satysfakcję, że szkolę, kształtuję oto narybek dziennikarski, który kiedyś będzie moją konkurencją, a może mnie nawet wygryzie ze stołka! Co miałam jednak robić? Sprzeciwić się? Jakoś bałam się Artura, choć miałam w pamięci, jak zrobił się malutki, gdy naskoczyła na niego Olopa. Tylko, że ja nie mam w sobie stanowczości i tupetu tamtej!

I w tym momencie powróciła do mnie moja codzienność, to było chyba gdzieś koło Iławy.

Na tym placu Hans spędził swoje pierwsze w życiu wagary. Nauczycielka muzyki mieszkała w tym właśnie ciągu kamienic, na pierwszym piętrze. Zjednego z tych okien wyglądała, oczekując chłopca.

Rozdział XIII

O powrotach do pustego domu, szukaniu pieca z mazurskich kafli, zjadaniu mazurskich pierogów i urokach bycia prowincjonalną zielarką.

Jak przyjemnie wrócić do domu! Było już koło dwudziestej, gdy weszłam na swoją górkę. Martin pomógł mi wnieść bagaże, wypił herbatę i pojechał taksówką do hotelu. Obiecał, że przyjdzie jutro wieczorem – musi załatwić jeszcze przedłużenie urlopu i znaleźć niedrogi hotel. No i będziemy szukać tego pieca!

Poszłam do sąsiadki, podziękowałam za opiekę nad kotem, w dowód wielkiej wdzięczności zanosząc paczkę pierników. Zadowolona, skinęła na mnie palcem tajemniczo.

– Ludeczko, kochanie, wiem na pewno, że na parterze tego twojego pieca nie ma, bo poszłam do sąsiadów i udawałam, że oglądam stolarkę okienną, może jako wspólnota dołożymy się do wymiany okien i tak dalej. Mówię ci, jak chętnie mnie oprowadzali sąsiedzi, a tak to czasem nawet „Dzień dobry" nie powiedzą, choć w jednej kamienicy przecież mieszkamy! – śmiała się pani Marysia.

Na parterze pieca nie ma. Szukamy dalej. Na pierwszym piętrze mieszkają trzy rodziny. Z panią Zosią będzie najgorzej, bo pewnie mnie nie wpuści, ale cóż, zapukam do niej jutro na pewno. Nie powiem, że w sprawie stolarki, bo pani Zosia ma już okna wymienione. Ten numer więc odpada.

Wróciłam do mieszkania. Pustego. Wciąż wracałam do pustego. Mimo iż od niedawna jest w moim życiu Martin, samotność nie została jeszcze całkowicie rozpędzona. Nie widziałam dla nas wielkich nadziei, to nieznośne poczucie tymczasowości sprawiało, że ze wszystkich sił trzymałam uczucia na wodzy, żeby się tylko nie zakochać, nie zaangażować zanadto. Nie było to łatwe, bo moje serce było przeraźliwie smutne i zachłanne, ale wiedziałam, że tak będzie lepiej. Ponieważ nie potrafiłabym zmienić swojego życia dla Martina, na pewno nie. Kochałam to swoje małe, prowincjonalne życie, jak nie wiem co!

Spod prysznica wyrwał mnie dźwięk telefonu. Pobiegłam przez korytarz do salonu, wkładając w pośpiechu szlafrok. Spojrzałam na wyświetlacz. Dzwonił Piotr.

– Przepraszam, że cię niepokoję, ale mam pilną sprawę, muszę ci o czymś powiedzieć. Chciałbym się z tobą spotkać.

– Piotr, jest prawie dwudziesta pierwsza. Ja już się wykąpałam. Na pewno nigdzie z tobą nie pójdę. Mów przez telefon – mój głos nie brzmiał zbyt zachęcająco.

– Przez telefon nie mogę.

– No to jutro. W pracy.

– Jutro mnie nie ma, muszę wyjechać. Ludka, to ważne!

– No dobra, trudno, przyjdź do mnie.

– Ja tylko na chwilę. Na którym piętrze mieszkasz?

– Ostatnim, poddasze, drewniane drzwi z prawej strony. Wycieraczka metalowa. Trafisz na pewno, tylko zapal światło.

No i masz ci los! Po co ja odbierałam ten telefon?! Zamiast wypocząć, obejrzeć może coś w telewizji, poczytać, mam gościa! Muszę się przebrać. Przecież nie przyjmę go w szlafroku i bamboszkach. Włożyłam dyżurny dresik i nastawiłam wodę w czajniku. „Czego ten Piotr chce ode mnie? Miesiącami nie było go słychać, a jak już się odezwał, to teraz na nocne rozmowy mu się zebrało!" – pomyślałam, słysząc dzwonek do drzwi.

– No cześć, co tam się stało pilnego? – zapytałam, niezbyt ciesząc się z jego wizyty. – Wejdź, rozgość się, zrobię ci herbatę, usiądziemy w kuchni, może tak być?

– Cześć, może być w kuchni, herbatę wypiję chętnie. Gdzie mogę powiesić kurtkę?

Wskazałam mu wieszak. Widziałam, jak omiótł go wzrokiem, jakby sprawdzał, czy nie mam gościa.

– Jesteś sama? – spytał, widocznie nie upewnił się.

– Jasne, dlaczego mam nie być sama? – rzuciłam beztrosko. Nie chciałam go wtajemniczać w swoje sprawy, przynajmniej jeszcze nie dziś.

Powiesił już kurtkę, właściwie – kurtczynę, którą nosił niezmiennie jesienią i wiosną. Pamiętam, że włożył ją nawet kiedyś do garnituru, gdy szliśmy na jakieś oficjalne spotkanie. Wyglądał śmiesznie, marynarka wystawała mu spod ściągacza, na domiar złego na plecy zarzucił plecak z notesem i aparatem fotograficznym. Już na pierwszy rzut oka widać, że Piotr jest sam, ubiera się jak stary kawaler.

Usiedliśmy przy stole.

– Suszysz zioła? – spytał. Suszyłam. Na deskach u sufitu wisiały poprzypinane pinezkami bukieciki, jeszcze z tamtego roku. Dziurawiec znaleziony na polach w Lipowie. Pijałam go zwłaszcza jesienią, naturalny lek na depresję i zanik światła słonecznego. Takie słońce w tabletkach. Ale, uwaga, zwodnicze! Nie nadawał się do stosowania latem. Po słońcu pojawiały się po nim plamy na skórze. Brzoza majowa – najlepszy lek na przeziębiony pęcherz. Dolegliwość trapiąca głównie kobiety. Ale pomogłam nim również Maćkowi, gdy, cierpiący, przyjechał do mnie kiedyś z Sylwią. Trzeba pić co kwadrans filiżankę zaparzonych liści. Strasznie gorzkie, dziwne w smaku. Zielone. O ile smak może być zielony. Po którejś filiżance kubki smakowe już się uodparniały. Nie czuły goryczy, a raczej się do niej przyzwyczajały. No i choroba, rozpędzona w cudowny sposób, naprawdę mijała! Brzozę zbierałam głównie w lasach na Lasowcu, bo to było niedaleko, zaledwie dwa kilometry za Mrągowem, i znalazłam tam kiedyś uroczy, brzozowy zagajnik. Brzoza z każdego miejsca jest dobra – byle z dala od spalin i najlepiej młoda, wiosenna. Szkoda, że ludzie nie doceniają tego leku, również jako nośnika innych wartości zdrowotnych. Pokrzywa – najbardziej pospolita i najlepsza na wiosenne zmęczenie. Świetna przy niedokrwistości, wszelkich osłabieniach, zawrotach głowy, zwłaszcza tych na wiosnę. Pokrzywę zbieram gdzie popadnie. Ostatnio w Popowie Salęckim, bo szczególnie umiłowałam tę wieś, położoną zaledwie kilka kilometrów od Mrągowa. Wyjeżdżam tam na rowerowe przejażdżki, kiedy mi czas pozwala. Jak dobrze, że już wiosna i będę mogła otrzeć z pajęczyn swój rower! No właśnie, pokrzywa. Piotr jakoś szaro wygląda, anemicznie. Dam mu wiązkę, niech spróbuje.

– Zbieram, czasem. Może zaparzyć ci pokrzywy?

– No coś ty? A czemu, chory jestem? W ogóle, to co ja, zielsko mam pić?

– Piotr, to nie zielsko, a bogactwo mikroelementów, wzmacnia organizm, zwłaszcza wiosną. Naprawdę! Ludzie nie doceniają ziół. A gdyby je pili stale, na co dzień, byliby zdrowsi!

– Nie gadaj, że tak codziennie pijesz te zielska.

– Nie, nie piję codziennie, a te już się trochę zakurzyły, przyznam, są raczej ozdobą, ale mam popakowane w woreczkach, słoikach. Mogę ci dać.

– Ludka, zaparz normalną herbatę. Czarownica jakaś jesteś chyba, wiesz?

– Cha, cha, cha, nie ty pierwszy to mówisz. Wiesz, stara panna już jestem, to różne dziwactwa się mnie imają. Hoduję kota, suszę zioła. Może zacznę wróżyć z kart!

– Właściwie to zaimponowałaś mi z tymi ziołami. Dziś kobiety już się takimi rzeczami rzadko zajmują. A ty jesteś taka... tradycyjna – jego głos zabrzmiał nienaturalnie. Oho, zaraz przekonam się, że te zioła mnie zgubią!

Sięgnęłam po czajnik, bo zawrzała woda. Zalałam wodą herbatę. Piotr dał się namówić na białą, bo czarna jest zbyt banalna. Niech wie, że u mnie nie ma nic normalnie. Aby mu to udowodnić, sięgam na półeczkę nad kuchenką po niewielki słoiczek z bursztynową substancją. Wyglądem przypomina rzadki miód, ale to coś zupełnie innego! To wspaniały, robiony przeze mnie wiosną syrop mniszkowy!

– Posłodzę ci czymś nietypowym – mówię Piotrowi, wlewając gęstą ciecz na łyżeczkę.

– No jasne, tylko mnie nie otruj – śmieje się Piotr, wyłapując palcem pojedyncze krople. – O, dobre dość, słodkie i takie dziwne w smaku. Jak miód. Co to jest?

– To z mniszka lekarskiego. Gotuję główki kwiatów z cukrem, dodaję cytrynę i potem mam takie cudo w słoikach na całą zimę! Samo zdrowie!

– Czekaj, mniszek to inaczej mlecz po prostu? Ten żółty chwast?

– No, chwast to to raczej nie jest. W całości przydatny do spożycia. Łodyżki do sałatek, a żółte łebki do miodu. A kolejne wcielenie mniszka, dmuchawiec, służy dzieciom do zabawy. Nigdy nie grałeś w dziada i babę? Zdmuchuje się te lekkie puszki i jak nic nie zostanie na łodyżce, to dziad, a jak zostanie – baba.

Tak naprawdę to dmuchawiec kojarzy mi się jeszcze z nieskrępowaną wolnością, buszującą latem po łąkach. Przy lekkich dmuchnięciach rozpierzchają się te puchate parasolki po świecie i żyją własnym życiem. Taka wolność łąk. Piękne. Zamyślam się chwilę, bo tęsknię za tymi moimi zielarskimi wyprawami, a w tym roku wyjątkowo brakuje mi czasu na przyjemności.

– No to jakie dobre wiatry cię tu do mnie zsyłają? Co to za ważna, niecierpiąca zwłoki sprawa, że przez ciebie musiałam się ubrać w dres po wyjściu z kąpieli.

– Naprawdę przepraszam za to najście, ale muszę ci coś powiedzieć. Uważaj na Artura. W piątek podsłuchałem jego rozmowę. Właściwie nie podsłuchałem, tylko zwyczajnie usłyszałem. Założyłem słuchawki, ale nie włączyłem muzyki i ten głupek myślał, że jak zwykle jestem głuchy na wszystko. No i zaczął wydzwaniać. Najpierw do jakiejś dziewczyny, myślę, że do Patrycji. Mówił, że załatwione na poniedziałek, że wczoraj rozmawiał z kimś. A potem wyszedł na balkon, z papierosem jak zwykle, i zaczął przez komórkę konwersować z wydawcą. Tak myślę, że z wydawcą, bo mówił do niego „Mariuszu". No to chyba wiadomo. I mówił, że zajmie się sprawą, poobserwuje kogoś, myślę, że ciebie, że są jakieś skargi od czytelników, listy do redakcji, niby że mailem przychodzą. Nie wiem, nie odbieram jego poczty, może i jakieś przychodzą. Że czytelnictwo spada i że to na pewno robota jednej osoby. Myślę, że miał na myśli właśnie ciebie! I mówił, że ma kogoś, kogo tylko wystarczy podszkolić i jeszcze wydawca zobaczy. Na pewno czytelnictwo wzrośnie. Ludka, coś mi tu śmierdzi, naprawdę, uważaj, bo on coś kombinuje. To jakiś dziwny facet, widać od pierwszej chwili. Teraz wymyślił, kiedy cię nie było, konkurs dla czytelników. Trzeba zbierać jakieś kupony i będzie główna wygrana – sprzęt AGD. Ciekawe, skąd weźmie na to kasę? On coś kombinuje. Przyszedłem, żeby cię ostrzec.

Byłam w szoku. Jako on mógł, ten zapyziały Artur, tak knuć. Od samego początku mi się nie podobał. No dobra, zobaczymy jeszcze! Nie jestem mściwa, ale nie lubię, kiedy ktoś wchodzi w moje życie! A Artur wlazł, bo chciał pozbawić mnie pracy, którą do tej pory kochałam i wykonywałam z pasją, choć od czasów nowego szefa z coraz mniejszą.

– Piotr, dziękuję za ostrzeżenie, naprawdę. Jesteś w porządku, przepraszam, że byłam dla ciebie niemiła, ale wiesz, zmęczona jestem trochę po podróży – tłumaczyłam się, bo naprawdę było mi głupio. Piotr siedział taki bezbronny, bladawy jakiś i samotny. Nie wyglądał na szczęśliwego człowieka.

– Ludka, nie tłumacz się, już dobrze, jak się udał wyjazd?

– Super, wiesz, naprawdę, Toruń jest piękny.

– Sama byłaś? – spytał wyraźnie podchwytliwie.

– No... – zająknęłam się. – Z przyjaciółkami. Taki babski wyjazd – kłamałam dalej.

– Świetna sprawa, też bym gdzieś pojechał, ale nie mogę, wciąż praca, dodatkowe zajęcia. Zupełnie nie mam czasu.

– Piotr, musisz trochę zwolnić. Ale wiesz, zaniepokoiłeś mnie trochę tymi rewelacjami z pracy. Co ja teraz zrobię, jeśli on naprawę coś knuje?

– Ludka, nie martw się na zapas, poczekajmy jeszcze chwilę, może się coś wyjaśni?

– To dlaczego od samego początku przyszedł do pracy taki na mnie nastroszony? Co ja mu zrobiłam? Przecież nawet mnie nie znał, nie wiedział, kim jestem?

Głośno myślałam, mieszając bezmyślnie w kubku.

– Piotr, nie jesteś czasem głodny? Zrobię coś do jedzenia, choć już późno, ale wiesz, ja też w sumie bym coś zjadła!

Był głodny. Zaproponowałam mu pierogi, zawsze mam w zamrażalniku, na papierowych tackach, przygotowywane w tak zwane pierogowe dni. Przeważnie są to soboty, bo wtedy mam więcej czasu na gotowanie. Uwielbiam pierogi. I rosół z makaronem. Mogłabym to jeść na okrągło, bez znudzenia.

– Chętnie zjem – ucieszył się Piotr, gdy usłyszał, jaki specjał mu proponuję. – Dawno nie jadłem domowego obiadu. Nie bardzo sobie radzę z tą częścią życia. A masz może do tego piwo jakieś? Przepraszam... Ale lubię popijać zimnym piwem.

Miałam, dwie ostatnie warki. Nastawiłam wodę na pierogi, skroiłam drobno cebulkę, rozgrzałam na patelni olej, wrzuciłam białe wiórki i posypałam je lekko solą, by się nie przypaliły. To sprawdzony sposób. I wręczyłam Piotrowi łopatkę, by mieszał i pilnował cebulki, a sama zajęłam się wrzucaniem pierogów na wrzącą wodę. Bulgotały radośnie, żaden się nie rozkleił, to dobrze, bo nie lubię, gdy w garze tworzy się zupa z pierogowego nadzienia. Piotr mieszał pilnie, aż nadgorliwie. Ja nie poświęciłabym tej cebulce tyle czasu! Odcedziliśmy wspólnie dymiące pierogi, polaliśmy okraską i do stołu! Z piwem smakowały wspaniale!

– Z czym one są? – smakował Piotr.

– To mój własny, autorski pomysł. Ugotowałam kawał mięsa indyczego, zmieliłam w maszynce, dodałam gotowaną marchewkę i kapustę pekińską, do tego garść zarodków pszennych i wymieszałam. Smakuje?

– Świetne. A dlaczego to ciasto jest takie mięciutkie, elastyczne? Moja była żona robiła pierogi twarde, nie przepadałem za nimi.

– Piotrze, bo robię to ciasto w specjalnej maszynie, a mąkę zalewam wrzątkiem. I dodaję trochę oliwy z oliwek. Ciasto pięknie pachnie i jest niezwykłe w dotyku, nie ma możliwości, żeby nie smakowało! – Cóż, kulinarna skromność nie była moją cechą. Wiedziałam, że pierogi nie mają sobie równych.

– No dobrze, ale że też ci się chce. Zbierasz jakieś zioła, robisz przetwory i jeszcze lepisz pierogi. Moja była żona zawsze mówiła, że na takie rzeczy szkoda czasu, że to dobre dla starych babek, a ty przecież nie jesteś stara i w ogóle... jesteś... To pysznie smakuje, naprawdę! Jesteś niesamowita.

Miło było mi tego słuchać, bo Martin, choć powoli zajmował moje serce, nie szastał komplementami.

– Bardzo lubię robić pierogi. Kiedy już się za nie zabiorę, idę kupić mąkę i składniki do nadzienia, to jest dla mnie wręcz rytualne. Wiesz, nie śmiej się, ale mam wrażenie, w czasie lepienia pierogów oczyszczam się ze złych myśli, złej energii, że wszystko sobie układam od nowa, że ładuję akumulatory!

– Ty jesteś szalona! Gdybym coś takiego powiedział mojej byłej żonie, uznałaby, że jestem czubkiem. A te pierogi, niesamowite, naprawdę – i pocałował mnie szybko w rękę.

– No, miło mi bardzo, że ci smakują – zabrałam ją lękliwie. Ale naprawdę było mi bardzo miło. Kolejne łyki piwa odprężały moje zmęczone mięśnie.

Idziemy do salonu, włączymy telewizor, zobaczymy, co tam słychać na świecie – zakomenderowałam.

– No dobrze, ale już późno, a ty jutro do pracy – zaoponował Piotr.

– Nie przejmuj się, może kiedyś się wyśpię. Na emeryturze. „Emerytura, piękne słowo. Przy takich perspektywach to ciekawe, jaka będzie ta emerytura, skoro mogę nagle stracić pracę. Co ja będę wtedy robić? Muszę znaleźć sobie męża z pieniędzmi, żebym nie musiała nareszcie o nic się martwić" – myślałam głośno, idąc przed Piotrem do salonu.

– Ludka, jak chcesz, to ja jestem wolny – zażartował. Miałam nadzieję, że to był żart.

– No co ty, nie wytrzymałbyś ze mną minuty. Ty za spokojny dla mnie jesteś. Porządny taki, ułożony – roześmiałam się. Spojrzałam na Piotra. Siedział roześmiany, a potem spoważniał, patrzył na mnie swoimi oczami, które z niebieskich stały się nagle szare. Stalowe.

– Piotrze, ty wiesz, że masz stalowe oczy? – zmieniłam temat.

– Stalowe? To znaczy, zimne?

– Nie. Twoje oczy mają kolor polnego kamienia.

– Uhm... jak ładnie to powiedziałaś. Nikt tak o moich oczach nigdy nie mówił. Moja była żona...

– Piotr, jak ma na imię twoja była żona?

– Wiktoria. Jak zwycięstwo.

– Mam wrażenie, że odniosła nad tobą prawdziwe zwycięstwo, bo wciąż o niej mówisz, choć już nie jesteście razem. Od ilu lat?

– Długo, Ludka, długo. Też mówiła, że za spokojny jestem dla niej, że ona potrzebuje innych wrażeń. No i dostała dobrą pracę we Włoszech. Najpierw sprzątała u jakieś arystokratki w Rzymie, a potem załapała się u jubilera. Mieszka niedaleko Rzymu, w jakiejś małej wiosce, w domu należącym do tego jubilera. Kiedyś był to dom na wakacje, został przerobiony na całosezonowy. Wiktorek jakoś się zaaklimatyzował. Na początku zajmowała się nim mama Wiktorii, moja była teściowa. Pojechała tam z nią, też trochę pracowała, dorabiała do emerytury. Wiktorek miał wtedy sześć lat. Teraz ma trzynaście. Rozwodziliśmy się na odległość. Zgodziłem się, co miałem robić? Tylko czasem mi smutno. Bo mnie się wydaje, że tak źle między nami nie było, tylko ona dążyła do innego życia. Ja nie umiałem tak żyć, jak ona chciała.

– Widujesz Wiktorka?

– Tak, ona przyjeżdża do kraju dość często. Ma przecież rodzinę, w Sorkwitach. Mały u mnie bywa na wakacje. Teraz jednak nie przyjedzie, może na ferie zimowe dopiero. Będę tęsknił...

– A teściowa. Mieszka tam jeszcze?

– Nie, wróciła niedawno, ale czasem wyjeżdża, dorabia i wraca. Ja przekazuję przez nią Wiktorkowi prezenty, listy. Brakuje mi go.

– A nie chciałeś po prostu dołączyć do nich? Być dalej z Wiktorią, ale na jej warunkach? Może dałoby się uratować to małżeństwo?

– Nie, ona nie chciała. Powiedziała, że mnie nie kocha. I tyle. Nie mogłem zmusić jej do miłości. Czy umiałabyś być z kimś z przymusu?

– Nie, Piotrze, nie umiałabym. Mądry człowiek jesteś, nie sądziłam, nie znałam cię. Siedzisz cicho z tymi swoimi słuchawkami, nie wiem nawet, czy jesteś w pracy, czy nie.

– Bo tak mi lepiej. Przynajmniej nie przeżywam rozczarowań. Przykro mi było, gdy Wiktoria mi powiedziała, że nie chce już ze mną być. Zawsze bałem się końca naszej miłości i kiedy nadszedł, poczułem się, jakby ktoś umarł...

– A skąd wiedziałeś, że tak to się skończy? Nie układało się między wami?

– Najpierw się układało, ale potem... Ludka, co ja mogłem jej dać? Ją zawsze kusił wielki świat, wielkie miasto. Ona ze wsi, to chciała się wyrwać. A ja lubię spokój w życiu. Zupełnie nie zgadzamy się pod tym względem.

– No ale po ślubie? Było chyba normalnie, co?

– Oczywiście, jak to po ślubie. Zawsze jest najpierw romantycznie i głowa pełna szaleństwa. A potem przychodzi codzienność. To moja wina wszystko.

– Co znaczy: „Twoja wina"? Że ona miała inne plany?

– Moja, bo wpadliśmy, rozumiesz? Ona nie chciała dziecka, to ja nalegałem, że powinniśmy być razem. Ja się wtedy w niej naprawdę zakochałem. Myślę, że była ze mną trochę z łaski. Najładniejsza dziewczyna na roku. Zgrabna, inteligentna. A ja się jej uczepiłem, łaziłem za nią krok w krok i wreszcie umówiła się ze mną do kina. Wiedziałem, że ona nie jest dla mnie, że może mnie nawet nigdy nie pokocha, jak ja ją. I co z tego, skoro leciałem do niej niczym ćma do ognia. No to się poparzyłem!

– Piotr, ty nalegałeś na ślub, czy ona?

– Bardziej ja, mówiłem, że dziecko musi mieć ojca. I moi rodzice tak uważali. Ona nie chciała, ale potem, również pod wpływem swoich rodziców, uległa. I tyle wszystkiego. Sześć lat małżeństwa odeszło w zapomnienie. Nie, nie mam do niej żalu, bo ona stawiała sprawę jasno od samego początku. Że robi to dla dziecka. Ale skąd mogła wiedzieć, że nie wytrwa w tym poświęceniu?

Patrzyłam na Piotra. Ręce mu drżały. Oczy w kolorze kamienia rozbłysły lekkimi iskierkami. Pewnie dlatego, że mógł wreszcie opowiedzieć komuś o kobiecie, którą, być może, wciąż jeszcze kochał?

– Piotrze, może znajdziesz w swym życiu jeszcze kogoś. Gorąco ci tego życzę.

– Może znajdę. Od tylu lat jestem sam. Próbowałem wprawdzie kilka razy, ale jakoś nie mogłem o nikogo zahaczyć swych uczuć. Wydaje mi się, że coraz trudniej mi się zakochać.

– Musisz marzyć o tym, musisz wciąż myśleć, że ta kobieta tak naprawdę jest, może nawet gdzieś blisko, tylko musi nadejść czas, żebyś ją poznał, zobaczył. I że ten czas już niedługo nadejdzie. Myśl o niej, jak o swojej wielkiej miłości – zapewniałam go żarliwie. Naprawdę chciałam, żeby nie był sam. Żeby się trochę ogarnął, w swoim sercu, w życiu, wyglądzie.

Z tego wszystkiego zapomniałam włączyć telewizor. W mieszkaniu panowała zupełna cisza. Nawet nie przerywało jej tykanie zegara, bo ten zatrzymał się na piątej szesnaście. Nie wiadomo tylko, którego dnia. Takie miałam zwariowane ostatnio życie, że nie dopilnowałam nawet, by zmienić baterię.

– Ludmiło. Posłuchaj – przerwał tę ciszę Piotr.

– Słucham cię, Piotrze.

– Bo widzisz, nie wiem, jak ci to powiedzieć. Ja już znalazłem kogoś, w kim może mógłbym... No wiesz... Jak powiedziałaś, żebym marzył, to obiecuję, że będę to robił. Będę marzył o niej w taki sposób, by kiedyś była ze mną.

– Naprawdę? Znam ją? – zapytałam z zaciekawieniem.

– Tak. Będę marzył o tobie – powiedział krótko. No nie. Tego się nie spodziewałam.

– Piotrze, dlaczego o mnie? Przecież ci mówiłam, że nie pasujemy do siebie! – wypaliłam głośno. A w ciszy pomyślałam: „Nigdy w życiu". Na pewno. Piotr jest taki... nijaki. To nie moja bajka! Nie ma chemii, energii, nie ma iskrzenia. Niczego. Tylko jakaś dobrotliwość, ale na tym raczej uczuć się nie opiera.

– Ludka, musiałem ci to powiedzieć. Wybacz, przepraszam. Możesz tego nie chcieć, ale ja już dawno. Odkąd razem pracujemy. Widziałem, jak zmagałaś się z Jackiem, jak odszedł od ciebie i jaka byłaś smutna. I jak przychodziłaś ubrana w te swoje zielone bluzki i sukienki, to zawsze myślałam, że zielony to kolor nadziei. Że ty chcesz tak tę nadzieję do siebie przyciągnąć. Ludka, przecież jesteś sama, ja też, przecież mogli-byśmy spróbować! – nie powiedziałam nic, bo nie mogłam. Bo zamknął mi usta swoimi, ciasno przylgnął do nich, przycisnął do siebie mocno, przez chwilę trwałam bez ruchu. Całował, a właściwie ssał moje wargi, czułam, że nie puści. Wydawałam z siebie tylko jakieś dźwięki, burcze-nia i nagle opanował mnie śmiech. Bo wyobraziłam sobie komizm tej sytuacji. Napierający na mnie mężczyzna w pełni wieku, zachowujący się jak szesnastolatek na zabawie, próbujący ukraść dziewczynie buziaka. I dziewczyna – zmieszana, próbująca wyzwolić się z uścisku. Parsknęłam śmiechem. Piotr odskoczył, przestraszył się.

– Co się stało? Przepraszam! Nie wiem, skąd....

– Nie, już dobrze, nic się nie stało – śmiałam się na głos. Bolały mnie usta. Roztarłam palcami. Nie mogłam się gniewać na Piotra, był taki nie-poradny! Sięgnęłam po lusterko na komodzie. Spojrzałam na swoje usta. Dolna warga była lekko zasiniona i stopniowo nabierała coraz ciemniejszej barwy. Lekko pulsowała, a właściwie nawet – bolała.

– Piotrek, ty mi po prostu zrobiłeś malinkę, wiesz? – roześmiałam się, pokazując mu twarz.

– Ludka, ja nie chciałem – dotykał moich ust. – Wybacz, zachowałem się jak głupek! Co ty o mnie pomyślisz?!

– Dobrze już, dobrze, może się zagoi, przestań. Nie ma problemu – uspokajałam go, choć sama się czułam trochę głupio.

– Ludka, idę już, zanim znów coś nabroję. Nie myśl o mnie źle.

„Nie będę myślała źle, Piotrze, bo wiem, jaki jesteś zbłąkany, jak wiele cię kosztowało to wyznanie. Ale szkoda mi ciebie, bo ulokowałeś swoje uczucia znów w niewłaściwej kobiecie" – tak pomyślałam. Ale nie powiedziałam mu tego, bo nie chciałam robić kolejnej przykrości. Patrzyłam, jak zakłada kurteczkę, jak krzywo zapina guziki, poprawiłam mu, może niepotrzebnie, bo chyba znów zrobiłam mu nadzieję, bo pocałował mnie w rękę, mówiąc: „Dziękuję" i za chwilę znów w usta, lekko już i delikatnie, dodając: „Żeby się szybko zagoiły".

Kiedy wypuszczałam go z domu, wydawało mi się, że wizjer w drzwiach mieszkania pani Marysi przez chwilę się zasłonił. No tak, sąsiadka pomyśli sobie teraz, że z jednym wyjeżdżam, a drugiego przyjmuję po nocach. A niech sobie myśli, moje życie, moje sprawy, moje podwórko!

Długo nie mogłam zasnąć, myślałam o wyznaniu Piotra. W całej tej sytuacji zdałam sobie nagle sprawę, że czegoś mi w związku z Martinem brakuje. Takiej szczerości, jaką pokazał mi Piotr. Opowiedział o swojej byłej żonie, o zawiedzionych uczuciach. A Martin? Z kim był, o kim myślał? Nie wiedziałam o nim nic i nie potrafiłam zapytać. Może dlatego, że zależało mi na nim tak bardzo, zatraciłam gdzieś tę spontaniczną ciekawość, jaką okazywałam Piotrowi, na którym mi nie zależało?

Rozdział XIV

...pechowy. Bo Artur jednak coś knuje. Aha, i ktoś wciąż mnie szuka!

Jak się spodziewałam, rano malinka na moich ustach była dość wyraźna. Przed wyjściem do pracy użyłam korektorskiej sztuczki – nałożyłam na usta podkład do twarzy, przypudrowałam je i dopiero pokryłam pomadką. Zwykle nie maluję ust, raczej wolę błyszczyki, i to też nie w nadmiarze, żeby nie wyglądać, jakbym dopiero co skończyła jeść tłustą golonkę. Dziś musiałam usta pomalować normalną, kryjącą warstwą, w kolorze złoto-brązowym. Tę pomadkę miałam tylko na specjalne wyjścia. No, to teraz muszę się ubrać adekwatnie. Założyłam więc dość obcisłą sukienkę w bordowo-brązowe wzory, przetkane lekko złotymi nitkami. Szkoda, że mnie teraz Piotr nie widzi. „Dopiero by się na mnie rzucił!" – zaśmiałam się w myślach. No bo wyglądałam dość elegancko, nie powiem. Może nawet aż za, ale czegóż się nie robi dla przypadkowo narzuconego *image*'u! I poszłam do pracy, nakarmiwszy kota, taka wystrojona, złotousta (język jest tu czuły i trafny!), z mocnym postanowieniem, że przypilnuję dziś Artura.

W redakcji mój lisi szef już był. I jego oblubienica, Patrycja, której miałam teraz we wszystkim pomagać, być jej oddaną przyjaciółką i powierniczką zawodowych spraw. Żeby ona mogła mnie po jakimś czasie wygryźć z wdziękiem i przy pełnej akceptacji Artura. Nic z tego, moi mili, tanio swojej skóry nie sprzedam!

Przywitałam się głośno ze wszystkimi, Jola machnęła w moim kierunku dłonią, jakby mnie wołała do siebie.

Do Apteki pod Orłem zjeżdżali się mieszkańcy z okolicznych wiosek. Schody prowadzące do kamienicy często były miejscem rozmów i spotkań.

– Cześć. Znowu była ta dziewczyna. Ta, która cię szukała. Mówiła, że musi wyjechać i czy mogę dać jej twojego maila? Numer telefonu też chciała, ale jej nie dałam, bo mogłaś sobie nie życzyć. Napisze.

– Co za dziewczyna? – nie skojarzyłam zupełnie.

– No ta, która kiedyś przyszła we wrzosowym szaliku. Teraz była bez szalika.

– Nie wiesz, dlaczego mnie nachodzi?

– Nie, mówiła, że w sprawach prywatnych i że się skontaktuje. Jola przedstawiła mi Patrycję. Ta grzecznie dygnęła. Była młodsza od Artura o kilka lat, miała blond włoski zaczesane w cienkie kukuryku z tyłu głowy, a uścisk dłoni rachityczny i wątły. Nie za ładna. Pasuje do niego.

– To ja pójdę po pączki i kawę na zapoznanie, bo podobno pani będzie mi pomagać, Artur mi powiedział.

„Ależ oczywiście, serce moje, będę ci pomagać. Na dłoni podam ci wszystkie tajniki sztuki dziennikarstwa – pomyślałam sobie. – Jestem tak głupia i naiwna, że na pewno ci pomogę".

Rzuciłam torbę na biurko. Rozejrzałam się. Nie było mnie trzy dni, a na moim biurku leżały nie moje notesy, nie moje długopisy. Stał nie-dopity kubek z fusami po kawie, lekko zeschniętymi, co mogło wskazywać, że stoi już od piątku.

– A co to za chlew? – rzucam bezwiednie.

– Patrysia nie miała się gdzie podziać i położyła swoje rzeczy. Mam nadzieję, że nie masz nic przeciwko? – powiedział Artur. I uśmiechnął się szeroko. Dziurą w żółtej jedynce.

– Jest jeszcze biurko Baśki, wciąż niezagospodarowane – wskazałam palcem w tamtym kierunku.

– No tak, ale Patrysia mówi, że u ciebie lepsze światło – Arturek wciąż się uśmiechał tą jedynką.

– Ale to moje biurko, ja pracuję przy nim od czterech lat! Nie bardzo rozumiem!

I wtedy przypomniała mi się wrzeszcząca Olopa, przy której Arturek po prostu zmalał i ścichł. A moje nerwy wskoczyły na wysokie obroty, bo miałam w sobie jeszcze wczorajsze „podkręcenie", spowodowane tajnymi informacjami od Piotra.

– Słuchaj, panie naczelny! Wyraźnie, bo dwa razy powtarzać nie będę! – podniosłam głos, a w oczach Arturka zobaczyłam rodzące się przerażenie, jak wtedy, przy Olopie. – Nie życzę sobie, do cholery, braku szacunku dla mojej pracy! Rozumiesz?! Myślisz, że jak przychodzisz do nas z wielkiego miasta, to jesteś tu bogiem i możesz nami pomiatać? Baśka przez ciebie odeszła, a teraz chcesz, żebym była następna?! Po palcu do dupy ci włazić nie będę, pamiętaj. I jeszcze jedno. Nie życzę sobie palenia w mojej obecności, bo zawiadomię inspekcję pracy. Za chwilę dam ci do poczytania stosowną ustawę. Czy to jasne, panie derektorze? – ostatnie słowo specjalnie przeliterowałam z naciskiem na „de", żeby brzmiało ironicznie.

Artur patrzył osłupiały. W sumie, pojechałam trochę po bandzie, ale zasłużył sobie. Niby był naczelnym z nadania naszego wydawcy, faceta oderwanego od realiów małego miasta, robiącego jakieś biznesy w Opolu, i może powinnam czuć do niego respekt, ale nijak go w sobie wzbudzić nie mogłam. Zwłaszcza dziś, w dodającym pewności siebie stroju, podminowana przez Piotra. Szkoda, że go tu nie było! Pewnie byłby ze mnie dumny.

Usiadłam. Uf, ulżyło mi. Zobaczymy, co będzie dalej. Miałam prawo się zdenerwować. Przy Arturkowym biurku panowała cisza, przez prawie czterdzieści minut. Patrysia już wróciła z pączkami, skarmiła go nimi jak indyka i dopytywała, co się stało. Bo, że coś się stało, nie dało się ukryć. Ja zajęłam się pracą, pisałam tekst i musiałam trzymać notatki pomiędzy rzeczami Patrycji. Chyba się domyśliła, bo gdy zobaczyła, że ze złością przestawiam wciąż jej kubek, chwyciła za niego i wyniosła do łazienki. Pozbierała też pozostałe szpargały i przeniosła na biurko Artura.

Moja z Patrycją znajomość nie zaczęła się więc dobrze i nie osłodził jej nawet pączek.

Pod koniec dnia Artur przemówił:

– Jutro mam urodziny. Chciałbym wszystkich zaprosić po pracy na pizzę.

Zaniemówiłam. Zauważył.

– Ciebie też.

– Jasne, przyjdę z dziką rozkoszą – powiedziałam. Artur wyszedł z pracy wcześniej niż zwykle. Umówił się z kimś przez telefon. Na odchodne rzucił jeszcze:

– Dotarły do mnie słuchy, że się tutaj obgaduje moją osobę. Zamierzam zainstalować urządzenia nagrywające rozmowy telefoniczne. Wiedzcie o tym.

Nie wiem, do kogo były te słowa skierowane. Mnie szkoda czasu na głupie telefoniczne rozmowy i użalanie się w nich na Artura, Jola nie mogła obgadywać, bo go tolerowała. Fotoreportera nie było, handlowiec w terenie. Piotr miał wolne. Stażyści też. Więc pewnie ma urojenia. Nie wnikałam. I tak się dziś naraziłam.

Wyszedł, Patrycja za nim. Ja zabrałam się za spisywanie wywiadu. Jola wyszła na jakieś spotkanie. Zapanowały spokój i cisza! Wywiad przeprowadziłam z muzykiem pochodzącym z naszego miasta, a robiącym ogólnopolską karierę. Rozmowę przeprowadziłam mailowo, ponieważ muzyk nie miał czasu, by przyjechać osobiście. Zredagowałam trochę tekst, wyrzuciłam niektóre zwroty i postanowiłam wysłać mu do autoryzacji z prośbą o przesłanie zdjęć.

„Szanowna pani Ludmiło. Zdjęcia swoje już wysłałem, na ogólny adres redakcji, będzie pani łaskawa je stamtąd pobrać. W chwili obecnej nie mam dostępu do nich, bo piszę z prywatnej poczty, a zdjęcia wysłałem ze służbowej. Niestety, jestem za granicą i przez kilka dni nie mam dostępu do służbowego komputera" – odczytałam na ekranie. Hm, adres ogólny redakcji obsługiwany był przez komputer Artura, czyli wcześniej Zbyszka. Bez problemu je zgram!

Włączyłam komputer nowego szefa. Uruchamiał się chwilę, po czym poprosił o hasło. Jak to? – pomyślałam. Zbyszek nie miał żadnego hasła. Włączało się komputer normalnie, jak każdy. W redakcji nikt nie miał przed sobą tajemnic.

Jakie to może być hasło? Przecież to nie prywatny sprzęt! Tyle że stoi na jego biurku! Znowu się zdenerwowałam.

Wpisałam: Patrycja. Nie poszło. Patrysia. Nic z tego. Wpisałam datę jego urodzin (przed chwilą przecież się dowiedziałam, kiedy je obchodził!). Nie poszło. Rozejrzałam się po biurku. Może ma gdzieś tutaj jakieś zapiski, notatki. Przecież muszę się tam dostać! Za dwie godziny wywiad musi być gotowy! Jutro ma być włamany. Przekartkowałam kalendarz Artura. Nic z tego. Przejrzałam wszystkie żółte karteczki przyklejone do ścian. Były na nich jakieś numery telefonów, daty i to wszystko.

Żadnej wskazówki. No przecież nie zadzwonię do niego i nie poproszę o hasło do komputera! Zrobiło mi się gorąco, zdenerwowałam się porządnie, nie ma co. Ależ on się szarogęsi w naszej redakcji! A teraz przez niego nie ściągnę materiału!

Zadzwonił telefon. Na biurku Artura. Podniosłam słuchawkę. Jakaś pani chciała rozmawiać z Arturem Nowakowskim.

– Dziś już go nie będzie – powiedziałam szybko, dając do zrozumienia, że nie mam czasu na dalszą rozmowę.

– Czy mogłabym przez panią przekazać mu informację?

– Ależ oczywiście. Nie ma problemu!

– Dzwonię z biura komornika w Olsztynie. I proszę, żeby pan Artur Nowakowski jak najszybciej skontaktował się z nami.

– Już zapisuję – odpowiedziałam z dziką satysfakcją, węsząc jakieś problemy.

Wyciągnęłam bloczek z żółtymi karteczkami, wyrywałam właśnie jedną z nich, kiedy ze środka wypadł wyrwany już i zgięty na pół papierek. Rozłożyłam go z ciekawością. Arturowym pismem, drobnym i mało czytelnym, o którym grafolodzy powiedzieliby, że należy do osoby zakompleksionej i niepewnej siebie, napisane były trzy wyrazy: Hasło. Komp. Ludmiła.

Skóra ścierpła mi na plecach. Rozłączyłam się z panią od komornika. Wystukałam swoje imię. Zalogowałam się natychmiast. Boże, to jakiś psychol! Moje imię jako hasło do komputera! Miałam przeczucia, że to nie koniec atrakcji na dziś. Postanowiłam przewertować jego pliki wte i wewte. Bo skoro ma hasło, to znaczy, że chce coś ukryć? Przestało mi się już tu wszystko podobać.

Zbliżała się trzecia. Byłam głodna. Zamówiłam sobie pizzę, zamknęłam redakcję, pisząc na kartce, że nastąpiła awaria sprzętu, i z kawałkiem ciasta z pieczarkami, szynką i serem zasiadłam do komputera Artura.

Przede wszystkim sprawdziłam ostatnio otwierane pliki, te nad którymi niedawno pracował. Zobaczyłam dwa artykuły podpisane nazwiskiem Patrycji. Z piątku. No tak, odwalił za nią dwa teksty, żeby dziewczyna wykazała się na studiach publikacjami. Następnie zobaczyłam plik z niedokończoną rozmową z burmistrzem. Krótkie podsumowanie kadencji. Wkrótce wybory. Zaczynały się przygotowania. Patrzymy dalej. Jakieś pismo. Taki tytuł nosi plik. Klikam. Prośba do komornika o rozłożenie na raty płatności w wysokości, bagatelka, trzydziestu sześciu tysięcy złotych! Następne pismo – do firmy windykacyjnej z Warszawy o ponurej, ptasiej nazwie. Prośba o rozłożenie na raty płatności w wysokości osiemnastu tysięcy złotych! Następne pismo. Oświadczenie o zarobkach, a właściwie jego skan. Pięć tysięcy miesięcznie. Ciekawe, gdzie on tyle zarabia?! Bo na pewno nie w redakcji. Chyba że poświadczył nieprawdę! Następny plik. Rozliczenie wierszówki dla naszego wydawcy. O, to ciekawe! Zerkam uważnie. Wpisał sobie część wynagrodzenia za mój tekst o Hansie Ritkowskim, który był na czołówce. I oto okazało się, że Artur miał również jakiś wkład w jego powstanie. To samo było z tekstami Joli. I sondami Baśki, bo nie minął jeszcze miesiąc, odkąd odeszła. Wpisał się jako autor zdjęć. Dziesięć złotych od sztuki. Cztery w tygodniu. Szesnaście razy w miesiącu. Sto sześćdziesiąt złotych. Za nic. „Grosz do grosza i będzie kokosza" – mruczałam, studiując finansowe fantasmagorie Artura. Okazało się, że strasznie był zapracowany. A tymczasem po prostu wykorzystywał nas bezczelnie. Najpierw mój tekst kwestionował, a teraz chce na nim zarobić! Zaraz, zaraz, on ma to wszystko zesłać do końca miesiąca, przed wypłatami! Zdenerwowana, porobiłam zrzuty z ekranu i zapisałam na pendrivie. I dodatkowo wydrukowałam, żeby mieć czarno na białym. Ten facet od początku wydawał mi się podejrzany. Teraz miałam dowody winy w rękach. Prywatnych pism o rozłożenie długów na raty nie kopiowałam, to jego sprawy, choć nie powinny być na służbowym komputerze!

Zaczęłam dalsze przeglądanie plików. Znalazłam parę krótkich tekstów do tygodnika, jakiś felietonik i więcej nic godnego uwagi. Przejrzałam foldery dawniej używane. Nic ciekawego. Głównie teksty Zbyszka. Dostrzegłam jeszcze jeden plik. Listy do redakcji. Otworzyłam. „Szanowna redakcjo. Piszę do was w nietypowej sprawie. Chodzi o tekst pani Ludmiły Gold pod tytułem *Drugie życie Hansa R*. W swoim tekście pani ta staje w obronie Niemców, którzy przecież spowodowali wojnę i nie mogę tego zrozumieć, dlaczego gazeta publikuje takie teksty. To jest obrona faszyzmu chyba, bo jak inaczej to nazwać?" I tak dalej.

Zrobiło mi się słabo. Nie potrafiłam opanować nerwów. Jest kolejny: „Panie Redaktorze! Ze zgrozą czytam teksty w waszym tygodniku, jest w nim wiele błędów i nieścisłości, a już teksty Ludmiły Gold to żenada".

I tak dalej, i tak dalej. I kolejny list. Niby od zawiedzionego lekturą reportażu o Robinsonie z Zalca czytelnika, który pisze, że pani G. nie ma
się już chyba czym zajmować.

Co to za listy, skąd się tu wzięły?! Kręciło mi się w głowie! Muszę
sprawdzić, o co tu, do cholery chodzi?! Wyświetliłam wszystkie pliki
w folderze. Prawym przyciskiem myszy sprawdziłam ich właściwości.
Zmroziło mnie. Każdy, co do jednego, powstał na komputerze Artura!
Kilka dni temu!!!

Co z nimi zrobił? Pewnie wysłał do wydawcy. Mówił przecież przez
telefon, że są na mnie skargi. Skargi, które sam pisał. Znów porobiłam
screeny z ekranu, wrzuciłam na pendrive'a i wydrukowałam. I wzięłam
się za sprawdzanie poczty. Wtedy zadzwonił telefon.

– Ludmiła? – rozległ się głos Martina. – Gdzie jesteś?

Przez to wszystko zapomniałam o bożym świecie. Która godzina?
Boże, już piąta! Przecież miałam się z nim spotkać.

– Martin, musiałam zostać dłużej w pracy. Zadzwonię, kiedy wyjdę.
– Teraz nie mam ochoty na pogawędki.

– Dobrze, będę czekał. Chciałem ci tylko powiedzieć, że zostaję jeszcze w Polsce. Nasza delegacja już jutro wyjeżdża, ja zostaję na kolejny
tydzień. Z tobą! Cieszysz się?!

– Jasne, Martin – odpowiedziałam. I pomyślałam: „Kończ już, mój
drogi, nie mam czasu z tobą rozmawiać, muszę tu jeszcze wszystko po-
sprawdzać!"

– Ludmiła, znalazłem hotel, bo jeszcze na dziś jesteśmy w tym naszym,
ale tam nie mają już miejsc i musiałem szukać innego. Ale taki sobie ten
hotel.

– Martin, pogadamy potem, oki?

– Dobrze. Co to znaczy „oki"?

– To spolszczona wersja OK. Ja tak mówię zwykle – zaśmiałam się,
zapomniawszy o barierze językowej i o tym, że Marin nie wszystko może
zrozumieć.

Odłożyłam słuchawkę. Odetchnęłam z ulgą. „Wracam do naszego
Artura" – pomyślałam, otwierając program pocztowy. Najpierw sprawdziłam pocztę wysyłaną. Kilka maili do sąsiednich redakcji, pytania wysyłane burmistrzowi, zdjęcia do tekstów. Ale mam tu coś ciekawego! Mail do

wydawcy! Nie myliłam się! Mail zatytułowany: *List do redakcji*. I na wstępie: „Mariuszu! W załączeniu przesyłam Ci list do redakcji, który przyszedł do nas kilka dni temu". W załączniku był tekst o moim sprzeniewierzeniu się wobec historii narodu polskiego i pobrataniu się z niemieckim. I kolejny mail, znów z listem, tym razem o moim miernym poziomie i wykształceniu. Byłam spocona ze zdenerwowania. „To psychol" – mruczałam pod nosem, wściekła na Artura i jego fałszywe, poniżające mnie anonimy. Musiałam obmyślić słodką zemstę, ale na pewno nie dziś, nie w tej chwili. Na razie zbierałam dowody na jego nieuczciwość. Postanowiłam sprawdzać dalej. Mail wysłany tydzień temu do Patrycji. Że może przychodzić do pracy, praktyka załatwiona. Więcej nic ciekawego. Teraz skrzynka odbiorcza. Odpowiedź od wydawcy. Podziękowanie za przesłane listy i obietnica przyjrzenia się bliżej mojej pracy. Być może będzie konieczność znalezienia kogoś na moje miejsce, bo przecież trzeba dbać o wizerunek tygodnika!

Zrobiło mi się słabo. Otworzyłam okno. Ciepły wieczór, kończy się kwiecień, a ja nie wiem, gdzie spędzę nadchodzącą wiosnę. W pracy jeszcze czy może na zasiłku?! Co robić?! Poproszę o jakiś mądry pomysł! Może pojadę do wydawcy i opowiem, pokażę co znalazłam? To wydawało mi się najrozsądniejszym posunięciem, ale wiedziałam, że muszę jeszcze z tym poczekać. Na kolejny krok mojego nowego szefa.

Musiałam złapać dystans. Postawię sobie tarota w Internecie. Zobaczę, co o mojej sytuacji powiedzą karty. Czasem tak sobie sprawdzam. Weszłam na Onet i znalazłam odpowiednią zakładkę. Kliknęłam. Królowa Mieczy. Czeka mnie walka. Mam być dzielna. Nic dziwnego, spodziewałam się tego. W tym momencie mnie tknęło. Postanowiłam sprawdzić jakie formy relaksu wybiera Artur. Sprawdziłam historię odwiedzanych stron. Najczęściej zaglądał na miejskie forum. Miejsce pełne złej energii, obelg, wyzwisk, mało wyszukanych komentarzy. Wszystko pod przykrywką anonimowości. Nigdy tu nie wchodziłam, bo i po co? Ale Artur zaglądał z jakąś dziwną pasją. Weszłam na forum. A tam założony przez kogoś o loginie Marlow temat: Lokalny tygodnik. Zaciekawiona weszłam dalej. Nieznany mi Marlow komentował tematy publikowane w naszej gazecie. Komentarzom nie brakowało ironii, niektóre były wręcz obraźliwe.

Pojawiało się w nich moje imię. A w jednym z jego postów odkryłam nawet zapytanie: „Jakich mężczyzn woli red. Lud.?"

Zatrzęsło mną. Niejaki Marlow (miałam już podejrzenie, kto nim był, ale nie była to pewność!) włazi również w moje życie prywatne! Muszę wiedzieć na pewno, kim jest Marlow. Miejskie forum założyli przed laty moi znajomi, prowadzący firmę komputerową. Sprawdziłam. Dalej byli jego administratorami. Drżącą ręką wykręciłam numer do firmy.

– Słucham? – to głos Grześka, mego kolegi z przedszkola. Założyciela firmy. Odetchnęłam z ulgą. Przedstawiłam się. Dobrze, że odebrał właśnie on.

– Grzesiek, na waszym forum są obraźliwe w stosunku do mnie teksty. Ich autorem jest niejaki Marlow. Możesz sprawdzić, kto to jest?

– Ludka, jedyne, co mogę, to tylko podać numer jego IP.

– Dawaj.

– Zadzwoń za chwilę.

Chwila dłużyła się w nieskończoność. W tym czasie spisałam IP komputera Artura. Na żółtej karteczce. Zadzwoniłam do Grześka.

– No i jak, masz ten numer?

– Mam, ale jakby co, to nie ode mnie – i podał numer. Zgadzało się. Zresztą to było do przewidzenia. Marlow to Artur!

Żyłam w nieświadomości, że na mój temat toczy się w Internecie dyskusja. Na szczęście był to właściwie monolog. Gdybym dziś nie weszła do tego komputera, nie wiedziałabym, jakie zasadzki przygotował na mnie mój szef. Gdybym nie pisała wywiadu, nie szukałabym zdjęć do niego. O Boże! Miałam ściągnąć te zdjęcia!

Pobiegłam do swojego komputera, zobaczyć, czy muzyk wysłał już autoryzację. Była. Przegrałam na pendrive'a z Arturkowej poczty zdjęcia do wywiadu. Wróciłam do mojego komputera. Wrzuciłam zdjęcia, a potem całość z wywiadem przesłałam Piotrowi do składu. Uf. Dobrze, że mi się przypomniało! I wróciłam jeszcze na chwilę do komputera naczelnego. Porobiłam kilka screenów z wypowiedzi na forum, skopiowałam je oczywiście i wydrukowałam. Skopiowałam numer IP. Miałam już wszystko. Dowody na jego nieuczciwość, ale też jakieś jego szaleństwo, obłąkanie zupełnie niewytłumaczalne! Wiedziałam, że muszę powiedzieć o tym wydawcy, choćbym miała jechać do tego Opola! Wytłumaczyć, zanim ten mnie zwolni z premedytacją. I wcale bym się nie dziwiła, gdyby to zrobił! Bo gdyby na mojego pracownika było tyle skarg, tyle donosów, to sama bym pewnie tak zrobiła! Albo bym się przynajmniej nad tym zastanowiła.

Postanowiłam zachować się złośliwie. Wstrętnie. Mała zemsteczka. I lekko wysunęłam z gniazda w komputerze wtyczkę od przewodu klawiatury. Wyglądała na to, że tkwi na swoim miejscu, ale zadania swego nie spełnia... Nie łączy...

Zamknęłam drzwi od redakcji kompletnie roztrzęsiona. Szłam opustoszałymi już ulicami i myślałam intensywnie. Gdyby wczoraj nie przyszedł do mnie Piotr i nie powiedział mi tamtych rewelacji, pewnie moja czujność byłaby uśpiona. A tak... Piotrze! Muszę ci podziękować!

Nerwowo wybrałam jego numer.

– Piotr. Miałeś rację. On naprawdę chce na moje miejsce wsadzić tę swoją Patrycję...! – i rozpłakałam się jak dziecko. Do słuchawki. Zrobiło mi się głupio. Rozłączyłam się. Ludzie mnie mijali, ja stałam na środku ulicy i płakałam.

– Czy coś się stało? – zapytała mnie przechodząca kobieta.

– Nie, nic, wzruszyłam się, to ze szczęścia. Dziękuję pani za troskę – skłamałam.

– To życzę wszystkiego najlepszego, pani Ludmiło!

Skąd ta kobieta mnie zna? Przecież ja nie mam pojęcia, kim ona jest.

– Halo, proszę pani! Pani mnie zna?

– Tak, pani Ludmiło. Pisała pani kiedyś o córce mojej sąsiadki. Miała wypadek autobusowy. Sześcioletnia Jola. Potrzebowała sprzętu. Po tym artykule go dostała. Pamięta pani?

Pamiętałam. To było trzy lata temu. Jola potrzebowała aparatu słuchowego. W wypadku bowiem doszło do uszkodzenia nerwu. Nasza redakcja włączyła się do akcji. Prowadziliśmy zbiórkę pieniędzy, zorganizowaliśmy koncert charytatywny i aukcję obrazów lokalnych artystów. Sama dałam swoje dwa, jeszcze z czasów toruńskich. Zebraliśmy wystarczającą sumę na aparat. Jeszcze trochę zostało, więc przekazaliśmy je matce dziewczynki.

– Co za zbieg okoliczności! Oczywiście, że pamiętam Jolę! Jak tam u niej?

– Wszystko dobrze, przeszła operację. Ma lekki niedosłuch. Ale aparat naprawdę pomaga! Bardzo pani wtedy pomogła rodzinie.

– To nie ja, to cała redakcja. Ja tylko napisałam o niej reportaż.

– No tak, ale i tak dziękujemy! Wam wszystkim. Zrobiło mi się miło. Na chwilę poczułam się potrzebna.

Wolno wracałam do domu, już się uspokoiłam. Jak dobrze, że właśnie teraz spotkałam tę kobietę. W małym mieście tak łatwo wpaść na siebie, spotkać kogoś przyjaznego. Bo wciąż jeszcze ludzie tu zatroszczą się o kogoś innego, nie jest się anonimowym... Zrobiło mi się lżej na sercu. E tam, damy radę Arturowi. Nie ma tego złego...

Byłam już pod domem, gdy ktoś złapał mnie za rękaw.

– Ludka, co się stało? – to był Piotr. Przyjechał do mnie, zaniepokojony moimi łzami. Tak, puściły mi nerwy, ale żeby zaraz przyjeżdżał? Wstyd mi się zrobiło. Za te babskie mazgajenie.

– Piotr, przepraszam. Już mi przeszło.

– Ludka, opowiedz mi wszystko, co się wydarzyło!

– Nieważne, nie ma o czym mówić! – Jest. Ludka. Jestem twoim przyjacielem!

– Więc chodź na górę.

Po drodze minęliśmy panią Marysię. Zaciekawiona zerkała na Piotra. Pewnie oceniała jego kurtczynę. Miał ją znów krzywo zapiętą. A bystre oko sąsiadki na pewno to zarejestrowało.

Mieszkanie było wychłodzone, zapomniałam zamknąć okno. Mój kocur wybiegł nam na przywitanie i lekkim mruczeniem ocierał mi się o nogi. Kochany mruczek...

– Nie ściągaj butów – powiedziałam, patrząc na Piotra, mocującego się z wieszakiem od kurtki. Jeśli tak samo będzie mocował się z butami, to zejdzie mu z kwadrans. Rozcierając dłonie, pobiegłam do łazienki. Umyłam je ciepłą wodą, krzyknęłam do Piotra, by zamknął okno. W salonie. Poszedł, bo usłyszałam, jak tupał butami. Jak jeż.

Wyszłam z łazienki. Zadzwoniła komórka. Martin. Zniknęłam z telefonem z powrotem w łazience. Nie chciałam, żeby Piotr słyszał, jak z kimś rozmawiam.

– Kiedy mogę przyjść? Stęskniłem się. Mieliśmy szukać pieca.

– Martin, dziś nie mogę. Naprawdę. Mam kłopoty zawodowe. W tym momencie Piotr zaczął się dobijać do łazienki.

– Ludka, nastawię wodę! Zaraz mi wszystko opowiesz.

Nie zorientował się, że z kimś rozmawiam. Natomiast Martin usłyszał jego.

– Gdzie jesteś?

– W domu.

– Ale nie sama, słyszę męski głos.

– To kolega z pracy.

– Naprawdę masz jakieś kłopoty? Czy to na pewno kolega?...

– Martinie, tak, kolega. Pozwól, że dziś wszystko rozwikłam i spotkamy się jutro, dobrze?

– Ludmiła, mieliśmy szukać pieca.

– Martin, nie dziś. Przepraszam.

– Czy on długo będzie u ciebie siedział? – Jesteś zazdrosny?

– Ludmiła!

– Martin!

– Ludmiła, przychodzę za dwie godziny! Skończę spotkanie, pożegnam się z moimi i jestem, rozumiesz?

– Martin!

Trzask odkładanej słuchawki. On naprawdę przyjdzie! Nie może tak robić! Mam prawo spędzić wieczór, jak będę chciała! I z kim. Jestem wolnym człowiekiem. A z drugiej strony... To przyjemnie, że martwi się o mnie. Może jest nawet zazdrosny?

Wyszłam z łazienki. Nad kubkami z parującą herbatą – dla Piotra z pokrzywy, na wzmocnienie, bo dalej wygląda mizernie – opowiedziałam mu wszystko, co mi się dzisiejszego dnia przydarzyło. Pokazałam mu wydruki z komputera Artura. Był wstrząśnięty.

– Niemożliwe, a to kombinator! I mówisz, że nas na jutro na swoje urodziny zaprosił po pracy?

– Tak, wyobraź sobie.

– No to pójdziemy, Ludka. Pójdziemy. Jak sobie popije, to może się jeszcze wyspie.

– Ja nie pójdę. Na pewno! Brzydzę się nim!

– Ludka, nie przejmuj się, jeszcze zagrasz mu na nosie. No, głowa do góry! – podniósł mi twarz na dwóch palcach i spojrzał na mnie swoim szarym spojrzeniem.

– Ale ci te usta załatwiłem! – roześmiał się.

– Próbowałam zatuszować. Nic z tego nie wyszło.

– Przykro mi, naprawdę. Mam dla ciebie coś na przeprosiny.

– Naprawdę?!

– Tak, o mało nie zapomniałem, kupiłem dziś w galerii.

Podał mi małe zawiniątko. W środku były ręcznie robione kolczyki. Piękne. Z drobnych kawałków bursztynu połączonych cienkimi sznureczkami. Tworzyły jakby bukiet złożony z drobnych kamyczków w różnych odcieniach brązu i żółci. Na końcu kolczyków był jeden duży bursztyn – zielony.

– Podobno najrzadziej spotykany – wyjaśnił Piotr.

– Bardzo piękne, naprawdę, dziękuję – wyszeptałam, przykładając je do uszu.

– Cieszę się.

– Ale nie trzeba było.

– Ludka, tak dawno nie kupiłem niczego kobiecie.

– No dobrze, naprawdę ci dziękuję. Są piękne. Rzeczywiście były piękne. Na dodatek bardzo oryginalne.

– Wybacz mi zatem moje zachowanie i przyjmij moją przyjaźń. Zostaniemy przyjaciółmi? – wyciągnął dłoń w moim kierunku. Podałam mu swoją.

– Jasne, Piotr. Przyjaciółmi... Bardzo chętnie. Jestem ci wdzięczna za to, że mnie ostrzegłeś. Że w ogóle... Że mogę z tobą pogadać.

– Zawsze, Ludmiła, pamiętaj, jestem tuż obok – przytulił mnie do siebie. Po przyjacielsku. Nie próbował już całować ani nie patrzył na mnie jak kot ze *Shreka*. Tak było zdecydowanie lepiej. Spojrzałam kątem oka na zegarek. Miałam jeszcze jakieś czterdzieści minut do przyjścia Martina! Jeśli Piotr nie wyjdzie do tej pory, sytuacja stanie się nieco kłopotliwa. Muszę go jakoś spławić.

Tymczasem Piotr nie miał zamiaru wychodzić. Rozsiadł się na kanapie w salonie i sięgnął po jabłko z koszyczka.

– Fajnie tu u ciebie. Domowo. W mojej kawalerce to tak jakoś smutno. Pomogłabyś mi się urządzić, co?

– Oczywiście, albo poproszę Ewę. Tę, wiesz, z Torunia.

– No właśnie. Przecież Toruń blisko. Naprawdę, zazdroszczę ci tego wyjazdu. Wiesz, nigdy tam nie byłem.

– Żałuj, piękne miasto. Pojedziesz, to się zarazisz. Jak ospą.

– No ciekawe! Zobaczymy! A masz jakieś zdjęcia? Pokaż!

Miałam, jasne, że miałam, wzięliśmy przecież dwa aparaty. Włączyłam laptopa, podłączyłam kabel usb do aparatu i rozpoczęłam ściąganie zdjęć ze swojego. Piotr siedział przy mnie milczący, patrzył na moje zmagania z komputerem. Po chwili wyświetliłam zdjęcia jako pokaz slajdów. Na pierwszym Toruń i powitanie z Ewą na dworcu. Stoimy we trzy. To zdjęcie robił nam Martin. No właśnie! Martin! Mimo iż to on przeważnie robił nam zdjęcia, mamy przecież kilka wspólnych. Już było za późno. Piotr klikał na strzałkę, aż dotarł do nich. Martin ze mną na Szerokiej. Martin ze mną pod Alma Mater. Martin trzyma mnie za rękę pod ruinami. I jeszcze Martin, jak leży ze mną pod Krzywą Wieżą – te wariatki nawet to fotografowały!

– Niezupełnie babska ta wyprawa. Nie byłaś sama... – w głosie Piotra usłyszałam rozczarowanie. A mnie zrobiło się głupio. Idiotycznie głupio. Okłamałam go z premedytacją.

– Piotr, to jest ten Niemiec...

– Tak, chyba poznaję. Wiem który, pamiętam, jak stał pod twoją kamienicą. Myślałem, że to jakiś znajomy.

– Pisałam o jego rodzinie. Ten reportaż. To o nim.

– No właśnie, myślałem, że tylko to. Nie wiem, co powiedzieć. Ludka!

– Piotrze...

– Nie ma problemu. Kim on jest dla ciebie? Był tam z tobą?

– Tak, był, nie wiem, kim jest dla mnie, Piotrze, daj sobie powiedzieć...

– Ludmiła, przecież ty go w ogóle nie znasz, nic o nim nie wiesz. A poza tym, mogłaś mi powiedzieć, że z kimś jesteś! Wyszedłem na głupka, przed tobą, przed sobą! To moje zachowanie, wyznania. Bez sensu. Idiota!

– Jesteśmy przyjaciółmi, prawda? – próbowałam go zatrzymać, ale wstał, wyraźnie zdenerwowany, a może rozczarowany. Dlaczego nie powiedziałam mu od razu?!

– Jesteśmy, ale... Nie graj niepotrzebnie na moich uczuciach... – zakończył.

Spojrzał jeszcze tymi kamiennymi oczami. Tym razem były jednak naprawdę kamienne. Chwycił za klamkę. I w tym momencie rozległ się dzwonek. No nie! Tylko nie to! Dziesięć minut przed czasem! Tak się nie robi! Martin stał za drzwiami, był jak zwykle wymuskany i piękny. Przywitał mnie pocałunkiem w policzek. Pytająco spojrzał na Piotra, który wyglądał przy nim jak ubogi krewny.

Dokonałam dwujęzycznej prezentacji. Piotr nie zaszczycił go nawet spojrzeniem. Patrzył gdzieś w przestrzeń, gdy Martin podawał mu dłoń. Nie zareagował nawet, gdy powiedziałam, że jest moim przyjacielem. I poszedł w ciemność korytarza, nie zapalając nawet światła. Czułam się idiotycznie. Piotr pomógł mi, wysłuchał, wspierał, był przy mnie, a ja zachowałam się tak głupio! Martin nie był dla mnie takim wsparciem. Wręcz żadnym. Nie wiedział o mnie wiele, nie znał moich zawodowych problemów, nie miał pojęcia, że wisiało nade mną widmo bezrobocia. Nasz dziwny związek nie przewidywał zwierzeń. Za to jaki był emocjonujący! I tajemniczy.

Martin rozgościł się u mnie na dobre. Rozłożył bezceremonialnie swoje rzeczy w łazience.

– Pozwolisz, że zostanę na noc? Nasi robią dziś pożegnanie z waszymi, nie zmrużyłbym pewnie oka w moim pokoju hotelowym.

– Jasne, zostań – zadziwił mnie swoją śmiałością. Niemcy chyba wolą wszystko ustalać, umawiać, a tymczasem on zrobił coś zupełnie przeciwnego. Czyżby nabierał polskich nawyków?

W ogóle zachowywał się dziwnie. Wiedziałam, że coś jest na rzeczy.

– Zostaję w Polsce. Na jakiś czas – odezwał się wreszcie. – Co ty na to?

– Świetnie – naprawdę się cieszyłam. Chciałam, żeby został, żeby był ze mną. Mógłby zostać już na stałe. Poparzyłam na niego z czułością. Przystojny. Zabójczo. Piękne, wydatne usta, mocna szczęka, wyraźnie zarysowany nos. Oczy filuternie zmrużone, gdy się uśmiechał. Tembr głosu wręcz uwodzicielski. Dokładnie ogolony. Żadnych krostek, syfków jakichś, twarz idealnie gładka, pozbawiona wszelkich niedoskonałości.

– Ludmiło, co ci się stało w usta? – przyglądał mi się badawczo. Ech, te usta. Zapomniałam zatuszować.

– E, nic – odwróciłam głowę w drugą stronę.

– Ludmiła, masz jakieś obrzęknięte! Co się stało?!

– Martin, nic, przyssałam się do butelki i zrobił mi się krwiak, to głupstwo!

– Uważaj na drugi raz! Ale czekaj. A może ty, z tym, co był... się całowałaś?! Ja kiedyś mojej byłej dziewczynie zrobiłem taki ślad na szyi, wiesz? Ludmiła!!!!

– Martin, przestań – zaczerwieniłam się, złapana na gorącym uczynku. Chyba mnie przejrzał. Nie umiem kłamać. Ale zainteresował mnie tą byłą dziewczyną. Może wreszcie dowiem się czegoś o jego życiu?

– Opowiesz mi o twojej byłej?

– Ludmiła, on coś ci zrobił? – zmienił szybko temat. – Tak dziwnie na mnie patrzył! I nie chciałaś, żebym przychodził! Ludmiła, kim on jest dla ciebie?!

– Jest moim przyjacielem. Nic mnie z nim nie łączy, Martinie. Powiedziałeś o swojej byłej dziewczynie...

– Nie o tym teraz mówimy. Widzę przecież, że się dziwnie zachowujesz. I że się czerwienisz. Powiedz mi prawdę. On jest bliski tobie?

– Nie. To mój kolega z pracy. Rzeczywiście, pocałował mnie wczoraj, poniosło go trochę, ale przeprosił, ja się wyrwałam, nic się nie stało! – zobaczyłam, że Martin pobladł. – Nie wiedział, że jestem z tobą. Teraz już wie i... poszedł. Jak widziałeś, dość wściekły!

Martin zdenerwował się.

– Jak mógł cię dotknąć!

– Nic mi nie zrobił!

– Nie pozwolę nikomu ciebie dotykać, rozumiesz? Jesteś moja. Moja. Moja... – i rzucił mnie na kanapę w salonie. Posiadł mnie gwałtownie, jakby chciał pokazać, że należę tylko do niego, a ja pozwoliłam mu na to. Nie odezwałam się ani słowem. Między nami przez cały czas panowała zupełna cisza, nie padło żadne słowo. Potem wstał, ubrał się i wyszedł do kuchni. Ja zostałam w pokoju sama. Poprawiłam sukienkę, wolnym, automatycznym ruchem. Nie wiedziałam, co myśleć o jego zachowaniu.

Zazdrosny? Pewnie tak. Zły? Ma powody. Nie powinnam była. Ale jaka tu moja wina? Przecież nic się w gruncie rzeczy nie stało. A do tego naprawdę mam kłopoty w pracy. Nawet nie spytał! Choć wiedział. Poczułam, że mam dość. Usiadłam skulona na kanapie, zamknęłam oczy i... zasnęłam jak dziecko. Przez sen wydawało mi się, jak ktoś nakrywa mnie kocem. Potem słyszałam jakieś niemieckie słowa. Chyba od systematycznego używania języka zaczynam już śnić po niemiecku.

Ocknęłam się koło jedenastej, wieczorem oczywiście. Byłam głodna. Wstałam. Martin siedział w sypialni, wykąpany już, przy nocnej lampce czytał książkę. Musiał ją wziąć ze sobą, bo przecież nie mam żadnych niemieckich książek. Na palcach przeszłam do łazienki. Usłyszał.

– Ludmiła!

Zamknęłam głośno drzwi. I zasunęłam zasuwkę. Specjalnie głośno. Zdjęłam moją piękną sukienkę. Nikt mi nawet nie powiedział dziś, że ładnie wyglądałam. Nikt mi w ogóle nie powiedział nic miłego. Było mi źle i smutno. Ożywczy deszcz spadł na mnie z góry. Cudowny. Przypomniała mi się pierwsza noc Martina w moim mieszkaniu. Jak wdarł się do mnie do łazienki i kochał się ze mną pod prysznicem. Dreszcz przebiegł mi po plecach. Im dłużej z nim byłam, tym bardziej potrzebowałam jego bliskości. Takiej intensywności nie przeżywałam nigdy wcześniej. Tylko to dzisiaj. E, był po prostu zazdrosny.

Balsam po kąpieli, krem na noc. Po trzydziestce trzeba dbać o twarz. Na zmarszczki też trzeba sobie zasłużyć. Zęby. Kropelki perfum za uszy. Falbankowa koszulka nocna, bardzo ładna zresztą. Szlafrok. I do kuchni, zaparzyć melisę. Żeby szybciej zasnąć. Jutro do pracy. Hm, chyba już nawet dziś.

W kuchni porządek. Naczynia pozmywane, a stały w zlewie jeszcze ze śniadania. Martin umył nawet kubek po Piotrze! Nastawiłam wodę na herbatę. Sięgnęłam do szafki po miód i melisę. Mam ją z ogrodu – kawałka ziemi wyrwanego brzegowi jeziora – własną, wyhodowaną, zasuszoną. Jest bardziej aromatyczna od tej ze sklepu.

Pokruszyłam listki do metalowego koszyczka, który zalałam wrzątkiem. Słuchałam cichego szelestu zaparzanych drobinek. Palce pachniały mi, jakbym dotknęła geranium. Melisa pachnie pięknie, cytrynowo.

– Ludmiła...

Spojrzałam na niego. Stał w drzwiach. Patrzył nieśmiało. Bezbronnie.

– Słucham – mój głos miał być szorstki. Celowo. Żeby sobie Martin nie myślał.

– Przepraszam. Poniosło mnie. Bo ja... Ja nie mogę znieść myśli, że ktoś inny mógłby cię dotykać. Albo dotykał. Jestem po prostu zazdrosny.

O całe twoje życie, o twoją przeszłość. Na nikim mi nigdy tak nie zależało jak na tobie.

– Martin... – przytuliłam się do niego. Już jest dobrze, bezpiecznie. Już mi nic nie grozi. Nawet kłopoty w pracy są mniejsze. Wzięłam swoją melisę i poszłam do sypialni. Martin za mną.

– Co tak ładnie pachnie cytryną?

– To melisa, na uspokojenie – wytłumaczyłam.

– Daj spróbować. Nie denerwuj się już. Co to za problemy w pracy? Opowiedz mi o nich. A wiesz, pięknie wyglądałaś dziś w tej sukience. I masz piękne kolczyki. Bardzo oryginalne.

Nareszcie. Zainteresował się. Pokazał, że mu zależy! Kochany. No już dobrze, dobrze. Wybaczam.

– Opowiem ci wszystko jutro. Chodźmy spać, rano muszę iść do redakcji.

– Chcesz, to wyskoczę rano po bułki?

– Nie, nie potrzeba. Śpij sobie spokojnie, masz urlop. Ja sobie poradzę.

– Na pewno?

– Martin, nie bierz hotelu, zamieszkaj tutaj. Bez sensu, żebyś płacił i mieszkał gdzieś daleko – zaproponowałam mu.

– Na pewno tego chcesz?

– Na pewno.

– Jesteś kochana. Dziękuję. Jutro rano pojadę po rzeczy – powiedział.

Wspólnie wypiliśmy w łóżku moją aromatyczną melisę. Podziałała na nas od razu. Ledwie odstawiłam kubek na szafkę nocną, opadła na mnie fala ciepła, błogości, nadchodzącej senności. Martin też ułożył się i, przytulony do mnie, już po chwili zaczął równomiernie posapywać. Miasto ucichło, słychać było tylko lekki chlupot fal, uderzających o brzeg jeziora.

Przedwojenna ulica Leśna, dziś Wolności. To była droga wylotowa do Kętrzyna, czyli Rgstenburga. Prowadziła do hotelu Daldheim i wielkiego kompleksu rekreacyjnego w miejscu, gdzie dziś jest Park Słowackiego.

Rozdział XV

Happy Birthday, Arturku!
Aha, mężczyźni czasem przystojnieją.

Poranek wypędził mnie bezlitośnie z łóżka. Nie chciało mi się iść dziś do pracy. To, co wczoraj przeżyłam, było, trzeba przyznać, dość traumatyczne. Ale musiałam. Miałam do wykonania kilka telefonów, byłam umówiona w domu kultury oraz w urzędzie. I jeszcze te urodziny Artura. Pójdę, żeby nie wzbudzać podejrzeń. Że niby nic. Właśnie, trzeba powiedzieć Martinowi, że wrócę później, bo po pracy idziemy na pizzę. Nie chciało mi się iść, ale z drugiej strony... podpity Artur może się z czymś jeszcze wydać.

Martin spał. Trąciłam go lekko dłonią. Przetarł oczy, cudownie nieprzytomny, ciepły jak niemowlak. Obok, na poduszce, położyłam klucze od mieszkania, zapasowe, które zwykle zostawiam pani Marysi.

– Wracam później.

– Dlaczego?

– Mamy spotkanie redakcyjne, urodziny szefa.

– On też będzie?

– Kto? Szef? No pewnie, to jego urodziny.

– Nie, nie szef. On.

– Piotr? Tak ma na imię. Będzie.

– Nie życzę sobie, żebyś się z nim spotykała – znów ten władczy ton, zagarniający mnie tylko dla siebie.

– Martinie, on tam będzie, bo idziemy razem. Należy do tej części mojego życia. Nie możesz być taki... zachłanny.

– Ludmiło, ale czy na pewno mogę być spokojny? Nie dasz mu się całować?

– Martin. Proszę. Naprawdę liczysz się tylko ty.

– Dobrze, już dobrze. No leć, bo się spóźnisz.

Wybiegłam z mieszkania. Przyjemnie jest zostawiać kogoś w domu i wracać potem do niego. Do zapalonego światła, widocznego już od zakrętu. Do przygotowanego obiadu. Do odgłosów braku samotności. Już nie mogłam się doczekać tej chwili, mimo iż dopiero zaczynał się dzień.

Z nieba padała mżawka. Lekką pierzynką pokrywała wszystko. Już po chwili na moich włosach i rzęsach zaperliły się tysiące migoczących koralików. A mój samochód kwitnie w warsztacie! Wyciągnęłam komórkę.

– Andrzej? – mechanik był moim kolegą z podwórka.

– Taaaak – spytał przeciągle. Chyba spał jeszcze.

– Czy mogłabym odebrać auto?

– O tej porze?

– To znaczy, o jakiej?

– No, rano jeszcze, środek nocy. Do północy z Jackiem walczyliśmy ze skrzynią biegów. – To był nasz wspólny, z moim byłym, znajomy.

– No, ale później? – A, to co innego!

– To o której?

– Ludka, czekaj, pomyślę. Dobra, poproszę Jacka, to ci odstawi auto pod redakcję.

– No... dobrze. Ale nie wiem, czy będzie chciał...

– Będzie, będzie. Już się tak nie strosz na niego. Ja nie mogę, jadę po silnik do Bartoszyc.

– Ile za naprawę?

– Dwie stówki. I pięć dych za części. Razem dwieście pięćdziesiąt. Roboty było trochę. Jacek pomagał.

– Niemożliwe. Przy mojej asterce? – lubiłam zdrabniać nazwę mego auta.

– No, poprosiłem go, bo nie wyrabiam. Kiedyś ja mu pomogłem, to on teraz mnie. Wspieramy się, wiesz – zaśmiał się do słuchawki. Senność z jego głosu zupełnie zniknęła.

Jedyne, co dobre z tego wszystkiego, to to, że auto będzie na pewno dobrze zrobione. Jacek był skrupulatny i dokładny. I jeśli to on naprawiał, mogę spać spokojnie. Właściwie jeździć. Bo Andrzej to trochę szałaput. Ale niedrogi i... kolega. Gdy trzeba, potrafił przesunąć z kolejki do warsztatu tych bardziej zalegających i wstawić moje auto, nawet przy proteście niektórych.

Zanim zakończyłam rozmowę, byłam już na Warszawskiej, w redakcji. Oczywiście, Arturek już tkwił na stanowisku. Od razu zauważyłam, że jeszcze nie włączył komputera. Spojrzał na mnie jakoś inaczej.

– Ładnie dziś wyglądasz. Wczoraj też było ci ładnie, w tamtej sukience.

Zatkało mnie. No, mój drogi. Nie przesadzaj z tą wylewnością. Tylko nie pomyśl, że to na twoje urodziny!

– Czy to z okazji moich urodzin? – chyba jednak tak pomyślał.

– Nie – ucięłam krótko. I dodałam: – Wszystkiego najlepszego.

– Życzysz mi szczerze czy żartujesz?

Milczałam. A w ogóle, to skąd w Arturze ta nagła chęć do rozmowy ze mną? Dość ludzkiej. Czyżby podziałał na niego mój wczorajszy tupet rodem z Olopy?

Włączyłam komputer i oddałam się pracy. Również Artur włączył swój. Pomyślałam o przewodzie od klawiatury, lekko tylko wysuniętym z gniazda w komputerze. I zachciało mi się śmiać. Bo Artur próbował właśnie wpisać hasło do komputera. Patrzyłam zza pleców, jak siłował się z moim imieniem.

– Cholera, co jest?! – mamrotał pod nosem.

– Co się stało? – zasłodziłam uśmiechnięta.

– No nie wiem właśnie. Wczoraj wszystko działało!

– A dziś nie działa? – zapytałam, podchodząc troskliwie.

– No, nie działa. Coś chyba z systemem. Nie przyjmuje hasła.

– Wprowadziłeś hasło w komputer? Nikt u nas nie zabezpiecza hasłami komputerów – udawałam niewiniątko.

– Tak, bo uważam, że lepiej zabezpieczyć. Nauczyłem się tego w poprzedniej pracy. Cholera, no, nie działa! Będę musiał go restartować?

Artur walił nerwowo w klawiaturę, aż bałam się, że ją zaraz zdemoluje.

– Może nie takie wpisujesz! Nie zapomniałeś przypadkiem? – próbowałam go uspokajać. Nie spodziewałam się, że Artur będzie się tak wściekał.

– Nie zapomniałem! – warknął wyraźnie zły. – Wiem, jakie mam hasło, pamiętam je doskonale!

„No tak – pomyślałam – nie wątpię, że pamiętasz to hasło"... Odczuwam błogą satysfakcję z mego żartu. Naprawdę!

Myślałam, że nie wytrzymam i parsknę śmiechem, gdy Arturek zaczął wydzwaniać do znajomych informatyków z prośbą o podpowiedzenie mu sposobu naprawy komputera.

– Muszę natychmiast coś wysłać, a system nie przyjmuje hasła! – tłumaczył.

– Próbowałem już restartować.

– Nie, na pewno hasło jest poprawne, przecież je pamiętam! – dobiegały mnie strzępy rozmów z jakimś fachowcem.

Telefon do następnego.

– Możesz przyjechać?

– Ale to pilne! Mogę nawet po ciebie pojechać.

– Próbowałem.

– Dopiero o trzeciej? To za późno. Nie wiem, co robić?!!! Kur... mać, co za pech!

Klął dalej. Nie podejrzewałam Artura o taki asortyment przekleństw. Rzucał myszką, papierami, po prostu dostał szału. Czułam coraz większy niepokój. Mój niewinny żart przerodził się w prawdziwy Arturkowy dramat! Chciało mi się z niego śmiać, ale było mi też go szkoda. Był taki nieporadny w tej swojej złości. Widać, nie miał wielkiej wprawy w używaniu komputera.

Kiedy zadzwonił do kolejnego specjalisty i umówił się z nim na dwunastą, postanowiłam litościwie interweniować.

– Może ja spróbuję pomóc? – zapytałam. Miałam oto niepowtarzalną okazję, żeby pokazać mu swoją niezbędność.

– Ty? A co, znasz się na systemach? To jakaś poważna awaria. Nie dasz rady – prychnął lekceważąco. – Poczekamy na Piotra. On przychodzi dziś później, ale kiedyś przecież przyjdzie.

– Może ja jednak coś poradzę? – nie odpuszczałam.

– Wszystkiego już wypróbowałem, nie sądzę, żebyś coś wymyśliła, ale skoro chcesz, to proszę, ja wyjdę na papierosa, bo się strasznie wkur...

Usiadłam przed komputerem. Wyłączyłam go. Artur wyszedł na papierosa – na balkon! Moje niedawne kazanie w stylu Olopy poskutowało! Zamknął nawet za sobą drzwi! A ja szybkim ślizgiem powędrowałam pod biurko i z plątaniny kabli wybrałam ten od klawiatury. Aha, to ten szary. Wcisnęłam wtyczkę mocniej do komputera, wślizgnęła się leciutko do końca. Wyszłam spod biurka. Włączyłam komputer. I najspokojniej w świecie poszłam zrobić herbatę.

Artur wrócił pod dziesięciu minutach, wyraźnie zdenerwowany. Widać to, co mówią o papierosach, że uspokajają, to bajeczka dla grzecznych dzieci. Nie dość, że był wściekły, to na dodatek śmierdział!

– I co, nie dałaś rady?

– Mówisz, masz. Naprawiłam – powiedziałam skromnie.

– Niemożliwe!

Usiadł na fotelu i wpisał hasło. Komputer, o dziwo, przyjął je. Artur mógł dzięki mnie dalej pisać swoje paszkwile i skargi na mnie!

– Znasz się na tym?

– Jasne, żaden problem.

– Nie wiedziałem – popatrzył na mnie. Wydawało mi się, że nawet z podziwem.

Usiadł do komputera. A ja oddałam się mojemu pisaniu, tym razem o coraz częstszych przypadkach babeszjozy u psów i licznych odejściach do psiego raju z jej powodu... To miało być ostrzeżenie dla wszystkich posiadaczy czworonogów. Starałam się. Porozmawiałam nawet z lekarzem weterynarii i z laborantką, która wykonuje badania psiej krwi. Opowiadała, że ta krew, pobrana od chorego zwierzęcia, jest wyraźnie wodnista i przezroczysta. Temat wciągnął mnie na tyle, że zapomniałam o bożym świecie. Przypomniałam sobie o nim dopiero w momencie, gdy koło południa do redakcji wszedł Piotr.

O dziwo! Nie miał na sobie nieśmiertelnej kurtczyny, tylko ładny, ręcznie robiony sweter. W jasnym kolorze. Wyglądał w nim... nawet, nawet. Odruchowo sięgnęłam ręką po szminkę. Ciekawe, dlaczego Piotr kojarzy mi się z ustami?

Patrzyłam dalej. Dżinsy. Ładne. Opinające całkiem zgrabne nogi. Przynajmniej na takie wyglądały w dżinsach. Zwężane do dołu sztruksy ze szmateksu, w których chodził do tej pory, nieco deformowały jego sylwetkę. I buty. To nie były tamte rozczłapane trzewiki, nie wiadomo, z którego sezonu. To były nowiutkie, sznurowane półbuty z miękkiej skóry wprost z drogiego, ekskluzywnego sklepu z włoskim obuwiem! Wiem, bo widziałam podobne tydzień temu!

To nie koniec. Piotr miał świetną fryzurę! Włosy na skroniach przy-strzyżone, górę zmierzwioną żelem. Jego szpakowatość była tylko dodat-kowym atutem! I pachniał ciekawie. Czarnym adidasem. Zaniemówiłam. Przeszedł obok mojego biurka i rzucił oschle: „Dzień dobry". Niech się gniewa. Przejdzie mu.

– Pan do kogo? – zapytał nieprzytomnie Artur, rzucając tylko okiem w kierunku wchodzącego mężczyzny.

– Ja tu pracuję – odparł zaskoczony Piotr. Artur spojrzał jeszcze raz, tym razem uważniej

– Piotrek?! A co ty taki...?!

– Jaki? – udawał zdziwionego, choć wiedział, że wyglądał inaczej niż zwykle.

– Czy ja wiem...? Elegancki. I Ludka też dziś jakaś elegancka. Stało się coś? – na te słowa naszego szefa Piotr zaszczycił mnie wreszcie ła-skawym spojrzeniem.

– U mnie nic się nie stało. Po prostu stwierdziłem, że czas zmienić *image*. Na bardziej europejski. Powiedziałbym nawet – niemiecki.

To było do mnie. Aluzja. Bo rzeczywiście, stylem przypominał nieco Martina. Swoją drogą, Piotr musiał być spostrzegawczy, by w ciągu tych dwóch przypadkowych z nim spotkań zauważyć ogólne trendy panują-ce w niemieckiej modzie i elegancji. Widać, nie jest taki zagubiony, na jakiego wyglądał zza swojego komputera!

– Aha, i wszystkiego najlepszego w dniu urodzin – rzucił w kierunku Arturkowego biurka.

– Dziękuję.

I tak Artur, zupełnie dla nas przypadkowo, na podstawie tych wydarzeń zakonotował sobie w swojej głowie, żeśmy się oboje ustroili specjalnie na jego urodziny!

– Zapraszam teraz wszystkich na poczęstunek – powiedział na koniec dnia nasz miłościwie panujący szef. Zamknęliśmy redakcję i poszliśmy do restauracji, która mieściła się w starej kamienicy tuż obok. Tam zarezer-wowany już był stolik dla wszystkich, czyli: Artura, Patrycji, Joli, dwóch stażystek, fotoreportera Marcina, handlowca Michała, Piotra i mnie. Piotr nie odzywał się do mnie przez cały dzień, ja zerkałam na niego z pew-nym zaciekawieniem, co musiał zauważyć. Zresztą nie kryłam się z tym zupełnie. Wyglądał naprawdę świetnie. Zerkała też Jola i dwie stażystki. Nasze zainteresowanie wyraźnie mu schlebiało, bo nie słuchał już muzyki w swych odwiecznych słuchawkach, a rozmawiał z kimś przez telefon. I chyba była to jakaś dziewczyna, ponieważ zwracał się do niej, używając żeńskiej formy: „A kiedy tam byłaś? Naprawdę, tak powiedziałaś? Jesteś niesamowita".

To „niesamowita" zakłuło mnie lekko, bo niedawno tak mówił do mnie. Albo robi mi na złość, albo wczoraj, wracając do domu ze spotkania ze mną, poderwał jakąś pannę, w której zadurzył się do tego stopnia, że zmienił nagle dla niej swój wygląd i zachowanie. I w ogóle wszystko. Bo nawet jego głos brzmiał inaczej.

Usiadł naprzeciwko mnie. Chyba po to, bym mogła go podziwiać bez przeszkód. Strzelał oczami na prawo i lewo, zagadywał dziewczyny. Już wiem, kogo mi przypominał! Toma Hanksa, tyle że o wiele przystojniejszego.

W czasie, kiedy Piotr brylował w towarzystwie, Artur zamawiał nam dania i trunki. Sam nie wylewał za kołnierz, co mnie zastanawiało. Bo jak też nasz szef wróci do siebie, do Olsztyna? Raczej nie będzie nocował w redakcji. Jego spanko, czyli materac, było jednoosobowe, a poza tym – przy całym włożonym w to wysiłku – nie umiałam jakoś wyobrazić sobie obecnej tu Patrycji śpiącej pod biurkiem razem z kurzami i ze swoim oblubieńcem. Ta osoba nie konweniowała mi nijak ze spartańskimi warunkami w redakcji.

Artur wspaniałomyślnie oznajmił, że z okazji swoich urodzin daje nam juro wolne.

– Numer zamknięty, pojechał do druku, zatem hulaj dusza. Dostajecie taki prezent od szefa.

Na te słowa wstała Jola. I wręczyła prezent szefowi. W naszym imieniu. Trzeba będzie zwrócić część poniesionych nakładów. Pewnie niemałych, ponieważ był to zestaw parkera. Pióro i długopis. Wersja *exclusive*. Nasza koleżanka wypowiedziała jakąś formułkę i zaintonowała *Sto lat*. Zrobiło się serdecznie i gdyby ktoś na to wszystko spojrzał z boku, pomyślałby: „Wspaniały, zgrany zespół redakcyjny!" A pod tą przykrywką aż kipiało!

Piotr w zasadzie się do mnie nie odzywał. Dopiero po dwóch piwach nabrał na tyle śmiałości, by spytać:

– Jak się miewa twój niemiecki przyjaciel?

– Bardzo dobrze, dziękuję ci za troskę – mój głos był ironiczny.

– Drobiazg. Nie siedzisz tu czasem zbyt długo, pewnie czuje się taki opuszczony w naszym kraju – ciągnął dalej.

– Oj, Piotrek, nie wygłupiaj się, przestań już – nie kryłam zniecierpliwienia.

I znów zapadła między nami cisza. Zajadaliśmy w milczeniu. Była zupa rybna, potem roladki schabowe w sosie cytrynowym z zapiekanymi ziemniaczkami. Zrobiło się przyjemnie, naprawdę. Artur dość ochoczo serwował piwo. Sam już miał nieco w czubie. Zatem kiedy zagrała muzyka, postanowił sprawdzić się na parkiecie. Najpierw zatańczył z Patrycją. Potem wstał Piotr i ostentacyjnie poprosił do tańca Jolę. Michał i Marcin poprosili stażystki. Ja zostałam sama. Sięgnęłam więc po telefon, by zadzwonić do Martina. W tym momencie zadzwonił. Martin. Telepatia? Wyszłam na zewnątrz.

– Kiedy wracasz? Strasznie się nudzę.

– Martin, jestem na urodzinach szefa.

– Ludmiła, wracaj już do mnie – marudził jak małe dziecko.

– Oj, przestań, niedługo. – Jest ten twój...

– On nie jest mój!

– Czy on tam jest z tobą? – nie ustępował. – Jest!

– Ludmiła... Pamiętaj, ja tu jestem!

Porozmawialiśmy jeszcze chwilę, Martin opowiedział mi, że zwiedził znowu miasto, zrobił zakupy, że jest dużo do jedzenia i że spotkał kilka razy na schodach moją sąsiadkę, tę „od kota", i że powiedział jej po polsku: „Dzień dobry", i ona mu odpowiedziała.

„No ładnie – pomyślałam. – To pani Marysia ma teraz temat na nocne rozważania! Po moim mieszkaniu wciąż kręcą się przecież jacyś mężczyźni!"

Wróciłam z telefonem do stolika. Moje towarzystwo też, skończył się właśnie kawałek.

– Pewnie dzwonił twój niemiecki przyjaciel. Stęsknił się? – zapytał kpiąco Piotr.

– Już cię prosiłam, żebyś przestał się wygłupiać. Piotr, przecież mieliśmy zostać przyjaciółmi!

– Dziewczyno, ty chyba nie wiesz, co mówisz? Przyjaciół się nie oszukuje.

– Przepraszam, naprawdę, głupio wyszło, wybacz mi.

Piotr wstał i podszedł do baru. Wrócił z kolejną szklanką piwa. Artur bawił się z Patrysią, jednak kątem oka nieustannie nas obserwował. Czułam to.

– Piotr, już nie wygłupiaj się.

– No dobrze, Ludka, tylko myślałem, że ty i ja, że moglibyśmy...

I wtedy znowu zadzwonił telefon. Piotr odruchowo spojrzał na wyświetlacz. Pojawiło się na nim zdjęcie Jacka i jego numer. Zapomniałam wykasować. Piotr zrobił zdziwioną minę, a potem pokręcił głową z dezaprobatą. Odebrałam.

– Ludka? Mam dla ciebie auto. Gdzie je odprowadzić? – Jestem teraz w restauracji obok naszej redakcji, wiesz, gdzie.

– To co, mam je zostawić tam, pod restauracją?

– No, chyba tak... – zająknęłam się. Jeszcze mi chyba do końca nie przeszło. Serce waliło jak młot. Miałam się już nigdy więcej nie odezwać do niego. Nigdy. A teraz proszę o odprowadzenie samochodu! O, żesz ty! Mam pomysł. Zaraz ci udowodnię, że po tobie nie płakałam, ani minuty.

– Albo słuchaj, już wiem. Odprowadź auto pod mój dom. Zejdzie do niego taki blondyn. Niemiec. Dasz mu kluczyki. Dobrze? Bo ja teraz nie mogę. Jestem na imprezce.

– No dobrze – wyjąkał Jacek. – Ale skąd ja będę wiedział, że to właśnie on?

– Będziesz wiedział. Ja do niego zadzwonię. Zresztą, poznasz go, bo jest bardzo przystojny!

Wiedziałam, że się wkurzył. Na tyle go już poznałam. Super! Zemsta była słodka. Teraz dzwonię do Martina!

– Martin?

– Wracasz już? – zapytał z nadzieją w głosie.

– Nie, jeszcze nie. Ale za chwilę podjedzie pod dom błękitna astra z mechanikiem w środku. Zejdź i odbierz od niego kluczyki, dobrze?

– Dobrze, ale czy ja się z nim dogadam?

– Nie musisz, on ma tylko zostawić ci klucze. – A czyja to astra?

– Moja.

– No dobrze, nie ma sprawy. Tęsknię.

Uf, załatwione. Byłam dumna, że na poczekaniu potrafiłam uknuć małą intrygę! W tym czasie do stolika powrócił Piotr z kolejnym piwem.

– Czego chciał ten Jacek? – zapytał. – Już zapomniał, jak cię skrzywdził? Po co ty w ogóle z nim rozmawiasz?

– Piotrze, on mi tylko auto przyprowadzi. Od mechanika.

– No, chyba, że tak.

I poszliśmy tańczyć. Poprosił mnie! Już jest chyba całkiem udobruchany! Najpierw jednak zdjął swój elegancki sweter i został w samej koszuli, białej w drobne prążki. Całkiem nowej. Wyglądał doprawdy interesująco!

– Ludmiło, bo ja... wiesz, myślałem, że ty i ja... – powtórzył.

– Piotrze, wolałabym, byśmy zostali przyjaciółmi.

– To najgorsze, co mężczyzna może usłyszeć od kobiety. „Zostańmy przyjaciółmi". Ja nie chcę! Rozumiesz?! To on mi cię zabrał. Ten Niemiec – zakończył ze złością.

– Piotr, uspokój się. Naprawdę, nie wracajmy do tego. A na marginesie. Wyglądasz świetnie. Naprawdę. Jesteś całkiem interesującym facetem! Na pewno znajdziesz sobie jakąś fajną dziewczynę. Wiesz, ciekawy jest ten twój nowy *image*. Kto ci doradzał?

– Moja siostra – mruknął. – Nie chcę nikogo innego. Chcę być z tobą. Zostaw tego Niemca, dopóki nie jest za późno. To nie może się udać. Ludmiła, tyle mogłoby nas połączyć! I miło, że nosisz te kolczyki.

I przygarnął mnie do siebie, zagarnął całą, podniósł do góry w tańcu, zawirowaliśmy. Podobno taniec podnosi poziom endorfin, czyli hormonów szczęścia. Chyba tak, bo poczułam się dziwnie szczęśliwa, lekka, pozbawiona problemów. A Piotr stał się na chwilę bardzo mi bliski. Położyłam mu głowę na ramieniu, ufnie, wierząc, że mnie rozumie, że nie będzie się już na mnie gniewał.

I takich zakręconych na parkiecie zobaczył nas Jacek. Wszedł do restauracji, licząc chyba na spotkanie ze mną. Przystanął z boku i czekał, aż wrócimy do stolika. Piotr nie od razu go dostrzegł. Mówił do mnie długo, nawet przytulał, a kiedy zobaczył Jacka, spytał zdziwiony:

– A ten czego tu szuka?

Chciał pogadać. Niby pod pretekstem wyjaśnienia, co naprawili razem z Andrzejem w moim aucie. Rzucał obco brzmiące mi nazwy. Przecież wiedział, że i tak nic nie rozumiem. Chyba nie myślał, że po naszym rozstaniu zaczęłam nagle odróżniać alternator od chłodnicy?

– A kluczyki oddałem tamtemu gościowi – powiedział na koniec. – Ludmiła... Kto to jest? Czy mieszkasz z nim?

– Ktoś się musiał wreszcie zadomowić w mojej łazience – powiedziałam lekko. Zemsta się chyba udała! Nie myślałam jednak, że aż tak. Że Jacuś weźmie sobie to wszystko do serca.

– Długo jesteście razem?

– A czemu pytasz?

– Tak jakoś, bo wiesz, myślałem, że rozstaliśmy się w przyjaźni?

Jasne, Jacuś, w wielkiej przyjaźni! W tej samej wielkiej przyjaźni wyrzucałam do śmietnika twój żel do golenia, który u mnie zostawiłeś, wyprowadzając się szybko i prawie po kryjomu. I z wielkiej do ciebie przyjaźni postanowiłam nigdy nie odbierać od ciebie telefonów, w poduszkę jedynie wypłakując swoją nagłą, niespodziewaną i niechcianą samotność.

– Jesteśmy razem od tygodnia i jest to najpiękniejszy tydzień w moim życiu – powiedziałam, z naciskiem na „najpiękniejszy".

– Ale on jest Niemcem?

– To co? Przecież znam język. Z dnia na dzień coraz lepiej.

– Gdybyś potrzebowała czegoś w samochodzie, to dzwoń. Służę radą i pomocą. A tak w ogóle, ładnie dziś wyglądasz...

Przez ten czas, kiedy ze mną mieszkał, powiedział mi tylko raz, że ładnie wyglądam. Gdy włożyłam jego szlafrok, bo mój nie wysechł. Coś mu się musiało porządnie pozmieniać w charakterze!

– No to miłej zabawy – skinął głową w kierunku Piotra. Ten zbliżył się do mnie, objął i rzekł:

– Luduś, parkiet czeka!

I zabrał mnie znów do szalonego tańca. Poczucie rytmu miał niemal idealne!

Jacek pożegnał się ze mną jakoś smutno, a może mi się tylko zdawało?

– Dziękuję ci Piotrze, scenka była perfekcyjna.

– Ludka, dla ciebie wszystko. Utarliśmy nosa Jackowi! A w ogóle to bądź sobie z tym Niemcem, skoro tego chcesz. Ja i tak na ciebie zaczekam.

Zabrzmiało to śmiertelnie poważnie. Postanowiłam jednak o tym nie myśleć i poszłam na parkiet, zaproszona do tańca przez... Artura!

– Nareszcie zostaliśmy sami – powiedział nieco bełkotliwie. Muzyka grała sobie, a Artur prowadził sobie. W rytmie nieco opóźnionym. Ale to nie było takie ważne. Byłam ciekawa, co mój szef ma mi do powiedzenia w takiej sytuacji... Może się z czymś wysypie?

Owszem. Wysypał się. Zaczął od tego, jak wiele ma kompleksów. W to nie wątpiłam, widziałam przecież jego pismo, drobne, prawie nie-czytelne. Potem zwierzył mi się, że miał nieszczęśliwe dzieciństwo. Na-stępnie zaczął opowiadać, jak ciężko pracuje, że to wszystko dla nas, dla tygodnika, dla sprzedaży i najmniej dla siebie. I wreszcie powiedział mi, że swoim wczorajszym wystąpieniem dałam mu dużo do myślenia i że widzi wiele błędów w swoim postępowaniu i że od tej pory będziemy tworzyli zgrany zespół. I że podziwia kobiety, które mają swoje zdanie, są niezależne i realizują się. I że zaimponowałam mu dziś moją znajomością komputerów, że naprawiłam kilkoma kliknięciami ten system i w ogóle... I że chciałby, żeby jego Patrycja była taka, ale ona się chyba nie nadaje. A potem, żeby dać wyraz swoim emocjom i pokazać, że są szczere, przy-gniótł mnie sobą, naparł na mnie tak silnie, że prawie się przewróciliśmy. Dyszał nade mną, mrucząc coś o jakiejś chuci (jak u Przybyszewskiego!) i starszych od niego kobietach. Z jego ust zionął zapach nikotyny i alko-holu. Zemdliło mnie. No i wtedy właśnie całkiem stchórzyłam. Już miałam dosyć zaplanowanych przeze mnie gierek z moim szefem, nie chciałam być dla niego mięsem armatnim.

To, co stało się teraz, dało już mi dosyć do myślenia. Jakoś udało mi się wyrwać z jego silnego uchwytu, w nadziei, że nie zostaną mi na rękach si-niaki. I że Martin nie zwali wszystkiego na Piotra. Powiedziałam, że na mnie już czas. Towarzystwo chyba niczego nie zauważyło, bo wszyscy bawili się beztrosko. Za to Piotr przyjął chyba rolę mojego osobistego anioła stróża.

– Nic ci nie zrobił? Już chciałem wkraczać. To świr chyba, wiesz? Wiedziałam. Nagle zaczęłam się go panicznie bać.

Włożyłam mój szary płaszczyk i wyszłam. Piotr wyszedł za mną. Od-krzyknął towarzystwu, że mnie tylko odprowadzi i zaraz wraca. Dobrze, że wpadł na ten pomysł z odprowadzaniem. Czułam się teraz o wiele pewniej. Fajny ten Piotr. Życzę mu jak najlepiej. Wzięłam go pod rękę i poszliśmy w ciepły, kwietniowy wieczór, rozmawiając wreszcie jak dwójka przyjaciół o tym, co wydarzyło się przed chwilą.

– Ludka, musisz się zastanowić nad tym wszystkim. On nie da ci spokoju!

– Nie strasz mnie, nic już nie mów. Patrz, jaki piękny wieczór! – udawałam chojraka, ale miałam stracha.

– Piękny wieczór. No i z tobą, Ludziu – wyszeptał. Odprowadził mnie pod same drzwi od mieszkania. Nie chciałam, żeby szedł na górę, ale się uparł.

– Oddaję cię w ręce tego niebieskookiego przystojniaka. Idź do niego. Szkoda tylko, że nie mogę mieć cię dla siebie. Ale poczekam. Może kiedyś będziemy jeszcze razem? Na pewno! Trzeba o tym marzyć. Sama mi to powiedziałaś, pamiętasz?

– Piotr, to bez sensu.

– Nic nie jest bez sensu. Ten Niemiec kiedyś będzie musiał wrócić do swojego domu. I wtedy zostanę ja. Ludka, nie rzucam słów na wiatr.

Powiedział to żarliwie. Całym sobą. Co mam teraz robić? Czy pozwolić mu na rolę przyjaciela oraz powiernika i patrzeć jak cierpi? Czy może odtrącić go, zerwać kontakty i mieć wyrzuty sumienia? Tak czy inaczej, skrzywdzę go.

Przekręciłam klucz w zamku. Nie widziałam, żeby pani Marysia czuwała przy wizjerze. Całe szczęście, bo co by sobie o mnie pomyślała!? Zgorszenie gotowe! Naturalnie, że Martin na mnie czekał. Stęskniony jak psiak. Oglądał właśnie jakąś niemiecką telewizję, ale gdy tylko usłyszał zgrzyt zamka, dobiegł do drzwi. Przytulił mnie na powitanie.

– Jesteś nareszcie.

Byłam, całą sobą odczuwałam ulgę. Przy Martinie czułam się bezpiecznie. Zapomniałam nawet o słowach Piotra, że kiedyś wróci do Niemiec, do swego świata i zostawi mnie samą. Nie wydawało mi się to możliwe.

– Martin, jutro mam wolne. Czy to nie wspaniała wiadomość?

– Wspaniała! Może wybierzemy się na wycieczkę? Pokażesz mi okolicę?!

– Świetnie.

– No to opowiadaj, co słychać, co się wydarzyło przez cały dzień? – zaczął Martin.

Na takie właśnie powroty czekałam, o takich marzyłam. Żeby ktoś spytał, co u mnie, podał kapcie. Napuścił wody do wanny i nalał lawendowego olejku. Porozstawiał świece i zgasił górne światło.

Kąpiel czekała, spieniona po same brzegi. Weszłam z radością w jej gościnne, aromatyczne kipiele, a Martin tymczasem krzątał się po kuchni.

– Zrobiłem nawet obiad, ale ty zapewne jadłaś, to nie proponuję!

– Nie jestem głodna, ale napiłabym się wina!

– Świetnie. Ja też. Z tobą zawsze.

I przyniósł mi to wino do łazienki, postawił na brzegu wanny, obok świecy. Kucnął przy mnie. Podał mi kieliszek, nalał do pełna. Nalał sobie. Tak się zrobiło cudownie, błogo, w tym blasku świec wszystko nabrało innego wymiaru. To było cudowne wino. Gruzińskie półsłodkie, jak przeczytałam na etykietce. Piłam je pierwszy raz. Miało aksamitną, gę-stawą konsystencję i ciemną barwę. Nigdy wcześniej nie smakowałam takiego wina.

– Martin, skąd masz to wino?!

– Kupiłem w takim małym sklepiku. Powiedzieli, że jest świetne. Smakuje?

– Nigdy nie piłam gruzińskiego wina!

– A wiesz, że jedynie w Gruzji produkuje się wina półsłodkie w sposób naturalny, bez dodawania dodatkowego obcego cukru? Wina te mają naturalny cukier z soku winogronowego. Gruzińskie to moje ulubione.

Na stokach Kaukazu, gdzie powstaje, zima przychodzi trochę wcześniej niż na nizinie. Tam pierwsze chłody wstrzymują proces naturalnej fermentacji soku winogronowego, który Gruzini trzymają w olbrzymich glinianych dzbanach, zakopanych w ziemi. Pozostaje cukier, który nie zdążył przetworzyć się w alkohol i został w winie, tworząc niepowtarzalny aksamitny smak.

– Nie wiedziałam.

Martin patrzył na mnie jakoś inaczej, czulej. Jego oczy w ciemnościach zmieniły barwę, z niebieskich stały się bursztynowe, podświetlone płomieniem ze świecy. Wyglądał zupełnie inaczej.

– Ludmiło.

– Słucham cię.

– Ludmiło, jest mi z tobą tak dobrze. Tak się cieszę, że poznaliśmy się tutaj, w twoim kraju, że moje marzenia o szczęściu z kobietą się spełniły. I już dawno chciałem o tym porozmawiać.

– Mów, proszę...

– Chcę ci powiedzieć, że dla ciebie jestem gotów przeprowadzić się do Polski. Dziś nie spacerowałem po mieście, a szukałem pracy. I chyba już coś mam. Od października mógłbym pracować w szkole językowej!

– Żartujesz?!

Nie żartował. Mówił jak najbardziej poważnie.

– Ludmiła. Ja... Ja chcę być z tobą. Ja cię... pokochałem po prostu. Wreszcie to wydusił. Czułam, że to powie, bo ileż można nosić w sobie coś, co jest tak oczywiste? I co było widać w jego oczach, gestach...

– Martinie. Ja ciebie też kocham...

Nie myślałam, że tak to wszystko przyjmę. Popłakałam się. Ze szczęścia. Życzyła mi tego tamta pani na chodniku, sąsiadka chorej Joli. I spełniło się. Małe marzenie, wypowiedziane jak zaklęcie na chodniku małego miasteczka, pogrążonego w popołudniowym lenistwie.

Tej nocy kochaliśmy się szaleńczo, jak za pierwszym razem. W tym niezwykłym poczuciu bliskości miałam wielką pewność swoich uczuć, które wreszcie znalazły gdzieś swoje ujście. Mówiliśmy o nich otwarcie. Martin dał temu początek, ja poddałam się z radością.

Codzienny rejwach na ulicy Królewieckiej. Nie brakowało na niej sklepików, restauracji i punktów usługowych. Ulica była wyłożona brukiem, który przetrwał do dziś.

Rozdział XVI

O łamaniu granic, szukaniu nowej ojczyzny i odwiedzinach w małym miasteczku, które mogłoby być mekką dla artystów.

Czekałam na to tyle czasu! Bo choć znaliśmy się tak krótko, czułam, jakbyśmy znali się od lat. Mimo bariery językowej, uczyłam się go. Chciałam go rozumieć nie tylko w słowach, ale również gestach i spojrzeniach, czasem tak różnych niż moje. Nie wiedziałam, że miłość do obcokrajowca niesie ze sobą tyle nowych doznań!

Zamarzyłam nagle o dziecku z nim. Jeszcze nie teraz, oczywiście, ale kiedyś, w przyszłości, którą sami wybierzemy. Fioletowe opakowanie z małymi niebieskimi tabletkami zapewniało mi bezpieczeństwo. Rozmawiałam z Martinem o antykoncepcji i powiedziałam mu, że „panuję nad sytuacją". Więcej nie wracał do tematu. Wcześniej Jacek próbował kiedyś coś na ten temat przebąkiwać, widziałam jednak, jak się denerwował, i powiedziałam mu pocieszająco, że panuję nad sytuacją. Swoją drogą, dlaczego mężczyźni są w tych kwestiach tacy wstydliwi? Zbliżają się do kobiet, zaspokajają swoje żądze i wydają się przy tym tacy lekkomyślni. To my, kobiety, mamy się o TO martwić, to jest jakby nasz problem. Może to tylko ja trafiałam na takich mężczyzn? Może gdzieś w świecie są inni?

Obudziliśmy się około ósmej. Jak dobrze, że Artur dał nam dziś wolne. Podejrzewam, że bardziej sobie, bo pewnie trzeźwiał po wczorajszym. Ciekawe, gdzie to robił? W pracy, na podłodze, czy we własnym domu. Jeśli w tym drugim, to jak się dostał do Olsztyna? Aha, z tego wszystkiego zapomniałam mu powiedzieć, że dzwonili do niego od komornika! Martin wstał rozświergotany. Pogwizdując pod nosem, poszedł pod prysznic, a potem do kuchni, robić śniadanie. Miałam tylko nadzieję, że nie będzie banalny i nie przyniesie mi go do łóżka! Nie lubię leżeć w okruchach. Nie był. Zawołał mnie do kuchni. Wiadomo, niemiecka po-rządność, pewnie też drażniły go okruchy!

Zaspana, zasiadłam przy drewnianym stole, nakrytym dziś odświętnym obrusikiem. Martin musiał go znaleźć w komódce. A jeśli tak było, to pewnie zobaczył panujący tam lekki bałaganik, z którym sobie nijak nie mogłam poradzić. Ciekawe, co o mnie pomyślał? Nie chciałam już pytać, bo i po co. Skoro mnie wybrał, skoro zamierza zmienić dla mnie swoje życie? No właśnie... Może należy raczej odradzić mu ten pomysł, namówić go, żeby wrócił do swojego życia, rodziców, którzy pewnie czekają na niego? Bo przecież nie może być tak, że pewna przypadkowa mazurska znajomość zabierze im syna?

Na razie nie zamierzałam opowiadać Martinowi o moich obawach. To nie był dobry moment. Znajdę lepszy. Na razie jest tak cudownie.

– Ludmiło – przerywa Martin milczenie, urozmaicane tylko od czasu do czasu chrupaniem przypieczonego tosta.

– Słucham.

– A czy, kiedy już przeprowadzę się do Polski, będę mógł z tobą zamieszkać? – chyba czytał w moich myślach.

– Wariacie – zaśmiałam się. – Jasne, że tak! Ale czy na pewno tego chcesz?

– Jak niczego bardziej na świecie! Będziemy szczęśliwi, zobaczysz!

– A twoi rodzice?

– Oni zrozumieją. Wrócę przecież do dawnej ojczyzny mego ojca. Do dawnego domu. To takie niezwykłe, co mi się w życiu wydarzyło! Nam... – poprawił się.

– No dobrze, zatem zacznijmy marzyć o nas. – Ja marzę od chwili, gdy cię poznałem!

Postanowiłam zawieźć Martina do Reszla. To bardzo blisko Mrągowa. Kiedyś uczyła się tu Sylwia, w szkole rolniczej. Przyjeżdżałyśmy tu do niej, na weekendowe imprezki, organizowane przez nią w internacie i na terenie miasteczka. Reszel jest jeszcze mniejszy od Mrągowa. Ma jednak niespotykany czar. Z rynku prosta droga prowadzi do zamku, którego największą atrakcją i dobrym duchem jest znany w okolicy i całym kraju rzeźbiarz, pan Bolesław. Tu rzeźbił też sławny Franciszek Starowieyski, dla którego to miasteczko na Warmii bywało inspirujące. Zatem Reszel to miejsce ze wszech miar niezwykłe. I Martin musi je poznać koniecznie! Pokażę mu wieżę, może nawet go zaciągnę na sam szczyt, żeby podziwiać panoramę? A potem pójdziemy do parku położonego w specyficznej dolince, wzdłuż rzeki.

Do Reszla prowadzi malownicza droga. Wiozłam nią Martina dość wolno, starając się pokazać mu jak najwięcej ciekawych miejsc. Pierwszym z nich był Park Słowackiego na obrzeżach Mrągowa.

– Czy wiesz, że ten las po prawej stronie służył przed wojną za wspaniałe miejsce spotkań i rozrywek? – zapytałam, wskazując na niepozornie wyglądające dziś skupisko drzew. – Mieściła się tu elegancka restauracja Waldheim, widziałam ją na jednej z twoich pocztówek w albumie, gdy wrócimy, to ci pokażę. Były alejki, fontanny, rzeźby. A niedaleko znajdowało się uzdrowisko, do którego zjeżdżali chorzy z całych Prus Wschodnich.

– Czy moglibyśmy się tu zatrzymać?

– Oczywiście – zjechałam na prawo, na wysypany żwirem postój.

Martin wysiadł. Wokół nas ścielił się kobierzec różnokolorowych zawilców. Zawsze o tej porze roku ubarwiały Park Słowackiego. Teraz wyglądał najładniej. Choć kolejne pory roku również obchodziły się z tym miejscem łaskawie. Po przekwitnięciu zawilców natura nabierała barw soczystej zieleni, która była tu wszechobecna. Potem jesień wyzłacała gałęzie, sprawiając, że Park zamieniał się w niepowtarzalną jesienną tęczę.

Martin rozglądał się, nie zachwycał się jednak zawilcami.

– Gdzie są te alejki? – zapytał dość naiwnie.

– Martin, z tego nic prawie nie zostało.

– To niemożliwe. Chcesz powiedzieć, że zniknęło z powierzchni ziemi wszystko, czym żyli tamci ludzie? Że nie ma nawet hotelu, ani jednej rzeźby, niczego?

– Nie, teraz jest tu tylko las. Wędrując tymi dróżkami, natrafia się jeszcze na jakieś resztki fundamentów, zwaliska kamieni.

Szliśmy zaniedbanymi ścieżkami. Minęło nas starsze małżeństwo z wnukiem, jadącym przed nimi na rowerze. Potem przeszedł obok nas lokalny artysta plastyk, pan Janek. To jego ulubione miejsce spacerów, często go można tu spotkać. Szedł jak zawsze nieco zamyślony, prowadzący swojego wielkiego rudego psa na skórzanej smyczy.

– Ludmiło, ludzie jednak tu chodzą, lubią to miejsce! Powiedz mi, dlaczego nikt nie chce go odbudować? Wskrzesić tamtej historii? Skoro było tu uzdrowisko, to znaczy, że jest dobry klimat. Czy nikomu nie opłacałoby się stworzenie tu jakiegoś sanatorium?

– To nie takie proste, na to trzeba masy pieniędzy!

– Ale fundusze unijne, jakieś projekty, macie chyba coś takiego, prawda? Nie rozumiem.

– Chodź, wracamy do samochodu – pociągnęłam go za rękaw. Przed nami jeszcze kawałek drogi, chciałam mu pokazać jeszcze inne miejsca. Jak mogłam mu wytłumaczyć powody, dla których wciąż tak trudno w Polsce ocalać od zapomnienia to, co najważniejsze. Sama zaczęłam to dostrzegać niedawno, tak jak niedawno dopiero zaczęłam doceniać specyfikę ziemi, na której przyszło mi żyć, mieszkać, pracować. Kochać. Marzyć. Żyłam jak kiedyś tamci ludzie, przed wojną. Którzy są teraz częścią mojej historii. Ich historia w niczym nie różniła się od mojej.

Dalej była nieco kręta droga, która nagle rozwidlała się. Na Szestno jechało się prosto, na Reszel trzeba było skręcić w lewo. Zawsze, gdy tu dojeżdżam, przypomina mi się pewien wypadek samochodowy. Pierwszego listopada kilka lat temu jechała z Reszla do Mrągowa młoda kobieta. Może była w moim wieku? Nie spojrzała w lewo, czy nie nadjeżdża żadne auto z Szestna. A może spojrzała, tylko myślała, że zdąży. Tamten samochód jechał szybko, kierowca nie spodziewał się, że z podporządkowanej drogi ktoś nagle wyjedzie. Oba samochody zderzyły się z wielkim impetem. Kobieta zginęła na miejscu. Pisałam akurat o tym, czy drogi prowadzące na mrągowskie cmentarze są bezpieczne. Kiedy rozmawiałam z oficerem dyżurnym, zadzwonił telefon. Przyszła właśnie wiadomość o tym wypadku. I pomyślałam sobie, jak niewiele trzeba, jak czasem głupia, drobna chwila zmienia na zawsze czyjeś życie. Tamtej kobiety. Jej rodziny. Jej przyjaciół.

– Popatrz, Martin, to jezioro Kiersztanowskie – wskazałam na długą, szaroniebieską taflę po lewej stronie. Otoczona drzewami i małymi domkami wyglądała niemalże jak makatka. Brakowało tylko jelonka.

– Jak tu u was ładnie – westchnął Martin. – Już wiem, dlaczego Niemcy kochają Mazury. Tu jest po prostu jak w raju!

– Gdybyś zwiedził je całe, pokochałbyś je na pewno – zapewniłam zadowolona.

– Pokochał? Ja już to wszystko kocham! Mógłbym tu żyć.

– Zobacz, a tutaj jest plaża nudystów, w skrócie FKK – pokazałam mu las po lewej stronie drogi.

– Niemożliwe? I oni tam są? Zatrzymajmy się!

– Martin. Jest wiosna. Na pewno nikogo nie ma. Ale podobno przyjeżdżają tu miłośnicy naturyzmu. Tak się u nas mówi. To ziemia prywatna, ale jak chcesz, możemy tam zejść.

Zatrzymałam samochód na poboczu, bo zjazd był fatalny. Trochę bałam się o moją asterkę, czy na pewno poradzi sobie na tych terenach. Zeszliśmy w dół. Usłyszeliśmy jakieś głosy.

– To oni, te golasy – szepnął mi Martin do ucha.

To nie były żadne golasy. Jakaś para pchała samochód pod górę. Grunt był grząski, rozmiękły. Zaoferowaliśmy swoją pomoc. Przyjęli chętnie. Udało się jakoś przepchnąć auto do twardszej nawierzchni i chłopak powoli wyjechał, czekając na dziewczynę już na górze.

– Widzisz, dobrze, że się tu nie wpakowałam – powiedziałam, machając parce na pożegnanie. Schodziliśmy dalej, aż do samego jeziora. Lekko spienione fale biły o brzeg, woda była jeszcze chłodna, nieprzystępna. Martin stanął na skraju, zapatrzył się w dal. Ptaki grały swoje wiosenne wariacje, świat jakby zwolnił, by dać nam te kilka godzin cudnego wytchnienia.

– Jak tu pięknie! Musicie być szczęśliwi! – Martin objął mnie i zrobiło mi się jakoś tak bezpiecznie i romantycznie. I słonecznie, choć wcale nie było dziś słońca.

– Martin, spójrz, tu rośnie mięta! – podbiegłam do małych, omszałych gałązek, wyrastających spomiędzy traw.

– Skąd wiesz, że to mięta?

– No, wiem. Powąchaj – zerwałam listek – jak pachnie.

– Hm, rzeczywiście, ładnie. Jak guma do żucia spearmint.

– To nie mięta pachnie jak guma, tylko odwrotnie! Najpierw była mięta, a potem człowiek wymyślił gumę miętową, wiesz? – zaśmiałam się. – To jest mięta ogrodowa, ktoś musiał ją tu, nad jeziorem posiać. Bo zwykle nad jeziorami rośnie inna mięta, pieprzowa.

– Skąd to wszystko wiesz? – zapytał Martin.

– Po prostu. Jestem z tego świata – zaśmiałam się

– Niesamowici jesteście na tych Mazurach... – objął mnie Martin i wróciliśmy do auta.

Minęliśmy Kiersztanowo. Potem kolejne wioski, równie urokliwe,
spokojne, zatopione w szaleństwie zieleni, która z dnia na dzień bucha-
ła wokół coraz intensywniej. Malowniczy zakręt z siedliskiem nad samą
rzeczką i kaczkami, taplającymi się bezkarnie na brzegu. Nowe domy z bali
w sąsiedztwie starych, mazurskich, krytych charakterystyczną dachówką.
Ostoje spokoju i historii. Opowiadałam Martinowi o tych domach, że
dawniej ludzie wieszali w oknach latarenki, które swym płomieniem witały
zdrożonych gości. Że budowa mazurskich domów rozpoczynała się w pełni
księżyca, to gwarantowało bezpieczeństwo i powodzenie rodziny, a do
nowo wybudowanego domu wprowadzano najpierw psa, żeby rodzinę
omijało wszelkie nieszczęście.

Martin nie wiedział, że przeczytałam o tym wszystkim specjalnie dla
niego, czasem w pracy, czasem wieczorem już w łóżku, w wolnych chwilach. Widziałam jego pasję odkrywania magii mazurskiej ziemi i chciałam
ją w nim jeszcze bardziej wzniecić, rozbudzić. Nie zauważyłam, kiedy
sama zaczęłam patrzeć na otaczający mnie świat zupełnie innymi oczami.
I te wszystkie mazurskie wierzenia i powroty do przeszłości zaczynały
fascynować mnie coraz bardziej.

Dojeżdżaliśmy do Reszla. Bloki rodem z czasów socjalizmu wyra-
stały z ziemi wspólnie ze starymi budynkami, czasem, niestety, zaniedbanymi.

– U was w Niemczech pewnie ładniej, co? – zagadnęłam. Martin skinął
głową. Rozglądał się jednak ciekawie dookoła.

– Patrz, Kozia Górka. Tam można kupić sobie kozie mleko, wiesz?
Piłeś kiedyś kozie mleko?

– Nie, nigdy! Chodźmy tam.

– Teraz nie, ale może kiedyś zajedziemy w jeszcze jedno miejsce. Do
Polskiej Wsi, tam też mają kozy i można kupić kozie przetwory. Mówię
ci, pycha! – przyobiecałam. I pomyślałam sobie: „Biedaku, ty pewnie nawet nie piłeś świeżego mleka prosto od krowy"... Ja załapałam się na ten
rarytas jeszcze w dzieciństwie, zanim świat zalało mleko UHT.

Wjechaliśmy na Stare Miasto. Zostawiłam samochód niedaleko Straży
Miejskiej i ruszyliśmy na spacer. Najpierw zwiedziliśmy niewielki ryne-

czek. Martin rozglądał się po kamieniczkach, uliczkach. Szedł zamyślony. Wreszcie się odezwał, znów – jak w Parku Słowackiego – zdziwiony:

– Ludmiło, powiedz mi, dlaczego to miasteczko, choć mogłoby być rajem dla artystów i turystów, tkwi sobie nieco uśpione za tymi zakrętami i mało kto o nim wie. Popatrz, jakie piękne kamienice, jaki piękny stary kościół. Uliczki, mury stare jak świat. To prawdziwy klejnot!

– Chodźmy jeszcze na zamek – zaproponowałam.

Wjazdu na dzieciniec pilnowali młodzi studenci i czerwony szlabanik. Pamiętam, że kiedyś byłam tutaj, w czasach licealnych, z grupą harcerzy. To były dawne lata. Nie było szlabanika, nikt nie pilnował wejścia. Kto chciał, wchodził. Teraz jest już inaczej. Trzeba zapłacić, żeby poobcować z historią. Zapłaciliśmy skwapliwie i weszliśmy kamienną drogą lekko pod górę.

– Ludka, patrz, jakie drewniane kafle – wskazał mi na część drogi, która zamiast kamieniami wyłożona była pokrojonymi jakby w plastry kawałkami drewna. To drewno wtopiło się w ziemię, leżało tu takie stare, że pewnie samo nie pamiętało, kto je tu kiedyś położył.

– Ale fajny pomysł na wyłożenie alejek w ogrodzie – powiedział Martin. I zrobił zdjęcie komórką. – Zawiozę rodzicom, pokażę, może położymy takie same? Będziemy mówić, że to pomysł z Reszla. No właśnie, jak przed wojną nazywał się Reszel?

– Podobnie. Ressel.

Do wejścia na wieżę kolejka. Nie tylko my przyjechaliśmy pooddychać historią. Są turyści z Polski, ale – jak zwykle – pojawili się również niemieccy. Martin porzucił robienie zdjęć i prawie natychmiast wdał się z nimi w rozmowę. Ja w tym czasie oglądam pamiątki z Reszla, zgromadzone na drewnianym stoisku. Na krzesełku obok siedzi młoda dziewczyna i rozwiązuje krzyżówkę. Gdy tylko słońce wychodzi zza chmur, dziewczyna podnosi twarz do góry, chciwie wyławiając jego promienie.

– Nie mam czas pójść na solarium, może się opalę do wakacji – wytłumaczyła mi z uśmiechem.

Usłyszałam wołanie Martina. Ręką wymachiwał do mnie, bym podeszła do grupy.

– A to Ludmiła, moja narzeczona. Polka – przedstawił mnie grupie niemieckich turystów.

Spojrzałam na niego zdziwiona. Od kiedy to jestem jego narzeczoną? Przecież... Z tego, co pamiętam, nigdy mi się nie oświadczył, a poza tym wcale nie wiem, czy chciałabym być czyjąś żoną?... Zresztą może bym chciała. Ale muszę mieć pewność, że to właśnie ten. Czy Martin jest tym jednym jedynym? Spojrzałam na niego, jak gestykulował, jak cieszył się, że może z kimś porozmawiać w swoim ojczystym języku, jak opowiadał o Toruniu, że też warto go zobaczyć. Pełen pasji, życia, otwartości na innych. Ciekawy świata. Fascynował mnie i jednocześnie prowokował do tego, by podążać za nim.

Schodki na wieżę były bardzo wąskie, ja już pokonałam je kilka razy w moim życiu, Martin szedł tędy po raz pierwszy. Przerażało go chyba trochę, że musiał się mijać ze schodzącymi z góry. Myślał, że może ktoś tu reguluje ruch. Nic z tego. Pełen spontan. Kto pierwszy, ten zejdzie. Szedł więc dzielnie, ja starałam się równomiernie oddychać, żeby Martin nie pomyślał, że zupełnie nie mam formy. Choć nie powiem, słabawo mi się zrobiło. Kiedyś jeszcze chodziłam na aerobik do domu kultury, ale jakoś zaczęło mi brakować czasu, wieczory robiły się coraz bardziej zajęte i trudno było mi wygospodarować godzinki na radosne fikanie w rytm muzyki. Gdyby był jakiś fajny taniec... I żebym jeszcze miała partnera do tańca. To byłoby zupełnie inaczej! Teraz przydałaby się ta forma. Bo Martin gnał do przodu, jakby w obawie, że ktoś mu widoki z tej wieży zabierze.

Były naprawdę piękne. Martin patrzył zauroczony na panoramę miasta. Robił masę zdjęć, mnie również na nich uwieczniał. Czułam się tak swobodnie, nikogo przed nim nie musiałam udawać, choć może jednak troszkę udawałam... Wytrwałą w wędrówkach, nie narzekającą na nic. A tymczasem byłam już zmęczona i głodna, wolałabym usiąść z moim niemieckim chłopakiem w jakiejś restauracji i po prostu zjeść porządny obiad!

Dlatego właśnie tak szybko sprowadziłam Martina na ziemię, dosłownie i w przenośni, i poprowadziłam do lokalu w zamku. Miła kelnerka podała nam kartę, a my zasiedliśmy przy wielkim drewnianym stole, na równie wielkich drewnianych i przypominających królewskie trony krzesłach. Na ścianach widniały autografy znanych osób nawiedzających Reszel. Mimo że prowincja, było tu światowo! Wspaniały obiad – zupa rybna (zaproponowałam ją Martinowi, wszak to danie regionalne!) i pierogi mazurskie (z kaszą gryczaną) – chyba mu bardzo smakował. Zamówił też sobie piwo, dla mnie sok porzeczkowy.

Po obiedzie zaciągnęłam Martina na spacer do Parku Miejskiego. Położony w pięknej dolince, jest miejscem spotkań, spacerów i szczególnym siedliskiem ptaków. Ich trele są niezwykłe, towarzyszą spacerowiczom jak najlepsi przyjaciele. Potem jeszcze poszliśmy górą wzdłuż rzeki, pod mostem i ponownie wyszliśmy niedaleko zamku.

Następnie krótki marsz po rynku, odwiedziny w sklepie spożywczym na rogu, obok kościoła prawosławnego. Mają tam świetne wędliny, jak domowej roboty. Czasem przyjeżdżam tu specjalnie na zakupy, gdy mam w planach jakieś przyjęcie. Tutejsze kiełbaski i szyneczki pachną i smakują tak, jakby pochodziły z przydomowej wędzarni. Czasem trafiają się nawet specjały z dziczyzny! W ladzie chłodniczej leży też smakowite masełko. Ostatnio jadłam takie we wczesnym dzieciństwie, kiedy mama w butelce od mleka ubijała śmietanę, potrząsając energicznie naczyniem. A ja przyglądałam się, jak gęsty płyn powoli przekształcał się w żółtą bryłę. Smak tamtego masła pamiętam do dziś. Te z Reszla nie smakowało tak samo, ale miało podobną wilgoć i delikatność. Kto wie, może w jakiejś maselnicy kleciła je domowa gospodyni? Wrzuciłam zakupy do bagażnika, przypomniałam Martinowi o konieczności zapięcia pasów i w drogę! Wracamy do domu! Mojego. Może już trochę naszego?...

Droga powrotna minęła szybciej niż ta do Reszla. Nie zatrzymywaliśmy się już nigdzie, Martin chyba też był zmęczony. Zajechaliśmy około siedemnastej. To dobry czas na szukanie pieca. Nasypałam jedzenia memu kotu, zmieniłam mu żwirek o zapachu lawendy (czegoż to dla kotów nie wymyślą!) i poszłam do pani Marysi, powiadomić ją, że wybieramy się do pani Zosi, szukać pieca. Poszliśmy do niej we trójkę. Nie odezwała się zza swych drzwi, choć z reguły była w mieszkaniu o tej porze. Raczej nie wychodziła wieczorami. Zapukałam kilkakrotnie, pani Marysia bardzo się zdziwiła:

– Mówiła, że będzie. Zgodziła się pod warunkiem, że ten twój Niemiec nie wejdzie do środka – kiwnęła głową w kierunku Martina. Na szczęście mówiła po polsku.

Zadzwoniłam. Nic. Cisza. Pewnie się staruszka przestraszyła. No tak, przeszła wojnę, na fali repatriacji przyjechała do Mrągowa i wie, co to znaczy z dnia na dzień stracić dach nad głową. Ale tym bardziej powinna była zrozumieć kogoś, kto chciał poznać kraj rodzinny swego ojca. Wiedziałam, że nie było to dla niej łatwe. Mogła jednak nie udawać, że jej nie ma. Przecież Martin nie miał żadnych zaborczych, niecnych zamiarów!

Zadzwoniłam jeszcze raz. Cisza. Chwyciłam lekko za klamkę. Drzwi ustąpiły! Niepewnie zajrzeliśmy do niewielkiej kuchni, z której przechodziło się do pokoju. W kuchni nie było nikogo. Nagle jednak usłyszeliśmy jakieś ciche jęki. Pobiegliśmy tam szybko, zaniepokojeni. Na podłodze leżała pani Zosia, wygięta w nienaturalny sposób. Obok niej leżał taboret ze skajowym obiciem i konewka. Na ścianie, obok świętego obrazka, wisiała paprotka.

– Pani Zosiu, co się stało? – podbiegłam do niej.

– Nic, dziecko, spadłam, nie mogę się podnieść. Tak mi ciężko... – stękała. Pani Marysia próbowała ją poruszyć, ale staruszka tylko głucho jęknęła:

– Nie, moja droga, nie ruszaj. Coś się stało, nie wiem, chyba musicie zadzwonić po pogotowie. Leżę tak już z pół godziny albo dłużej, ścierpłam w tej pozycji.

Martin stał w progu, wyraźnie poruszony tą sceną. Wykręciłam numer pogotowia, przyjadą za około dziesięć minut. Trzeba panią Zosię przygotować do szpitala.

– Pani Zosiu, potrzebne będą dokumenty, że jest pani ubezpieczona. Pewnie zabiorą panią karetką na prześwietlenie!

– Ludmiłko, tam, w małym pokoju mam torebkę, a w niej dokumenty. Mam też odcinki emerytury i wszystkie leki. Przynieś mi dziecko tę torebkę. Czarna, zapinana na magnesik. Pić mi się chce.

– Pani Zosiu, ja pójdę po wodę. Martin, idź do tamtego pokoju – powiedziałam po niemiecku – i przynieś torebkę tej pani. Czarną. Pani Zosiu, gdzie stoi ta torebka?

– Na komodzie – odpowiedziała cichym głosem kobieta, wyraźnie jednak zaniepokoił ją dźwięk niemieckiej mowy w moich ustach i obecność Niemca w jej domu. Patrzyła za nim, gdy ruszył po torebkę, nie miała jednak siły protestować. Poszłam do kuchni po wodę. Kiedy wróciłam, Martina wciąż nie było. Pani Zosia wypiła kilka łyków i opadła z powrotem na podłogę. Pani Marysia podłożyła jej pod głowę niewielką, robioną na drutach poduszeczkę, leżącą w rogu wersalki.

Zaniepokojona przedłużającą się nieobecnością Martina, postanowiłam iść po niego. Stał odwrócony do mnie tyłem. Przy białym piecu, z kaflami malowanymi w niebieskie, mazurskie wzory... Wzięłam torebkę i wyszłam w milczeniu.

Pogotowie przyjechało bardzo szybko. Pani Zosia została sprawnie ułożona na noszach przez pielęgniarzy, trzymając kurczowo torebkę, mówiła do mnie:

– Ludmiłko, opiekuj się kwiatami. Klucz jest na lodówce. Bądź teraz gospodynią w moim domu.

Pani Marysia ubłagała pielęgniarzy, żeby zabrali ją razem z sąsiadką, choć przepisy tego zabraniają. Ja obiecałam, że za godzinę przyjadę do szpitala. Mieliśmy więc czas na obejrzenie pieca. Nie było żadnych wątpliwości – w tym mieszkaniu żyła przed wojną rodzina Hansa Ritkowskiego! Martin stał w tym samym miejscu, w którym go wcześniej zastałam, tuż przy piecu. Oglądał każdy rysunek na kaflu, delektował się prostotą jego wykonania, zachwycał sprawną ręką anonimowego artysty, który malował miniaturki jezior, drzew, ptaków, kamienic. Piękne wykonanie. Piec był dość zadbany, widać było jednak, że jest nieczynny. Na blaszanej podkładce nie było najmniejszych śladów popiołu.

– Ludmiła, to był dom mego ojca... – wyszeptał mój niemiecki mężczyzna, sprowadzony chyba przez dobre wiatry do tej odległej krainy. Musiało to być dla niego duże przeżycie.

– Czy mogę... zrobić kilka zdjęć?

Zgodziłam się. Wszak pani Zosia dała mi swoje pozwolenie na rozpanoszenie się w mieszkaniu. Martin po pięciu minutach wrócił z aparatem. Pstrykał zdjęcia, z fleszem i bez, utrwalał całe mieszkanie, jego prostotę, jego ubożuchne wyposażenie. W dużym pokoju stał stary telewizor, zniszczone fotele, ława i segment kętrzyńskiego stylu, rodem z przełomu lat siedemdziesiątych i osiemdziesiątych, na wysoki połysk.

Mały pokój, ten z piecem, wyposażony był tylko w starą komodę, na której stała walizka z maszyną do szycia, szafę trzydrzwiową z płyty pilśniowej i jednoosobowy tapczanik. Kuchnia niezwykle skromna, ze starym kredensem, pożółkłą makatką z napisem „Co żona gotuje, to mężowi smakuje", kalendarzem z kartkami związanymi gumką recepturką i małą lodówką. Łazienki nie było w ogóle. Tylko wspólna na korytarzu.

– Ludmiła, mogę sprawdzić coś jeszcze? – zapytał Martin, speszony nieco wyglądem mieszkania.

– Co takiego?

– Pamiętasz, mój ojciec mówił coś o ruchomej desce przy podłodze. Kiedy się wyprowadzał, schował tam ołowiane żołnierzyki. Z nadzieją, że tu wróci.

Poszedł z kuchni do pokoju, ja za nim. Obszedł piec dookoła. Podłoga była wprawdzie z desek, ale zostały pomalowane farbą olejną na jakiś nieciekawy, zgniłobrązowy kolor. To oznaczało, że była remontowana i pewnie wszelkie obluzowania zostały naprawione. Martin dotykał każdego centymetra. Na próżno. Chyba nie znajdziemy tutaj żadnych śladów po Hansie. Wychodziłam już z pokoju, kiedy potknęłam się o skromny dywanik i runęłam jak długa, uderzając w otwarte drzwi. Mnie zawsze się takie rzeczy przytrafiają! Na prostej drodze się potknę, wejdę w jakiś kij, w który się zaplączę, przewrócę o maleńki kamyk i dotkliwie potłukę. To normalne. Wcale nie zdziwiło mnie, że znów leżę jak długa! Kiedy się podnosiłam, gramoląc niezdarnie, oparłam się o próg pokoju. Poruszył się lekko. Przyjrzałam się. Przymocowany był dość prowizorycznie na mały gwoździk. Podniosłam deskę do góry. Nie chciałam podnosić jej całkiem, ale zobaczyłam przez szparę niewielkie pudełko. Zawołałam Martina. Podbiegł przestraszony moim upadkiem.

– Nic ci się nie stało?

– Mnie nic, ale popatrz tam – wskazałam palcem.

Ruchoma deska odkrywała tajemnicę sprzed dziesiątek lat. Oderwał ją bez zbędnych ceregieli. Trzasnęło nieprzyjemnie. Pani Zosia nie byłaby zadowolona. Nic to, naprawimy! Z zagłębienia wyciągnął pudełko po niemieckiej kawie. Niewielkie, blaszane. Widziałam podobne w muzeum. Otworzył je nerwowo. Wieczko na początku nie chciało puścić, stopione z resztą ciemnobrązową rdzą. Martin nie zwracał uwagi, że złamał sobie paznokieć. Chyba nawet nie zauważył. Siłował się jeszcze chwilę, po czym udało mu się w końcu zerwać wygiętą w czworokąt blaszkę. Z pudełka wysypały się ołowiane żołnierzyki Hansa Ritkowskiego. Jego dorosły syn płakał nad nimi jak dziecko.

Rozdział XVII

O testosteronie, który wywołuje wojny i specjalnym hormonie przyciągania do siebie różnych ludzi i historii.

Martin nie mógł zasnąć. Ja byłam zmęczona całym dniem. Tyle się wydarzyło. Pani Zosia złamała nogę w kostce, na szczęście niezbyt groźnie. Została jednak w szpitalu, w domu nie miałaby koniecznej opieki. Zadzwoniłam do niej i obiecałam, że nazajutrz odwiedzimy ją z panią Marysią, przyniesiemy jej posilnego rosołku i kawałek drożdżowego placka. Wieczorem przeczytałam jeszcze kilka stron książki *Dom nad rozlewiskiem* i zgasiłam światło, bo ogarnęła mnie nagła senność. Podskórnie jednak wyczuwałam niepokój Martina. Przekręcał się z boku na bok, a ja nie wiedziałam, co mogę zrobić, jak mu pomóc. Gdy wróciliśmy z mieszkania pani Zosi, zaraz zadzwonił do ojca. Opowiedział mu o znalezisku. Rozmawiali dobre pół godziny. Widziałam, że jest pod silnym wrażeniem odkrycia. Stał się milczący, sądziłam więc, że chce zostać z tymi emocjami sam. Dlatego nie zagadywałam, wolałam poczekać do jutra.

Jutro znajdzie dostęp do Internetu i wyśle zdjęcia mieszkania, pieca i żołnierzyków na skrzynkę mailową jakiejś Rity. Tyle zrozumiałam ze strzępów rozmowy, którą usłyszałam przez ścianę. Rita to pewnie sąsiadka, Martin mówił, że tak będzie najszybciej, że Rita na pewno wydrukuje i przyniesie ojcu zdjęcia. Nie wiem, kiedy zasnął, ja zasnęłam wcześniej. Musiałam wstać przecież rano do pracy, choć gdy o tym pomyślałam, skręcało mnie w żołądku. Nie wiedziałam, jak uda mi się spojrzeć na Artura. Muszę coś wymyślić, przecież nie mogę pracować z takim człowiekiem – fałszywym i zupełnie pozbawionym skrupułów!

Sensburg
Waldheim — Kaiserbrunnen

Tych fontann w obecnym Parku Słowackiego już nie ma. (gdzieniegdzie można spotkać ich pozostałości. Tędy właśnie spacerował mały Hans.

Ranek przywitał mnie deszczem. Dobrze, że mam już auto. Choć nie było daleko, postanowiłam pojechać do pracy. Martin spał twardym snem, zmęczony emocjami. Tak chciałam się do niego przytulić, ale przez to, co się wczoraj stało, wydał mi się nagle obcy.

Wychodziłam z mieszkania, czując, że coś jest nie tak, jak być powinno. Nie zostawiłam Martinowi żadnej kartki. Miałam w sobie żal, że ta niemiecka historia mi go odebrała. Z drugiej strony... Nie mogłam mieć pewności, jak sama bym się czuła, gdyby nagle mnie nawiedził duch przeszłości. Nie wiedziałam, jak szybko się o tym przekonam...

Artura nie było w pracy. Była natomiast reszta zespołu.

– Gdzie naczelny? – zapytałam.

– Nieobecny do końca tygodnia. Mamy sami robić tygodnik – wyjaśniła mi Jola.

Jasne, znów wszystko na naszej głowie. Muszę pokazać naszemu wydawcy screeny z fałszowaniem honorarium, z donosami na mnie. Miałam jednak przeczucie, że Artur jest właśnie u niego. Przecież dobrze się znają. Jak ten sprawiający wrażenie ustatkowanego i rozsądnego człowieka mógł być w zażyłej znajomości z kimś takim?

Włączyłam komputer, sprawdziłam skrzynkę mailową. Autoryzacja wywiadu z lokalnym politykiem. Nudny jak flaki z olejem ten wywiad. Ale zbliżają się wybory, wraz z nimi lansowanie się i obszczekiwanie tych z drugiej strony barykady. Nigdy nie rozumiałam upolitycznienia lokalnej rzeczywistości. To dobre dla Warszawy bądź województwa, gdzie zapadają ważkie, centralne decyzje. Lokalna społeczność rządzi się przecież innymi zasadami. Tu się wszyscy znamy, wychowaliśmy się w jednej piaskownicy, chodziliśmy do jednej szkoły, nasi rodzice przyjaźnili się. Dlaczego nagle miałaby nas podzielić polityka? O ileż łatwiej patrzeć w tym samym kierunku! Bo przecież chyba o to nam wszystkim chodzi, prawda? Rewitalizacja śródmieścia, kanalizacja na Zatorzu, remont stadionu – to wszystko ma służyć wszystkim, a nie dzielić i być pretekstem do politycznych układów. No i jeszcze jedno. Polityką przeważnie zajmują się mężczyźni. Walczą ze sobą zacięcie jak koguty, a ich kobiety żyją własnym życiem, chodzą do tych samych: kosmetyczki, czytelni, dentysty. Mają wiele wspólnych spraw. Może gdyby kobiety chętniej angażowały się w sprawy społeczne, byłoby inaczej, łagodniej, a może nawet efekty byłyby lepsze. Bo kobiety są bardziej pracowite! To mężczyźni walczą, konkurują i dążą do zniszczenia przeciwnika. Testosteron wywołuje wojny.

Takie myśli nachodziły mnie za każdym razem, gdy byłam świadkiem politycznych nagonek, organizowanych pod przykrywką jakiegoś niby-wspólnego interesu i dla tak zwanego dobra lokalnej społeczności. Mój kolejny wywiad był tego dowodem. Co mogłam jednak zrobić? Lokalny polityk, z którym rozmawiałam, był nowo zapoznanym na jakiejś imprezce znajomym Artura i został mi po prostu zlecony. Niech będzie. Przynajmniej pytania zadałam mu takie, żeby nie było łatwo!

Kolejny mail. Artur. Informuje, że do końca tygodnia go nie ma. Wyjechał do Opola. Przeczucie mnie nie myliło. Jestem pewna, że chciał mnie tym mailem zdenerwować. Kolejna wiadomość. Spam, ktoś chce mi sprzedać viagrę. Nie potrzeba, dziękuję. I kolejny. Nieznane imię. Od jakiejś Haneczki. Tak przynajmniej wyświetliło mi się w skrzynce odbiorczej. Kliknęłam w wiadomość.

„Szanowna Pani. Czy jest Pani córką Jana Golda, urodzonego 15 maja 1937 roku w Chorzelach? To dla mnie bardzo ważne. Proszę mi odpowiedzieć. Szukałam Pani w redakcji, chciałam się z Panią spotkać osobiście, gdy byłam przejazdem w Mrągowie. Pani adres mailowy otrzymałam od koleżanki w redakcji. Czekam na informację i pozdrawiam".

Zamurowało mnie. Byłam córką Jana Golda. Mój tato urodził się w Chorzelach, cała jego rodzina pochodziła stamtąd, choć tak niewiele o niej wiem, gdyż wszyscy wcześnie umarli i byłam jakby pozbawiona korzeni. Tato, przedwcześnie osierocony, jako młodzieniec trafił do Mrągowa. Wychowywał się u kuzyna. Potem zamieszkał w kamienicy, w której mieszkam do dziś. Tu sprowadził moją mamę, przybyłą na te ziemie z Mystkówca Starego, niewielkiej wsi między Pułtuskiem a Wyszkowem.

Wiadomość zaintrygowała mnie, ale nie bardzo wiedziałam, czy chcę na nią odpisywać. Imię Hanusia niewiele mi mówiło. Nie znałam żadnej Hani. Wrzuciłam maila do skrzynki usunięte i zabrałam się do pracy. Na chwilę zapomniałam o wszystkim, spisując relację z sesji rady gminy, ale już za chwilę myśl o mailu powróciła.

Postanowiłam opowiedzieć o wszystkim Piotrowi. Akurat miał chwilę, więc podbiegłam do cukierenki po mufinki, niewielkie babeczki o lekko pomarańczowym smaku i zapachu, zaparzyłam żółtego liptona, dosypałam cukru i rozsiadłam się przy jego biurku, kusząc go smakowitościami. Piotr nie dał się długo prosić, poruszył nosem śmiesznie jak chomik i przerwał pracę, obracając się w moją stronę na obrotowym krześle.

– No słucham cię, Ludmiłko, bo chyba chcesz mi o czymś opowiedzieć. Tylko proszę, nie katuj mnie rewelacjami miłosnymi z waszego polsko-niemieckiego związku – zażartował.

– Piotrze, mówisz jak zazdrośnik. Czy mnie się zdaje? – odpowiedziałam żartem.

– Zdaje ci się, to jasne.

– Zanim jednak przejdę do sprawy, powiedz, jak Artur wrócił po swoich urodzinach do domu?

– No jak, samochodem, zwyczajnie.

– Ale przecież ostro pił!

– Tym się zupełnie nie przejął. Wsiadł i pojechał. A Patrysia nie protestowała. Wiesz, nawet chciałem zadzwonić po policję – zwierzył się, ściszając głos. – Ale ulitowałem się nad nim. Słyszałem, że ma masę długów, jakieś kłopoty, podobno na imprezie zwierzył się Joli i chłopakom. Nie chciałem go dobijać.

– Trzeba było... – wymamrotałam.

– Następnym razem – roześmiał się beztrosko. – No a teraz, z czym do mnie przychodzisz?

Przysunęłam się i pokazałam mu maila. Wcześniej oczywiście go wydrukowałam. Piotr przeczytał i powiedział, że powinnam jednak odpisać.

– A co, jeśli to jakaś uboga krewna? Albo naciągaczka. Albo stara ciotka, którą będę musiała się opiekować? Pamiętaj, że wisi nade mną widmo bezrobocia! – zaśmiałam się. Dodawałam sobie animuszu, ale naprawdę trochę się tego bałam.

– Równie dobrze może to być jakaś bogata krewna, która nie ma co robić z majątkiem. Ale, czekaj, czekaj. Ja ją raz widziałem. To młoda dziewczyna. Ładna nawet.

– We wrzosowym szaliku... – powtórzyłam opis Joli.

– No właśnie, na pewno nie żadna schorowana ciotka. Wyglądała porządnie. Wzbudzała zaufanie.

– No dobrze, zatem napiszę do niej.

I napisałam: „Szanowna Pani. Nie znam powodów, dla których miała-bym do Pani pisać, nie znam bowiem Pani ani Pani zamiarów, potwierdzam jednak, że jestem córką Jana Golda, który zmarł w 1994 roku. Czy może mi Pani wyjaśnić, czemu zawdzięczam Pani mail i wcześniejsze odwiedziny? I skąd Pani mnie zna?"

Klik, wyślij. I poszedł mój list w daleki świat. Niesamowite to wszystko, ten cały Internet, komunikacja w sieci. Niby nie istnieje, bo Internetu nie można przecież dotknąć ani powąchać, niby to wszystko jest takie nierzeczywiste, jak myśli, a jednak w końcu maile nabierają kształtów, trafiają do ludzi, wysyłane jednym kliknięciem przenoszą informacje, emocje, nadzieje, terminy spotkań, a potem to wszystko realizuje się w normalnym, ludzkim wymiarze, całkowicie dotykalnym! Fascynujące!

– Co robisz dziś po południu? – zagadnął mnie Piotr. – Czy nadal spędzasz każdą minutę z niebieskookim, czy może pójdziesz ze mną po pracy na obiad?

Zaskoczył mnie tym pytaniem.

– A dlaczego pytasz? Jest jakaś okazja?

– Nie, po prostu chciałem z tobą pogadać. Wiktor do mnie napisał. Tęskni. Ja za nim też.

W sumie, mogłam iść. Martin i tak pewnie przez cały dzień będzie zajęty swoimi sprawami. Zasnął wczoraj taki obcy. Może nie zauważy nawet, jeśli się trochę spóźnię? Zgodziłam się. Pójdę, pogadam, niech tam! Piotr poweselał wyraźnie. Byleby nie odebrał tego jako danej mu nadziei! Pogroziłam mu palcem zza biurka.

– Coś za wesoły jesteś. Jola też to zauważyła.

– Wiecie, że Piotr się jakoś zmienił. Nie zauważyliście? Chłopaki ro-ześmiali się. Było znów radośnie w naszej redakcji, nawet Jola mnie nie drażniła swoim nieskomplikowanym podejściem do życia. Było po prostu jak dawniej. Ale we mnie wciąż tkwił niepokój, męczyły mnie złe prze-czucia. Obawy. To szczęście przyszło chyba tylko na chwilę.

Obiad okazał się prawdziwą ucztą. Siedzieliśmy w restauracji Mazurskiej, tej samej, w której poznałam Martina. To jedna z lepszych miejscowych knajp, nie spodziewałam się, że Piotr zaprosi mnie wła-śnie tutaj.

Auto zostawiłam na parkingu przed redakcją. Piotr też. Poszliśmy na piechotę, bo to całkiem blisko, w samym centrum, jak mówią wrocławianie lub krakowianie: „W rynku". Piotr zamówił nam lina w śmietanie i po lampce białego wina. Kelnerka przyniosła danie na kwadratowych talerzach, takich samych, jakich używał czasem Robert Makłowicz w swoich kulinarnych programach. Kwadratowe są teraz na topie, choć mnie niespecjalnie się podobają. Łagodna opływowość tradycyjnych naczyń działa uspokajająco, jest czymś naturalnym, normalnym, odziedziczonym po przodkach. Kwadrat sam w sobie jest ostry, nieprzychylny. Nie, nie lubię tych wielkomiejskich wynalazków, mód, tego zachłystywania się trendami! To nie moja bajka.

Smak lina w śmietanie na szczęście okazał się całkiem tradycyjny. Kucharz nie przesadził z przyprawami, nie zapomniał o cytrynowym pieprzu, który bardzo z rybą smakuje, śmietana nie zwarzyła się, nie zrobiła się twarogiem zebranym na rybiej skórce, lecz była delikatną pierzynką, ozdobioną zieloną gałązką pietruszki. Do tego wąskie ósemki ziemniaczków, zapiekanych w piekarniku, i sałatka z białej kapusty. Palce lizać! Jadłam jak zwykle szybko, za szybko na elegancką restaurację, choć starałam się dokładnie przeżuwać, żeby było jak na filmie. Nic z tego. Głód zrobił swoje i pierwszą połowę dania pochłonęłam, gdy Piotr zaledwie dziobnął lina, pobełtał wino w kieliszku i również spróbował, smakując tak zwany bukiet.

– Chyba byłaś głodna? – roześmiał się.

– Bardzo. Świetny pomysł z tym obiadem! – wykrzyknęłam, zagarniając ustami liść sałaty z dekoracji. Mogłam go pokroić, ale nie, jak zwykle coś mnie gnało, nie potrafiłam zwolnić. I pchałam ten liść do ust, pomagając palcem. Zawsze zjadałam dekoracje z potraw. Piotr przyglądał mi się. Pewnie patrzył z politowaniem, może ze współczuciem.

– Pocieszna jesteś – powiedział tylko. – Lubię patrzeć, jak zajadasz z apetytem. Chcesz moją sałatę?

– Jasne, dawaj – niczym nieskrępowana swoboda pozwoliła mi na zjedzenie również sałaty Piotra. – A teraz mów.

I opowiedział. Kilka dni temu odezwała się była żona Piotra. Pisała o jakichś problemach wychowawczych z Wiktorem i zasugerowała, że chłopak powinien spędzić z nim wakacje. Przynajmniej jeden miesiąc.

Bo ona sobie z nim nie radzi, jej mama również. No i pyta, czy Piotr by się zgodził. Piotr rozmawiał na skypie z synem, podobno bardzo tęskni, ma jakiś kryzys, coś w tym rodzaju. Ma słabe oceny, nie radzi sobie z włoskim w szkole, dzieci go nie akceptują, a ostatnio jest już całkiem trudno. Piotrowa opowieść była bardzo smutna. Bo i cały Piotr był smutny. Najwyraźniej nie pogodził się nigdy z wyjazdem Wiktora.

— Przecież tutaj jest jego miejsce, w naszym kraju. Nie musiała go zabierać! – wyraźnie miał żal do byłej żony.

— Dziecko powinno być z matką – broniłam kobiety. – Ale może niechby wróciła do kraju, przecież na pewno znalazłaby pracę, nie ma już takiego skrajnego bezrobocia jak kiedyś. Cokolwiek, byleby na miejscu. Mały miałby do mnie blisko, mógłbym go widywać częściej. A tak...

— A nie myślałeś, żeby wasz związek poskładać? – zapytałam.

— Kiedyś o tym myślałem. W sumie, nie wiem, czy bym chciał, to tyle lat. Teraz to już chyba niemożliwe. Rozmawiałem z Wiktorem. Mówił, że mama się z kimś spotyka. Jakimś Włochem. Antoniem. I wiesz, ja myślę, że te oceny i to wszystko z tego powodu. Nie tylko z tęsknoty. Ja myślę, że Witek jest po prostu zazdrosny. Bo czuje się samotny! – Piotrowi głos zadrżał, oczy zaszkliły się niebezpiecznie.

— Piotrze, tak mi przykro, naprawdę. Jakoś się to na pewno poukłada.

— Ludka, tak bym chciał ułożyć sobie życie. Jakoś mam już dość samotności. Może gdybym był z kimś, byłoby mi łatwiej to znieść. Tę tęsknotę. Wiesz, jak brakuje mi syna. Na szczęście Wiktoria nie zabrania mi z nim kontaktów, możemy do siebie dzwonić, kiedy chcemy. Ale to za mało.

— Widzę, że ci trudno.

— Bardzo. Ile można pracować?! Ile można zabijać czas różnymi zleceniami po godzinach, żeby tylko nie siedzieć w domu? Ludka, jestem tym wszystkim zmęczony, naprawdę. Dobrze, że choć z tobą mogę pogadać.

Piotr skończył swój obiad, ponieważ ja ze swoim uporałam się już dawno, jeszcze przed jego opowieścią o synu, wypiliśmy kolejną lampkę wina. Zrobiło się znów spokojnie, romantycznie, znów moje kłopoty odeszły całkiem daleko. Stały się niemal niewidoczne. Zmieniliśmy temat. Właściwie ja zmieniłam, bo już miałam dość smutnego Piotra, który chyba trochę za bardzo roztkliwiał się nad sobą, może za sprawą wina? I zaczęłam opowiadać historię znalezionego wczoraj pieca i ołowianych żołnierzyków. Słuchał z uwagą, kiedy jednak wspomniałam o Martinie, zapytał:

– A kiedy on zamierza wrócić do tych swoich Niemiec? Z tego, co wiem, to jego delegacja już dawno wróciła. A on co?

– Zamierza tu zostać, w Polsce. Może od września znajdzie pracę w szkole językowej. Sam się o to postarał.

– No nie – jęknął Piotr. – To niemożliwe. Po co on tutaj? Naprawdę tak chcesz z nim być?

– Piotrze, może, kiedy się bliżej poznacie, zmienisz o nim zdanie.

– Chyba ty, Ludka, żartujesz. Chcesz mnie zaprzyjaźniać z moim rywalem. Przecież gdyby nie on... Może z tobą, ja... Co sądzisz o tym, powiedz? Miałbym jakieś szanse u ciebie?

Zagrało pianino w rogu pomieszczenia. Usiadł przy nim muzyk. Młody, pewnie jeszcze uczeń szkoły muzycznej. Muzyka piękna, rozbiegła się po klawiaturze. To było *W starym kinie*. I zrobiło się jakoś tak przedwojennie, jakbyśmy przenieśli się w czasie. I Piotr skojarzył mi się z przedwojennym eleganckim panem, który zaprosił mnie na *rendez vous* do eleganckiej kawiarni, wręczając mi czerwoną różę na powitanie. Ja sama byłam przez chwilę jak dama, nie musiałam zmagać się z kłopotami, widmem bezrobocia. Poczułam na swojej dłoni miękki dotyk. Piotr pocałował mnie w rękę. Prawdziwy przedwojenny gest! Jakby czytał w moich myślach! Czy miałby szanse? Nie wiem. Skoro przez tyle lat nie zwróciłam na niego uwagi, to chyba nie. Przecież już by wcześniej coś zaiskrzyło, prawda? Siedział zwykle w tych swoich słuchawkach, wyalienowany i oderwany od rzeczywistości, trochę zakompleksiony, a może tylko przestraszony życiem, może trochę poturbowany i zniechęcony. Wzbudzał raczej litość niż pożądanie. Ale przecież mu tego nie powiem, przecież widzę, jak się stara!

– Piotrze, nie wiem, być może mielibyśmy szanse. Ale najważniejsze jest to, że jesteśmy przyjaciółmi.

– Czy ty w ogóle wierzysz w przyjaźń między kobietą a mężczyzną?

– Nie wiem, może i wierzę. A ty?

– Ja wierzę, że istnieje tylko do momentu, kiedy przerodzi się w miłość.

– A musi się przeradzać?

– Czasem musi, to jedyne wyjście. Czasem ta przyjaźń staje się czymś za małym, niewystarczającym. Tak jak teraz. Ludmiło, bo ja... chyba... kocham cię...

I tak usłyszałam drugi raz w tym tygodniu wyznanie miłości! Od dwóch różnych mężczyzn. Tyle czasu zmagałam się z własną samotnością, poznałam, jak to jest być porzuconą, a teraz, kiedy już ta moja samotność minęła, zaczęłam cierpieć na nadmiar męskich uczuć. Pierwszy raz tak się czułam. A może to po prostu kobiety po trzydziestce stają się atrakcyjne i pożądane, bardziej od dwudziestek, które są zbyt wojownicze i zbyt zachłannie chcą zagarniać męski świat dla siebie? W każdym razie moja kobieca próżność była dziwnie zaspokojona. Tylko co ja miałam zrobić z tym niespodziewanym wyznaniem Piotra?

Nie zrobiłam nic. Po prostu milczałam. Piotr chyba też się zdziwił, że powiedział mi o tym. Za wszelką cenę chciał mnie wyrwać Martinowi. Nie mógł pogodzić się, że jestem z tamtym, że jego wybrałam. Odprowadzał mnie w milczeniu. Sam mieszkał również w centrum, podobnie jak ja, miał więc blisko do pracy.

Pocałował mnie w bramie, ukradkiem, dotknął palcami policzka.

– Do jutra, dziękuję za dziś i czekam na jutro. Będę myślał o tobie. Wróciłam do domu. W mieszkaniu panował półmrok. Paliła się lampka, mój kocurek wylegiwał się na kanapie, Martina nie było. Zadzwoniłam do niego. Skoczna muzyczka odezwała się z komody. Nie wziął telefonu. Podniosłam aparat do góry i machinalnie sprawdziłam listę połączeń. Było ich dziś kilka, jeden numer z Polski, a reszta do albo od Rity. Pewnie mieli problemy z wysyłaniem zdjęć. Odłożyłam telefon i poszłam nakarmić kota. Potem wybrałam się po zakupy, bo w mojej lodówce panował dziwny przeciąg. Tyle się ostatnio dzieje, że nie mam czasu na robienie posiłków! A przecież tak lubię gotować!

W supermarkecie nie było za wielu ludzi. Kupiłam karmę dla kota, to najważniejsze. Ostatnio go trochę zaniedbałam, muszę to odpracować. Wybrałam tę, którą lubił najbardziej. Kolejna rzecz to mąka. Muszę zrobić znów zapas pierogów, zbliża się sobota, pierogowy dzień. Tydzień temu byliśmy w Toruniu, więc jeden mi przepadł. Dalej cieniutko pokrojona i ułożona na tacce żywiecka. Lubię na kanapki. Z prawdziwym masłem. Jeszcze tym z Reszla. Brokuły. Ciasto francuskie. Zrobię Martinowi świetną roladę z brokułów zawiniętych w ciasto francuskie. Najprostsze danie świata. Trzeba ugotować brokuły na całkiem miękko. Rozdrobnić na masę i zawinąć w schłodzone ciasto francuskie, w taki duży rulon jak makowiec. Po czym włożyć do piekarnika. Po dwudziestu minutach danie jest gotowe. Efektowne, szybkie, tanie i, niestety, dość tuczące, ze względu na ciasto. Ale bez przesady, przecież nie jem tego codziennie! A Martinowi przytycie raczej nie grozi. Jeszcze tacka z mielonym mięsem, czekoladki z koniaczkiem i ruszam w stronę kasy, bo będę musiała za dużo dźwigać. Auto zostało, trzeba więc z siatami lecieć z powrotem na piechotę!

Dźwięk esemesa. To Piotr. Dziękuje za miłe popołudnie. Ja mu też. Naprawdę było miło. Odpowiedź: „Co teraz robisz?" „Zakupy – odpowiadam. – Stoję w kolejce do kasy".

Kolejny esemes: „Mogę ci pomóc". „Nie, dziękuję, poradzę sobie" – odpowiadam. „Dla ciebie wszystko" – odpisuje. Ja już nie piszę nic. Mam zajęte ręce. Dwie płócienne siatki, torebka, mżawka kwietniowa pada z nieba, nie mam parasolki. Obliczam czas. Niedługo majowy weekend. Trzeba coś zaplanować.

W domu szybko posprzątam i resztę popołudnia spędzę, robiąc sobie małe przyjemności. W zasadzie może pójdę do Baśki na te obiecane brwi, bo na większy zabieg nie mam czasu. Ostatnio jestem zagoniona jak koń na rodeo. Niech będzie. Zanoszę siaty na górę i schodzę z powrotem. Basia ma gabinet na mojej ulicy, w budynku po byłym spichlerzu. Miejsce z klimatem. Drewniane drzwi, cichy dzwoneczek obwieszcza moje wejście. Wchodzę do przytulnego pomieszczenia, z firankami, z drewnianymi szafkami i półkami, z pięknym sekretarzykiem. Basia żegna właśnie klientkę i odprowadza do drzwi. Wita się teraz ze mną wylewnie, dawno mnie nie widziała.

– No, wreszcie jesteś, siadaj, opowiadaj.

– Dobrze, ale zrobisz mi brwi?

– Jasne.

I już przysuwa mi stare, gięte krzesło z poduszką z koronki. Rozsiadam się na nim i patrzę, jak moja koleżanka krząta się przy mnie, miesza hennę i nakłada mi na brwi. A ja mogę tak sobie siedzieć i słuchać, jak mówi, szybko i dużo, jakby w te kilka minut chciała wypowiedzieć całe tygodnie. Potem wosk i szybkie, sprawne pociągnięcie, po którym wybucham śmiechem:

– Baśka, ale zostawiłaś mi choć trochę brwi, czy wszystko wyrwałaś?!

– No coś ty, jasne, że zostawiłam. Teraz krem.

Opuszczam głowę, patrzę na belki sufitowe, ozdobione kłosami zboża, zaplecionymi w wianuszki. Ładnie tu sobie Basia urządziła, tak wiejsko i swojsko zarazem. I zatęskniłam za takim światem, zwyczajnym, prostym, pachnącym suszonymi kłosami, jak ten Basiny gabinet.

– Dziś nie mam czasu na dłużej, wpadnę kiedyś na kwasy owocowe, dobrze? – wyciągam pieniądze, zaledwie dziesięć złotych, i kładę na stoliku. Oceniam w lustrze dzieło koleżanki. Super. Brwi ładne, oko jakby większe. Po prostu, pięknie! Wracam do domu, ale wciąż jestem w nastroju zadbania o siebie, więc postanawiam zrobić sobie kilka zabiegów we własnym zakresie. Bo my, kobiety z prowincji, przyzwyczajone jesteśmy do samodzielności! Zatem najpierw maseczka z białej glinki. Po niej kładę na włosy balsam z henną w kolorze miedzianym – ostatni wynalazek za pięć złotych, który nie niszczy włosów i sprawia, że stają się gęstsze, bo henna pokrywa je warstwą barwnika. Potem manicure i pedicure. Następnie zmywam białą glinkę – trzeba powoli zapracowywać na swoją twarz. Po czterdziestu pięciu minutach zmywam hennę. Kładę balsam z oliwek, zawijam w turban i wspominam, jak kiedyś wzięłam się za malowanie brwi henną we własnym zakresie. Położyłam barwnik i... zapomniałam o nim. Przypomniało mi się po czterdziestu minutach. O losie, co mi wyszło na twarzy! Grube, czarne kontury. Wyglądałam jak Seweryn Krajewski. Próbowałam zmywać cytryną na przemian z wodą utlenioną. Wreszcie wyrwałam połowę brwi i resztę czarnych nacieków zeskrobałam pumeksem. Skończyło się na tym, że miałam strupy wokół oczu i bałam się pokazać światu.

Spłukuję balsam oliwkowy, który nadał połysku i odżywił włosy. Teraz wcieram serum w końcówki (długie włosy wymagają specjalnego traktowania), zabieram się za suszenie i modelowanie. Włosy ułożone, czas na podkład i makijaż. Efekt jest zadowalający, mogę oczekiwać na mego mężczyznę!

Martin wrócił dopiero wieczorem. Spotkał się z właścicielem szkoły językowej, który zadzwonił dziś z ostateczną propozycją. Dostał tę pracę i to za niezłe pieniądze. Jak na nasze warunki. Jak na niemieckie – dość

Rozdział XX

O drodze do Wilna i o tym,
jak zostałam autobusową dziewczyną Piotra.
I o tym, dlaczego Litwini się nie uśmiechają.

Droga do Wilna bardzo się dłużyła. Autokar wynajęty był dla informatyków z całego regionu a także z okręgu warszawskiego, obcy zupełnie mi ludzie, którzy między sobą przeważnie się znali, a takich, jak ja, przypinanych, było zaledwie kilkoro. Głównie kobiety, dla których wyjazd był sposobem na spędzenie długiego weekendu w towarzystwie męża lub chłopaka. Piotr znał prawie wszystkich, brylował w tym towarzystwie i widać było, że dobrze się z nimi czuł. Pewnie niejedną integracyjną imprezę w swoim gronie zaliczyli. Panowie zerkali w moją stronę ciekawie, powstrzymywali się jednak od pytań i komentarzy, zauważyłam jednak jedno porozumiewawcze spojrzenie grubszego, wysokiego bruneta w kierunku Piotra. Piotr wzniósł tylko do góry oczy, na znak, że teraz nie będzie o tym rozmawiać. Nie przy mnie. Brunet okazał się prezesem całego stowarzyszenia i miał na imię Stefan. Miał dobrze po pięćdziesiątce, może nawet bliżej sześćdziesiątki, ze wszystkimi jednak był na ty i mnie zaproponował to samo.

– Jako dziewczyna Piotra masz do tego pełne prawo – rzekł bezceremonialnie, poprawiając koszulę, która wysunęła mu się ze spodni. Już otwierałam usta, żeby powiedzieć, że nie jestem dziewczyną Piotra, a jedynie jego koleżanką z pracy, jednak kątem oka zauważyłam wychylający się spod tej koszuli wiszący fałd owłosionej skóry. Brzuch. Kiedyś musiał być znacznie większy, teraz był już jakby pozbawiony tłuszczu, z różowymi nitkami rozstępów, zalegał tylko nad paskiem od spodni. Wyobraziłam sobie wycinanie tego fałda nożyczkami i roześmiałam się mimowolnie.

– Z czego się śmiejesz? – zapytał Piotr.

– Nie, nic, tak sobie coś przypomniałam...

– Nasz szef już taki jest. Stefan zawsze był bezpośredni. Nie przejmuj się – wyjaśnił.

– Chyba kiedyś był gruby, co?

– I to jak! Teraz jest na jakiejś specjalnej diecie. Podobno świetnie mu robi. Stracił już trzydzieści kilo.

– Widać, bo skóra mu wisi jak na nosorożcu. Piotr zaśmiał się.

– Spostrzegawcza jesteś. Ja na szczęście nie mam z tuszą problemów – klepnął się w twardy brzuch.

Do granicy całe towarzystwo było już lekko wstawione. Nasz wesoły autobus zatrzymywał się na każdej większej stacji benzynowej celem zaspokojenia potrzeb fizjologicznych pasażerów, którzy jakby zwariowali na ich punkcie. Zwłaszcza po piwie. Mnie się też to udzieliło, wolałam zawsze na zapas zrobić siusiu, bo nie znosiłam stanu oczekiwania na toaletę. No i nie powiem, też trochę wypiliśmy z Piotrem, zadbał o wyposażenie elegancko. Miał domowej roboty nalewki od jakiejś ciotki spod Kętrzyna, a chłopaki z sąsiednich siedzeń mieli koniaczki i whiskacze, więc piliśmy same niepoślednie trunki. Ja ostrożnie, Piotr raczej też, on w ogóle był we wszystkim wstrzemięźliwy, natomiast niektórzy koledzy poweseleli do tego stopnia, że na granicy musieliśmy za nich wymieniać złotówki na lity, bo biedaki nie dali już rady przeliczać kasy.

Oj, niech już będzie to Wilno! Pogoda była jak na zamówienie, czułam się dobrze pierwszy raz od dobrych kilku dni, choć wciąż towarzyszył mi jakiś lekki niepokój. Z radia dobiegł śpiew Maleńczuka:

„Trzy dni, trzy łzy, na ratunek aniołów nie ma, a ty piszesz mi spokojnie «śpij». Czy wiesz, że ja umieram kilka razy? Trzy dni, trzy łzy, zawsze tak, gdy znikasz gdzieś. Nie lubię, jak wyjeżdżasz, wiesz, nawet niebo smutne jest" ...i zrobiło mi się smutno, bo też nie chciałam, żeby Martin wyjeżdżał, a tak wierzyłam, że tym razem się uda, że będziemy szczęśliwi. I chociaż nie dopuszczałam do siebie myśli o Martinie, to jednak dopadły mnie same, piętnaście kilometrów od Wilna, i nie potrafiłam sobie z tym poradzić.

– Co się stało, źle się czujesz? – zapytał Piotr, patrząc z niepokojem, gdy nagle moja twarz powędrowała w kierunku szyby i zaczęłam się uparcie wpatrywać w mijany krajobraz. Chciałam powstrzymać łzy. Nie wychodziło mi. Miała to być terapia na smutki, ten wyjazd do Wilna, a tymczasem zapowiada się ceremoniał rozpamiętywania.

– Miałaś być dzielna, odpędzić złe myśli i nastroić się na jasne kolory! Musisz marzyć o tym, że będziesz szczęśliwa. Sama tak mówiłaś. Wszystko, co postanowisz, to się stanie, zobaczysz. Jak będziesz smutna, to zrobi się w twym życiu za dużo miejsca na smutek. Postaraj się pomyśleć o tym, czego chcesz od życia, jakie masz wobec niego plany, jakie masz marzenia. Wyobraź sobie siebie w tych marzeniach, a powoli będzie się to stawać – Piotr mówił z jakąś pasją i zapamiętaniem.

– Piotr, ja to wszystko wiem, ale czasem tak ciężko.

– Wiem, że ciężko, ja też miewam dołki, ale staram się wciąż pamiętać o marzeniach. Ludmiło, wszystko będzie tak, jak sobie wymyślisz, naprawdę. Wiem, że ci ciężko, ale teraz wyliżesz rany i z każdym dniem będzie bolało mniej.

Wilno powitało nas nocą, jechaliśmy chyba w rekordowo wolnym tempie, te przystanki, zatrzymywanie się sprawiły, że wszyscy mieliśmy już dość podróży. No i towarzystwo było lekko śnięte, niektórzy przechodzili już w stan alkoholowej beztroski, ulice Wilna mijaliśmy ze śpiewem na ustach. Stefan intonował rosyjskie dumki, był w tym wspaniały, ktoś powiedział o jego wschodnich korzeniach. Potem zaczęliśmy wykrzykiwać piosenki ludowe, mnie udzielił się nastrój muzycznej beztroski i smutne myśli rozpierzchły się jak dym nad gasnącym ogniskiem.

Hotel znajdował się w samym centrum, wysoki, elegancki, niczym nie różniący się od tych w Polsce. Stefan robił za kierownika wyprawy, nakazał nam pobieranie kluczy i stwierdził, że kolacji już tu nie dostaniemy, trudno, przepadła. Idziemy spać na głodnego.

– Chyba że znajdziecie całodobowy. I za długo nie łazić po hotelu, bo jesteśmy tutaj gośćmi, a nie u siebie, pamiętajcie. Jutro o ósmej trzydzieści śniadanie w sali obok recepcji, wszyscy przychodzą wypoczęci i odświeżeni.

Odbieraliśmy klucze do hotelowych pokoików na zwolnionych obrotach, nasz na szczęście był na parterze, ale byli też wśród nas tacy, którzy musieli windą wjeżdżać na szóste piętro, a to już wymagało od nich znacznie większej uwagi i percepcji. Biorąc pod uwagę ich stan nieważkości, mogło być niewesoło.

Wiedziałam, że będę miała pokój razem z Piotrem. Mieliśmy dzielić go sprawiedliwie, po równo, żadnych romansów, zasady ustaliliśmy jeszcze w autobusie, zresztą Piotr obiecał nietykalność. To słowa dotrzyma. Ledwo doczłapaliśmy się korytarzem wyłożonym bordowym chodnikiem. Hotel był wytłumiony, nie było słychać naszych kroków. Cicho, przyjemnie, luksusowo. Ale nie szpanersko. Pokój był bardzo przyjemny, poprzedzony wąskim przedpokojem. Po prawej łazienka, o której odświeżającym działaniu marzyłam od połowy drogi.

Rzuciłam torby na progu i wskoczyłam, zamykając drzwi z cichym:
– Ja pierwsza!

I już leciał na mnie łagodny strumień wody około trzydziestopięciostopniowej, czyli takiej akurat na zdrożonego turystę. W ścianie tkwił dozownik z żelem pod prysznic, opisany po niemiecku, angielsku i litewsku. Ani słowa po polsku. Trochę szkoda. Przecież my też tu przyjeżdżamy. Można powiedzieć – masowo.

Żel pachniał wspaniale. Był delikatny jak aksamit. Wmasowałam go w skórę z przyjemnością, a ona odwdzięczyła mi się niezwykłą miękkością. Szorstki biały ręcznik przyjął nadmiar wilgoci niemal błyskawicznie. „Dobry gatunek bawełny, ja nie mam takiego ręcznika" – pomyślałam. Jeszcze zęby, nad umywalką następny dozownik, tym razem z mydłem. I tabliczka, żeby oszczędzać ręczniki, bo w tysiącach hoteli codziennie prane są tysiące ręczników, czasem zupełnie niepotrzebnie. Znów tylko po niemiecku, angielsku i litewsku. I znów brakuje mi polskiego. Kiedy byłam w Wilnie dziewięć lat temu, język polski można było spotkać prawie wszędzie. Hotele nie były tak luksusowe, ale z każdym potrafiłam się dogadać. Ale może niepotrzebnie się czepiam. My też złościmy się, gdy Niemcy przyjeżdżają do nas i chcą rozmawiać po niemiecku. Ale i tak staramy się odpowiadać w ich języku. Litwini są widać bardziej konsekwentni. No tak, tylko dlaczego używają angielskiego i niemieckiego? Powinien być sam litewski! Hm, to za trudne do rozważania na dzisiejszą noc. Piotr czeka w kolejce do łazienki. Koszula nocna, szlafrok, który zabrałam specjalnie, mając w perspektywie paradowanie w koszuli przed obcym mi bądź co bądź mężczyzną.

Piotr już się rozpakował i czeka cierpliwie. Przepraszam, że tak długo, i wskakuję do łóżka, szlafrok rzucając niedbale na fotel. Mam teraz chwilkę, by rozejrzeć się po wnętrzu. Chłodny prysznic spowodował, że się nieco ożywiłam. Mały pokoik, ale ze wszelkimi luksusami. Radio, telewizor z całym zestawem kanałów, co jednak mnie nie kusi, telewizję oglądam raczej sporadycznie. Szczelnie zasłonięte grube zasłony, dwa wygodne łóżka, przedzielone nocnymi stolikami z eleganckimi lampkami. Sięgam po książkę. Trochę mnie peszy, że śpimy tu razem z Piotrem, może będzie w nocy chrapał, a potem się tego wstydził, może ja będę gadać przez sen. Ale tak naprawdę nie ma się czym przejmować. On wygląda na takiego, który się nie przejmuje, to może i ja?...

Nie słyszałam, kiedy wyszedł z łazienki. Nie, żeby książka była nuda, ale jakoś zastygła mi w dłoni. Szybko wpadłam w objęcia Morfeusza, mimo wszystko byłam przecież zmęczona. Piotr musiał mi potem tę książkę odłożyć na stolik, bo rano leżała na nim spokojnie, przełożona nawet zakładką. Zdjęciem Martina przed moją kamienicą. Już mogłam sobie odpuścić taką zakładkę, ale zapomniałam o niej, naprawdę! Piotrowi musiało zrobić się smutno, przecież wiem, jaki był zazdrosny. I w głębi duszy się pewnie cieszył, że zakończyło się już to moje wielkie polsko-niemieckie uniesienie.

Obudziłam się około siódmej. W sumie, nie spałam zbyt długo, ale szkoda czasu na sen. Biegniemy zwiedzać! Wstałam po cichu, nie zerkając nawet w stronę mego sąsiada, bo wydawało mi się, że jedna noga wystawała mu spod kołdry tak bardzo, że ta zsunęła się na bok, odsłaniając niebieskie bokserki. Przecież nie będę go podglądać! Ciekawe, czy moja koszula mi się w nocy nie podwinęła i nie ukazała bawełnianych majtek z szeroką koronką?!

Znów łazienka, znów prysznic, ja wciąż się czyszczę, sprawia mi to przyjemność. Nacieranie balsamem, kremowanie twarzy. Piotr śpi, to może i lekki makijaż na dzień, przecież nie będę paradować przed nim niezrobiona. No tak, mężczyzna jest doskonały, a kobiety muszą się malować. Ubieram się w wygodne spodnie w kratkę i tunikę, na nogi espadryle, na pewno stopy to wytrzymają, choćbyśmy mieli chodzić kilka godzin. Na wszelki wypadek zarzucę na ramiona sweter. Torebka z aparatem. W sumie, mogę iść na śniadanie. Trzeba dobudzić Piotra.

Już wstał. Zdążył nawet wywietrzyć pokój, a okno wyzwolone z objęć ciężkiej kotary odwzajemniło się cudnym widokiem na park, a w oddali na ulice Wilna, rozpędzone, rozbudzone porankiem.

– Dzień dobry, koledze. Nie chrapałam? – zaświcrgotałam.

– Dzień dobry, koleżance. Nie chrapałaś. A ja? Skąd miałam wiedzieć, spałam snem kamiennym.

Na śniadaniu nie wszyscy się pojawili. Pewnie dogorywali po podróży. Stefan był trochę wkurzony.

– No przecież nie będę ich zbierał po pokojach! Pojedziemy zwiedzać Wilno bez nich! – grzmiał.

I tak się stało. Prawie połowa nie przyszła. Ale to nic, sami sobie winni. Dotarła do nas natomiast pani pilot i obiecała, że pokaże wszystko, co warto w Wilnie zobaczyć. Powoli, bo mamy na to cztery dni. Atrakcji wystarczy. Zaczęliśmy standardowo, od kościołów, których nie mogłam spamiętać, i od cmentarza na Rossie. Jakaś starsza pani deklamowała nam nad grobem matki Piłsudskiego wiersz o Polsce i patriotyzmie, i o samym Marszałku. Podziękowaliśmy jej oklaskami, ale ona stała dalej. Dopiero pani pilot podpowiedziała, że staruszka czeka na drobne datki. To lokalna poetka, dorabia do emerytury. No to ruszyliśmy do niej z drobniakami, które po chwili zabrzęczały raźno w puszce. Babinka poweselała wyraźnie, a i nam się zrobiło lekko i radośnie z powodu dobrego uczynku. Obok cmentarza stały stoiska z bursztynem, który w Wilnie jest wyjątkowo tani. Mężczyźni nie mają takich zainteresowań, ale towarzyszące im panie, ze mną włącznie, dopadły do tych stoisk jak sroczki. Nie żałowałam pieniędzy, wybrałam piękną bransoletę, naszyjnik i broszkę, kolczyki już miałam, a Piotr patrzył na mnie i śmiał się serdecznie.

– Oj, kobiety, kobiety, wy tylko na te błyskotki patrzycie! – słychać było donośny bas Stefana. Może i patrzymy, ale za to jakie ładne w nich jesteśmy! A rude ciepło bursztynów ma w sobie coś magicznego. Podobno Słowianki nosiły na szyjach bursztynowe ozdoby. Łączyły się dzięki nim w jakimś tajemniczym rytuale z bogami. Może i ja dzięki tym drobnym kamykom zaklnę w sobie moje marzenia, może znajdę miłość, może nie będę już samotna, jakaś niedokończona? Może kiedyś utulę w ramionach maleńką córeczkę? O tym właśnie myślę, zakładając naszyjnik, a Piotr zapina mi go chętnie, chwaląc mój wybór.

– Wyglądasz pięknie. Pasują do oczu, do włosów, do całej ciebie. Wyglądasz jakoś inaczej... – mówi. Może magia już działa?

Po wizycie na cmentarzu, dość zresztą zaniedbanym, pojechaliśmy na Stare Miasto. Znów zwiedzamy kościoły, potem Cela Konrada i obok niej kolejny kościół. Zadziwia mnie, że wszyscy tu czekają na jakieś pieniądze. Starszy pan sprzedaje na ulicy święte obrazki, bezbłędnie wyławiając z barwnego tłumu Polaków. Inny pan opowiada historię zaniedbanego kościoła i też prosi o wsparcie. Kobieta sprzedaje na ulicy dewocjonalia z Ostrą Bramą, nagabuje, by kupić pamiątkę. Wolę sama decydować o tym, co przywiozę do domu na pamiątkę. I koniecznie gościniec dla przyjaciółek!

A jest z czego wybierać, bo na jednej z ulic rozłożyli się rękodzielnicy. Kupiłam gliniane dzwonki, drewniane witrażyki w okna i ręcznie tkane makatki. Na pewno spodobają się dziewczynom. No i mojemu domowi również! Piotr nie kupuje gościńców. Jak mówi – nie ma komu.

– No, a Wiktorkowi? – spytałam go ostrożnie.

– Nie wiem, co mogłoby mu się spodobać?

– Może drewniany koń? Wszyscy chłopcy podobno kochają konie?

I Piotr wybiera ostatecznie tego konia. Trochę się targuje, ale w końcu podaje banknoty sprzedawcy.

– Synek na pewno się ucieszy – mówi mężczyzna bardziej do mnie niż do Piotra. A ja cieszę się, że wreszcie usłyszałam polską mowę, że nie muszę przestawiać się na inne europejskie języki.

– Pan jest Polakiem? – pytam.

– Tak, pochodzę z polskiej rodziny. Mieszkam pod Wilnem.

– Dlaczego tu tak mało polskiej mowy? Przecież jeszcze kilka lat temu było zupełnie inaczej?!

– Czasy się zmieniły. Litwini to nieufny naród. Nie przepadają za Polakami. Może i trochę są Polacy sobie winni. Bo głośni, hałaśliwi, czują się tu, jak u siebie. Litwini trochę się boją, że Polacy zechcą tu wrócić.

– To zupełnie jak u nas, na Mazurach. Też jest ta niechęć, obawy, może z latami coraz mniejsze, ale są. Chociaż teraz, po tych wygranych procesach o dawne majątki, niepokoje znów mogą się pojawić – zagaduję rzeźbiarza. Piotr trochę już się znudził, chodzi po sąsiednich straganach i jednak coś jeszcze kupuje. Drewniane łyżki i widelce! Czyżby kompletował zastawę?

– Słyszałem, co się u was dzieje, mówili i u nas w telewizji. Mówi się, że Litwini to nacjonaliści, ja tam nie wiem, mieszkam tu spokojnie, rzeźbię, żyję z tego, nic dla mnie wielka polityka. Mam przyjaciół i Polaków, i Litwinów – wyraźnie broni swoich współobywateli.

– No tak, ale zauważyłam, że czasem trudno jest im powiedzieć „Dzień dobry" i „Do widzenia", że panie bileterki podają bilety bez słowa i kasują pieniądze z miną marsową. To samo w sklepach. Panie w kasach nie odzywają się, a jak człowiek o coś spyta, to burczą po litewsku! Czuję się jak u nas w czasach komunizmu. Też było tak ponuro. W hotelach nie ma napisów w języku polskim, są za to po niemiecku i angielsku. Jakby wyraźnie dawali nam do zrozumienia, że nie jesteśmy tu mile widziani. A przecież możemy być mili, jak sąsiedzi, tak? – pytam może nieco retorycznie, ale wydaje mi się, że mam rację. Z każdą godziną spędzoną w Wilnie upewniam się, że ta niechęć jest wręcz namacalna.

Rzeźbiarz już nic nie mówi. Życzy nam tylko miłego pobytu i szczęścia do sympatycznych Litwinów. A potem już z wycieczką szukamy jakieś przyjemnego miejsca na posiłek. Bo czas na obiad!

Pilotka zaprowadziła nas do sympatycznej restauracji z pysznymi, podobno, blinami z wereszczaką, czyli sosem ze śmietany i smażonej cebuli. Gdybym miała na co dzień się tak odżywiać, na pewno w tydzień straciłabym talię, z której jednak jestem dość dumna. Swoimi obawami podzieliłam się z Piotrem.

– Ludmiłko, przecież tobie to nie grozi! – objął mnie w pasie lekko i spontanicznie. Przy wszystkich! Bo stół mamy biesiadny, duży. Stefan porozumiewawczo mrugnął okiem. Na pewno sobie coś pomyślał!

Bliny rzeczywiście super. Delikatne, puszyste, dobrze usmażone. Wereszczaka niebezpiecznie smaczna. Bo i litewska śmietana jest niezwykła! Do tego szklanka litewskiego Svyturysem Baltas, czyli Dziewięć Włók, piwa w ciemnobursztynowym kolorze. Spełniły się życzenia tamtego rzeźbiarza – trafiliśmy na bardzo sympatyczną, młodą Litwinkę, która nas obsługiwała. Mówiła płynnie po angielsku, Stefan deliberował z nią cierpliwie, my też ją rozumieliśmy, choć zdarzały się zabawne nieporozumienia, i śmialiśmy się wspólnie z naszych językowych potyczek. Nareszcie! Więc jednak można! Stefan dosiadł się do nas, rozochocony obecnością litewskiej kelnerki i zimnym piwem. Zrobił nam zdjęcie i powiedział:

– No, Piotrze, ale ci się trafiło. Ładna ta twoja kobieta, nawet bardzo. Widzisz, szczęście się jednak uśmiechnęło i do ciebie. Jak długo jesteście razem, mogę wiedzieć?

Już chciałam dziękować za komplement i prostować, ale Piotr mnie ubiegł:

– No, już trochę czasu. Na tyle, żeby się dobrze poznać. I rzeczywiście, mam szczęście.

– Mam nadzieję, że zabrzmiało to dyplomatycznie? – zapytał mnie szeptem, gdy Stefan powrócił do rozmowy z kelnerką.

– Ale dlaczego tak mu powiedziałeś? Przecież nie jestem twoją dziewczyną?

– Ludmiłko, zrozum mnie, zawsze mi na tych naszych wspólnych spotkaniach dokuczali, że ja wciąż sam, że mnie widać żadna nie chce. A teraz nagle pojawiam się z taką kobietą jak ty. Wiesz, jaka mnie duma rozpiera? Poudawajmy, proszę, przecież nikt nie musi wiedzieć!

Parsknęłam śmiechem. Przecież i tak nikt mnie tu nie zna, to co tam, pobawimy się w taki mały teatr, jak dzieci!

Po całym dniu chodzenia po Wilnie nie czujemy nóg. Nie mamy już siły na wieczorne peregrynacje, które zaproponowała ta część wycieczki, która zdążyła się wyspać, bo nie poszła na poranne i popołudniowe zwiedzanie miasta. Spotkaliśmy się z nimi około szóstej po południu, gdy resztką sił dotarliśmy do hotelu. Stefan zapowiedział, że następnego dnia dobędzie się w sali konferencyjnej obiecane szkolenie, „bo po coś tu przecież przyjechaliśmy", a osoby towarzyszące będą miały czas wolny.

– To fajnie, pójdę do jakiegoś marketu i zrobię zakupy – mówię Piotrowi.

– Nie, nie idź, wolałbym potem pójść z tobą. Najwyżej wybadaj, gdzie jest ten market, dobrze? – zaproponował nieśmiało.

– No dobrze. W takim razie wybiorę się po prostu na spacer. Mieszkamy w centrum, pozwiedzam okoliczne sklepy. Może kupię sobie coś ładnego? – przyjmuję propozycję Piotra. W ogóle mam wrażenie, że Piotr mnie adoruje, okazuje zainteresowanie na każdym kroku. Podczas zwiedzania miasta służył ramieniem, podanym chętnie i prawie od razu. Zapłacił za bliny. Kiedy chciał pokazać mi coś ciekawego, łapał za rękę. Pomyślałam, że to element naszej gry w zakochaną parę, ale jego dłonie niebezpiecznie drżały. Trochę zaczęłam się obawiać Piotra i jego myśli. Skąd mogłam wiedzieć, co sobie w głowie projektuje? Wracaliśmy do hotelu zwartą grupą, zmęczoną, głodną i pełną wrażeń. Oklaskami pożegnaliśmy pilotkę, która umówiła się z nami na pojutrze, by przed wyjazdem pokazać nam Troki. Jutro mamy wolne od niej i zwiedzania.

W drodze powrotnej przechodziliśmy obok placu Giedymina. Na szarej płaszczyźnie jakieś grupy grały w szachy – ogromne, znacznie większe od człowieka. Dźwigali te szachy z uporem maniaków, zdobywając punkty dla każdej z drużyn. Szkoda, że nie było teraz z nami pilotki, powiedziałaby nam o tej niecodziennej grze. Czuliśmy się trochę jak w krainie liliputów. Ale podobało się nam to niecodzienne widowisko!

Na hotelowym korytarzu pachniało smakowicie. Chyba hotelowa kuchnia serwuje jakąś kolacyjkę. Może skorzystamy? Reszta towarzystwa też chętnie przystaje na ten plan, zwłaszcza ci zmęczeni zwiedzaniem. Mościmy się więc na wygodnych krzesłach i czekamy na przybycie obsługi. Ta pojawia się dość szybko. Zamówienie przyjęte. Wybraliśmy wszyscy dania regionalne, a jakże! Cepeliny może nie są najlepszym pomysłem na wieczór, ale za to jakim pysznym! Ze smażoną cebulką, niezwykłe! Trzeba przyznać, że tutejsza kuchnia rozpieszcza podniebienie. I ciało pewnie też. Po powrocie do domu zdecydowanie przechodzę na dietę!

Stefan zachęca nas do integracji międzypokojowej. Ale utrzymanej w ryzach czasu i kultury osobistej. Znaczy to tyle, że mamy nie szaleć, nie hałasować, żeby nie dawać Litwinom powodów do krytyki. My z Piotrem postanawiamy przejść się trochę, bo towarzystwo już planuje popijawkę, a my nie mamy na nią ochoty. Mnie jedno piwo do obiadu wystarczyło, a Piotr wygląda na zmęczonego.

– Zatem krótki spacerek i wracamy do pokoju. I potem, jak będziemy chcieli, to się zintegrujemy – zarządza.

Kiedy wyszliśmy na Stare Miasto, na wileńskich ulicach zapadał już zmierzch. Pojawiła się młodzież, ładnie ubrana, elegancko i z fantazją, nie żadne tam dżinsy z wyłożonymi nań brzuchami i tłustymi boczkami oraz chińskimi bluzkami i plastikowymi butami, spotykanymi, niestety, dość często na polskich ulicach. Tutaj panuje inny styl. W ogóle – styl, bo tę polską niedbałość trudno nazwać stylem. Może tak jest tylko na prowincji, może w większych miastach młodzież też jest ubrana oryginalnie.

Ale ja jestem z małego miasta i po mojemu widzę różnicę. Mówię o tym Piotrowi, w zasadzie nie odpowiada nic, chyba to temat mu obcy. Ale przecież wziął się za siebie, siostra go dopracowała, nie ma co! Do Wilna też ubrał się fajnie. Jak na razie. Dziś wystąpił w ciemnych, prążkowanych sztruksach, czerwonej bluzie z kapturem i dżinsowej marynarce. Strój ujął mu lat. Wygląda jak trzydziestoparolatek. Niczym mój rówieśnik! Jasne, że mu to mówię, niech mu będzie miło, w sumie, to jego zasługa, że w tym Wilnie odcinam się już trochę od moich kłopotów, że robi mi się na sercu coraz lżej. Zapominam.

Powietrze pachnie wiosną, jak dobrze, że już jest, że już rozgościła się na dobre na naszym świecie. Pięknym i w Polsce, i na Litwie, i może w Niemczech... Pachną bzy, wciągam powietrze tak łapczywie, szybko, żeby zapamiętać ten zapach na cały rok. Potem już nic nie pachnie jak ten majowy bez. Lekko zmoczony deszczem, bo trochę kropi, ale to nas nie przeraża. Najwyżej włosy mi się poskręcają w lekkie fale. Też ładnie.

Godzina spaceru wystarczy na ten nasz przedsen wileński. I żeby spalić obfitą kolację. Wracamy do hotelu. Część naszej wycieczki już mocno wstawiona dokazuje w hotelowym barze. Namawiają barmana na jakieś wynurzenia. Mówią łamanym rosyjskim, barman wyraźnie wkurzony. Nie lubią tu tego języka, może tak jak polskiego, nie lubią tu chyba nas, choć zostawiamy pieniądze! Mam wciąż takie wrażenie i rozmawiamy o tym z Piotrem. Nasze rozmowy są takie mądre, Piotr jest doskonale we wszystkim zorientowany. Sytuacja polityczna, gospodarcza, rzuca trudnymi nazwami. Inteligentny jest, trzeba przyznać. I nawet już nie taki nijaki. Z Martinem tak nie rozmawialiśmy. Być może sprawiła to bariera językowa, a może po prostu był inny. BYŁ to dobre słowo. Nie ma już Martina. Myślę o tym z żalem. Niech sobie żyją z Ritą szczęśliwie, niech dochowają się gromadki uroczych dzieciaków. Może już mają? Chyba nie, bo mówił mi przecież, że nie ma dzieci. W każdym razie Ritę kiedyś wybrał, pokochał, a mnie tylko wykorzystał.

Wiem, że taki sposób myślenia to prawdziwy masochizm. Męczę samą siebie. Ale boli coraz mniej. Bezbolesność. To moje marzenie. Już sobie je w głowie projektuję, jak mi radził Piotr i mądre książki, może magia bursztynów mi pomoże? Dawnego słowiańskiego jantaru...

Po powrocie ze spaceru zalegamy na łóżkach. Oboje zmęczeni. Piotr opowiada jakieś historie ze swoich podróży w towarzystwie informatyków. Kiedyś mieli szkolenie w ekskluzywnym hotelu w górach i przyjechał na nie znany polski pisarz. Opowiadał, że szkolenie szybko przekształciło się w wieczór autorski i było niezwykle przyjemne. Zwłaszcza w towarzystwie czerwonego wina, roznoszonego przy okazji. Fajnie należeć do takiego towarzystwa!

Właśnie ogarniała nas zmęczeniowa błogość, kiedy zapukał ktoś do drzwi. Stefan.

– Koniecznie musicie przyjść do pokoju sto szesnaście. Dzielą dobrymi trunkami. Trzy dziewiątki i suktinis! Koniec tych romansów!

Wiedziałam, że to litewskie trunki, główne i najchętniej kupowane przez Polaków. Kilka lat temu też je przywoziłam.

– Co sądzisz Ludmiłko? – zagadnął mnie Piotr z nagłym ciepłem w głosie.

– Hm, w sumie, możemy pójść spróbować.

Poszliśmy. W pokoju panował gwar, część paliła papierosy. Przywitali nas głośno i z oklaskami.

– Piotruś, jaką masz miłą narzeczoną! – wykrzykiwali jego koledzy, ośmieleni alkoholem. – Ludmiła, siadaj przy nas, czym chata bogata.

I wyjechały na drewnianą ławę litewskie kiełbasy i pokrojony w kawałki ciemny wileński chleb. Skądś wytrzasnęli też ogórki kiszone. I grzybki marynowane. Były nawet śledzie, których ostra woń wisiała w powietrzu. To zmieszanie zapachów spowodowało, że zakręciło mi się w głowie i przez chwilę mnie zemdliło. Siadłam jednak ze wszystkimi i rozpoczęłam degustację, delikatnie, w planach mając rychły powrót do pokoju hotelowego. To nie byli przecież moi znajomi.

– A pamiętacie wtedy, w Szczecinie, co wyczyniał Piotr? Założył się z nami, że przepłynie basen i prawie się utopił. A taki był zawzięty, że odpoczął i lazł dalej do tej wody!

– No, nie wstydź się teraz, opowiedz, jak to było. Nie chciałeś przegrać skrzynki browarka!

– A pamiętacie Stefana? Jak pomylił pokoje i wlazł jednej pani do łóżka? – rzucił ktoś następną historię.

– Zabiję! – krzyknął Stefan i rzucił się na tamtego. – Nie mów w ogóle o tym!

– Cha, cha, cha, no i potem ta pani została jego sezonową miłością!
– dodał Piotr, roześmiany i wyluzowany. Alkohol rozwiązał języki. Stefan
po chwili sam zaczął opowiadać, jak pomyłka zakończyła się romansem,
ale krótkim, bo kiedy tamta zaczęła go za bardzo zagarniać, przyjeż-
dżać często do niego i telefonować, Stefan po prostu podziękował jej
za współpracę.

– Gniazdko chciała ze mną uwić, ale nic z tego, po moim trupie! Ja,
zatwardziały kawaler jestem, nie dam się żadnej usidlić! – klepnął się
głucho w pierś. I za chwilę dodał ciszej:

– No chyba, że pięknej Ludmilce – cmoknął mnie szarmancko w rękę.
Zmieszałam się, a Piotr się zezłościł. Wyraźnie.

– Bo by cię baba od komputera przeganiała! My, informatycy tak mamy,
zaburzone życie rodzinne. Niestety, coś za coś! – powiedział do mnie jakiś
blondyn, siedzący obok. Przybył widać z odsieczą.

Odstawiali na bok kolejne puste buteleczki, ja nie piłam prawie wcale,
byłam dziwnie zmęczona. Piotr trochę się krygował i oszczędzał, ale po-
pijał, bo, jak powiedział, mus taki. Z kolegami trza wypić.

Kto wymyślił te głupie zasady? To przecież bez sensu. Dyktatura alkoholu. Na każdej zabawie, do każdego tańca bądź spotkania. A przecież można zupełnie na trzeźwo, przy romantycznie podanej herbatce.
Dotknęłam Piotra, siedzącego obok.

– Wiesz, chyba pójdę się położę, jeśli chcesz, to zostań. Tylko zejdź ze
mną, weźmiesz klucz z powrotem, żebyś mnie nie budził, kiedy wrócisz.

– Luduś, posiedź jeszcze trochę z nami, proszę...

– Naprawdę nie mogę, padam z nóg. Zresztą wy się znacie, tyle
razem jeździcie, a ja tu siedzę jak kołek w płocie.

– Jak wolisz, kochana – powiedział. I głośno dodał:

– Ludzia idzie spać, zmęczona już jest, ja ją odprowadzę i zaraz wracam!

– Buuuuuu – rozległo się buczenie dezaprobaty. – Nie idźcie jeszcze.
Impreza dopiero się rozkręca!

– Zaraz wracam, naprawdę! – zapewnił Piotr, odsuwając za mną krzesło.

– Niech idzie ukołysać tę swoją rudą Marusię do spania! I niech wraca! Zaraz. Żadnych tam jakichś... – zaśmiał się tubalnie Stefan. I pogroził
nam palcem.

Ukłoniłam się wszystkim, podziękowałam za gościnę, powiedziałam,
że było bardzo miło, i w tył zwrot, na pięcie, i prosto do drzwi. Piotr za
mną.

– Możesz naprawdę tu z nimi pobiesiadować, nie ma problemu, Piotr.
Nie przejmuj się mną, ja już nie miałam po prostu ochoty!

– No przecież nic nie mówię. Ludmiła, daj spokój, jak będę chciał, to
wrócę, też mam już dość. Wiesz, gdybym powiedział, że nie wracam, to
by nas tak szybko nie wypuścili.

I wróciliśmy do naszego pokoiku bezszelestnie, po schodach wygłu-
szonych idealnie, mijając tylko po drodze starszą panią z wałkami na
głowie. Zamawiała budzenie. Gwar z pokoju sto szesnaście był wyraźnie
słyszalny, cichł dopiero po zejściu na parter.

– Chyba się za głośno zachowują, zaraz portier przyjedzie zwrócić
im uwagę. To w sumie nieładnie, Piotr, że tak hałasują. Mieli siedzieć po
cichutku. A potem będzie znów na nas, że Polacy to głośny naród. I za
co mają nas tu lubić?

– Masz rację. Niepotrzebnie tyle imprezują, poszliby już spać, zwłaszcza że rano wstajemy.

– To już do nich nie wracasz?

– Nie mam zamiaru. Poopowiadamy sobie różne historie z życia. Co
ty na to?

– No dobrze, byleby niezbyt intymne, wiesz! – zaśmiałam się głośno.
I zaraz stłumiłam ten śmiech dłonią. – Pssst, jesteśmy w hotelu.

W pokoju zostawiliśmy otwarte okno i panował teraz nocny chłód.
Pachniało wiosną. Całe Wilno pogrążone było w tym zapachu. Zieleń,
kwiaty. Piękna pora roku. A Wilno jakie piękne!

Padłam na łóżko swobodnie, miałam naprawdę świetny humor.

– Jak dobrze, że już wróciliśmy, Piotrze, prawda!?

– Też się cieszę, Ludmiło – powiedział jakoś poważniej niż zwykle.
Trochę się przestraszyłam.

– To ja pójdę się wykąpać – zerwałam się na nogi i chwyciłam kosmetyczkę.

– Idź, idź, ja po tobie.

Kąpiel postawiła mnie na nogi. W szlafroczku wynurzyłam się z łazienki i rozsiadłam się na swoim łóżku.

– Łazienka wolna! Nawet nie nachlapałam!

W sumie zawsze chlapałam. Kąpałam się jak kaczka. Ale teraz, przy Piotrze, trochę się wstydziłam tych moich nawyków. Może wcale nie musiałam? No ale starszy był ode mnie, miał jakieś swoje przyzwyczajenia, po co miał o mnie myśleć, że jestem bałaganiarą? Wykąpał się szybko, ledwie zdążyłam przeczytać dwie strony książki.

– No to obiecana zabawa! – zarządziłam spod kołdry. Siedziałam wsparta na dwóch poduszkach. Ależ mi było ciepło i wygodnie! Wcierałam krem w dłonie, pachniały i zrobiły się jak z weluru.

Piotr usiadł przy mnie. Na samym brzeżku. Zakłopotany.

– Bo wiesz... Nie wiem, jak ci to powiedzieć. Ludmiło, bo ja już nie mogę tak być przy tobie, obok ciebie. Ty wiesz, co czuję do ciebie, przecież ci powiedziałem. I tyle razy starałem się to okazać... Zapomnij o nim, nie jestem naprawdę gorszy od tamtego. Ludka, co z tego, że jestem starszy. Doświadczony jestem bardziej, mądrzejszy. Nigdy bym cię nie oszukał. Co ja wygaduję... Zupełnie zwariowałem!

Zaniemówiłam. No tak. Obiecał nietykalność, i jak tu wierzyć mężczyźnie?!

– Piotr, ale przecież mieliśmy być przyjaciółmi, czy to nie wystarczy?

– Ludmiła, nie żartuj ze mnie, nigdy nie będę tak naprawdę przyjacielem! Ja już nie mogę tak dalej żyć. Rozumiesz? Wczoraj całą noc czuwałem przy tobie, patrzyłem, jak śpisz, układałem ci włosy na poduszce. I gryzłem palce ze złości, że nie jesteś moja.

Zrobiło mi się go żal. Nie wiedziałam, co teraz robić. No przecież nie będę z nim z żalu tylko, to bez sensu.

– Piotr, ja nie wiem... Ja nie mogę... – Ja poczekam na ciebie, rozumiem.

Skurczył się w sobie. Taki dojrzały, przystojny mężczyzna, a skurczony jak skarcony nastolatek. Przysunęłam się do niego, bliżej, całkiem blisko. Dotknęłam lekko jego pleców.

– Piotr, ja chyba nie jestem gotowa na nowy związek... Ja jestem taka zbita w środku...

– Jasne, rozumiem – wziął moją dłoń. Pocałował. I drugą. Też pocałował. Dotyk jego ust, jego szare oczy, mocne spojrzenie. Piotr, co ty robisz, przecież... Siedziałeś tyle lat przy tym swoim biureczku, cicho, pokornie, nie zwróciłam na ciebie uwagi. Najmniejszej.

– Nie, Piotr, nie mogę... Nie wiem... Nie mogę... – zakrył mi usta dłonią. Przechylił na łóżko. I całował. Już nie tak, jak wtedy, za pierwszym razem, boleśnie i mocno. Teraz był delikatniejszy. Drżał cały, wyraźnie to czułam. Drżały mu kąciki ust, górna warga, dłonie. Trzepotał cały jak ptak na uwięzi. Boże, jak mu zależało! „Niech się dzieje, co chce" – pomyślałam tylko, poddając się jego pocałunkom. Ale nie było we mnie tamtego szaleństwa, które czułam z Martinem, gdy całował wnętrza moich dłoni.

Rozebrał mnie szybko, zupełnie bezwolną, z koszuli nocnej i bielizny, sam zdjął bardzo szybko piżamę, szczęśliwy, że mu na to pozwoliłam. To jemu zależało, nie mnie. Ja miałam w sobie coś w rodzaju smutku, że tulę do siebie jego, nie Martina, który mnie oszukał. Może chciałam się odegrać? Skąd mogłam wiedzieć, co wyrabiał z Ritą po powrocie do Niemiec? Piotr wtargnął we mnie szybko, nerwowo, z drżeniem wyczuwalnym na całym ciele. Dyszał szybko, zachowywał się jak nastolatek przechodzący właśnie egzamin z dojrzałości. Jego uściski stały się bardzo silne, aż jęknęłam z bólu, czułam się jak kotka pod kocurem. Szybko opadł na mnie bezwładnie, z głośnym jękiem, krzykiem prawie, nie zastanawiając się pewnie, czy poczułam jakąś przyjemność. Nie zdążyłam. Zrobiłam to dla niego. Oddałam mu się bez entuzjazmu, bez prądu, który biegnie po kręgosłupie, bez tych słynnych motyli w brzuchu. Bo miał w sobie tyle dobra, tyle ciepła, wiedziałam to, tylko teraz nie zdążył mi tego okazać.

– Przepraszam cię, nie tak miało to wyglądać. Nasz pierwszy raz. Przepraszam... – szeptał, całując moje piersi.

– Cicho, następnym razem będzie lepiej – przytuliłam go do siebie. Było mi go szkoda, tak mu zależało...

Zerwał się nagle i podniósł mnie do góry.

– To, czy...!? Powiedz, dajesz mi nadzieję?! – krzyczał, ciesząc się jak dzieciak.

– Cicho... Już dobrze.. – chyba się zagalopowałam.

– Powiedz, proszę!

– Dobrze, spróbujemy. Ale Piotrze, na razie bez żadnych zobowiązań. Bez obietnic, zaklęć, po prostu. Dobrze?

– Dobrze. Niech będzie. Na wszystko się zgadzam. Kochana moja... Zrobię dla ciebie wszystko.

– Nie, Piotrze, nie musisz wszystkiego, naprawdę.

– Zrobię wszystko, żebyś o nim zapomniała! On nie jest ciebie wart. Ludmiłko, zobaczysz, jak będzie nam razem dobrze!

– Tylko nie planuj mi przyszłości, ja tego nie chcę. Muszę się sama pozbierać. Rozumiesz?

– Wiem, że zrobiłaś to dla mnie. Obiecałem ci nietykalność. Ale nie mogłem już dłużej. Pozostałych obietnic dotrzymam – zaśmiał się.

I wtedy rozległo się pukanie do drzwi. Nie, to nie było pukanie, a głośne łubudu, które przyprawiło mnie o skurcz serca.

– Haloooo, jest tam kto? My do was z kolędą! – to głos Stefana.

– Cicho, udajemy, że śpimy – zachichotałam. Łomotanie nie ustawało.

– Piotr, chyba musisz wstać. Przecież wywalą nas z hotelu. Jest pierwsza w nocy!

Piotr ubierał się w piżamę byle jak, nieporadnie. Aż mi się chciało z niego śmiać. Przez moment widziałam go nagiego. Sylwia by powiedziała: zdatny chłop. W sumie nie najgorszy. Proporcjonalnie zbudowany, ale nie tak wysoki i przystojny jak Martin. Raczej – zwykły czterdziestoparolatek. Dość wysoki, szczupły. Przystojny. Z dziwną łagodnością rysów. Ale nie miał tego czegoś. Co elektryzowało.

Pobiegł do drzwi, jeszcze walcząc z koszulką, którą założył najwyraźniej w poprzek, nie wzdłuż. Otworzył drzwi.

– Ho, ho, chyba nie w porę? – usłyszałam od progu głos Stefana. Po prostu wpakował się do pokoju, a za nim blondynek ze sto szesnaście. Ledwo zdążyłam nakryć się kołdrą po uszy, moja nocna koszula leżała zmięta na fotelu. Za nimi wszedł zakłopotany Piotr. Tak jak sądziłam, koszulkę miał bardziej w poprzek niż wzdłuż, bo włożył głowę do rękawa. Rozczochrany, lekko przestraszony, wyglądał pociesznie. Roześmiałam się. Nie wiedział, co ma robić, bo oto Stefan rozsiadł się właśnie na jego łóżku. Delikatnie dawałam memu przyjacielowi na migi do zrozumienia, żeby coś zrobił z tą koszulką, ale potem pomyślałam, że i tak nie warto, bo w tym stanie, w jakim byli nasi goście, koszulka raczej nie była przedmiotem obserwacji.

– Chodź, kochanie, bo zmarzniesz – postanowiłam wyzwolić Piotra
z opresji, lekko odchylając kołdrę. Piotr dał nura od razu, szczęśliwy, że
nie straszy już krzywą piżamką. Stefan wyciągnął niedopite trzy dziewiątki
i plastikowe kieliszki.

– Nie przyszła góra do Mahometa, musiał Mahomet do góry – wysa-
pał i porozlewał brązowy płyn. Byłam w szoku i zakłopotaniu zupełnym,
nigdy jeszcze nie przebywałam z tyloma facetami w pokoju całkiem goła,
jedynie pod kołdrą. Gdyby teraz któremuś przyszedł do głowy głupi pomysł ściągnięcia kołdry, to by był ubaw. Udawałam strasznie zmęczoną,
ziewałam, namawiałam, byśmy wszyscy poszli spać. Nie chcieli.

– Ale żeśmy was nakryli, nie ma co! – Stefan najwyraźniej cieszył się
z tego najścia. – Będzie co jutro opowiadać.

Piotr wypił z nimi po kieliszku i zaczął ziewać razem ze mną. Zie-
waliśmy więc razem, nawzajem się zarażając, bo to nie jest trudne. Aż
łzy zaczęły nam płynąć z oczu od tego ziewania. Oni nic. Więc nie wytrzymałam i rzekłam:

– Drogi Stefanie, wolelibyśmy już zostać sami, chyba rozumiecie, my
tak rzadko się widujemy, ciągle praca i praca, dajcie nam choć trochę ze
sobą pobyć. To jeszcze po kieliszku i idziemy spać, OK?

I to był bardzo dobry pomysł. Koledzy Piotra zaczęli sprośnie mrugać
do niego oczkami i mówić o jakimś szczęściu, które go dotknęło, po czym
wynieśli się wreszcie z naszego pokoju. A ich nocne Polaków rozmowy
dochodziły nas jeszcze przez kilka minut z korytarza.

Ranek wstał rześki, obudziłam się na ramieniu Piotra, zaskoczona
swoją wylewnością i tym, że moje rany bolą znacznie mniej. Kuracja pomogła. A Piotr pewnie zaraz powie: „Marzenia się spełniają".

Zadziwiała mnie jego ufność w marzenia, że tak dzielnie pokonywał
trudności. Wymyślił sobie kiedyś, że będziemy razem i oto jesteśmy, na
obczyźnie wprawdzie i poddający się chwili, ale jesteśmy. No cóż, Piotrze, niech ci będzie, spróbuję, zobaczę, może przy twoim boku znajdę
to szczęście, które mi nagle uciekło. Tylko jaka historia nas połączy?

Rozdział XXI

O tym, że wszystko dobre, co się dobrze kończy,
o kresie wileńskiej wyprawy i o tym,
że nie każdy słyszy szepty kamienicy.

Nasze Wilno trwało jeszcze dwa dni. Szkolenie – zaledwie parę godzin. Reszta to zwiedzanie miasta, potem Troków, zakupy i wspólna radość z bycia razem. Znowu poczułam się szczęśliwa naprawdę. Bez porywów, ale niczego nie musiałam udawać. Po prostu. Ja byłam sobą, Ludmiłą, nieco zdystansowaną do sytuacji, a on był Piotrem, chyba zakochanym, bo jak inaczej sobie to wszystko wytłumaczyć? Kiedy spacerowaliśmy, podał swoją komórkę Stefanowi, by ten zrobił nam zdjęcie. Jako ememes wysłał je Wiktorowi, dopisując pozdrowienia z Wilna od kochającego taty. Ciekawe, jak to jest mieć syna? Może kiedyś się przekonam?

Powrót do domu miał dobre i złe strony. Przede wszystkim stęskniłam się za kotem Mietkiem. Teraz już wiem, dlaczego stare panny hodują koty. Bo mogą się nimi opiekować jak małymi dziećmi, tulić je i karmić smakołykami. Ja też byłam przecież starą panną. Z drugiej strony, skończył się nagle wolny weekend i trzeba było powrócić do codzienności. Na szczęście ta nie przerażała, jak jeszcze niedawno. Miałam zajęcie, które sprawiało mi wielką frajdę, a na dodatek zaczęły już spływać pieniądze. Nie było źle. Na redakcji świat się nie kończy. Piotr też nosił się z zamiarem opuszczenia tego przybytku. Był już nawet na wstępnej rozmowie w sprawie pracy w szkole. To dawałoby mu stabilizację, ZUS, ubezpieczenie, a resztę dorobiłby na kursach i szkoleniach, które powadził od lat. Opowiedział mi o tym w drodze powrotnej z Wilna. Piotr przez cały czas był w siódmym niebie, cieszył się mną niczym najnowszą zabawką,

Totalansicht

die Biwilhalschaft

Gruss aus Sensburg. Bautzin, den 1.X.V

Alfred Reinhardt

*Bautzen*postlagernd

Kartka z albumu Hansa. Tak przedwojenny, nieznany bliżej artysta oddał klimat mazurskiego Sensburga.

mnie natomiast wciąż towarzyszyło poczucie, że mimo wszystko to jest coś „zamiast", miałam jednak nadzieję, że kiedyś się zmieni.

Do domu wróciłam wieczorem, Piotr pomógł mi wypakować torby z autokaru i wsiadł ze mną do taksówki.

– Dajmy sobie jeszcze jedną noc, weekend się kończy, nie chce mi się wracać do pustego mieszkania – poprosił. Nie byłam zachwycona tym pomysłem, moje mieszkanie kojarzyło mi się wciąż z miejscem narodzin miłości do Martina. To tu odkrywaliśmy swoje tajemnice, snuliśmy kolorowe plany. Tu poznawałam historię jego rodziny, czyli również jego samego. Piotr chyba wyczuł moją niechęć.

– Ludmiłko, widzę, że nie masz na to ochoty, rozumiem, do niczego cię nie zmuszam, ale i tak kiedyś będziesz musiała się z tym zmierzyć, i tak przyjdę do ciebie. Przecież chyba mnie nie wygonisz?

Jasne, że nie. A jeśli mam się z tym zmierzyć, to od razu. Wchodził po schodach pierwszy, z walizkami, ja szłam za nim, połykając łzy. Nasłuchiwałam szeptów kamienicy i myślałam o Martinie.

– Słyszysz, ta kamienica szepcze – powiedziałam cicho, starając się zapanować nad drżeniem głosu.

– Ludmiłko, to deski stare tak pękają, a może koty gdzieś grasują. Albo nawet myszy?

Westchnęłam. Piotr był spokojny, stateczny, chciał mi uporządkować życie. Zgodzę się na to, bo chyba czas na stabilizację. Widać, tak ma być.

Wniósł nasze torby na górę, podałam mu klucze, otworzył drzwi. Wszedł, a ja zapukałam do pani Marysi, by dać jej kaziukowe serca. W podziękowaniu za pilnowanie Mietka.

– Dobry wieczór, pani Marysiu!

– Oj, dobry wieczór, Ludmiłko. Pani Zosia już wróciła ze szpitala, nawet nieźle się czuje, jutro możesz od niej zajrzeć. Tak się z nią zżyłam ostatnio, że nie masz pojęcia! To cudowna osoba! Opowiedziałam jej historię z tym Niemcem, trochę się przestraszyła, że ją wygna z jej mieszkania, ale uspokoiłam ją, że to całkiem przyzwoity chłopak. No i opowiedziałam, że ten piec był u niej, że te żołnierzyki to się pod progiem odnalazły i że starszy pan już je ma z powrotem. Z Mietkiem w porządku, ale...

Po minie wiedziałam, że chce mi o czymś powiedzieć.

– Coś się stało, pani Marysiu?

– No, w sumie nie, nie przyszłaś sama, widziałam, ale wiesz... Ten Niemiec cię szukał, tak prosił, błagał wręcz, żebym powiedziała, kiedy wrócisz. Że chce ci coś powiedzieć, że to ważne, że musi się z tobą zobaczyć. Ludmiłko, nie wiem, co tam u ciebie się stało, ale ten pan był bardzo zdenerwowany. Acha, całkiem nieźle już mówi po polsku.

– I co mu pani powiedziała? – na moment zaschło mi w gardle.

– No, że może dziś wrócisz, a on powiedział, że jutro rano przyjdzie i coś ci wyjaśni. Prosił, żebym z tobą porozmawiała. Ludmiłko, na moje oko, to coś się stało. Powinnaś go wysłuchać.

Zrobiło mi się słabo. Dlaczego wrócił? Jak śmiał?! Drań. Oszukał, wykorzystał i jeszcze chce tu przyłazić!

– Nie wiem, pani Marysiu, czy go wysłucham i czy w ogóle mam ochotę go widzieć – robiłam wszystko, by mój głos brzmiał spokojnie.

– Ludmiłko, ten Martin to miły człowiek, widać, że zakochany... „Żeby pani Marysia wiedziała, jakie ma pojemne serce. Mieści w tym sercu niemiecką żonę i polską kochankę!" – pomyślałam sarkastycznie.

– Pani Marysiu, zastanowię się, nie chcę dziś o tym mówić.

– Kochanie, śpij dobrze. Ten pan, co z tobą wrócił dziś, to też miły, nie powiem, ale Ludmiłko, mnie się wydaje, że tamten to jakoś inaczej, że cię kocha.

– Nie teraz, pani Marysiu, przepraszam.

Zamknęłam drzwi. I rozpłakałam się w ciemnym korytarzu. Wcale mi nie przeszło, wcale, wciąż go kocham i zrobiłam najgłupszą rzecz na świecie! Ale to on mnie oszukał! A teraz za drzwiami mojego mieszkania czeka Piotr, którego nie chcę zranić.

Wytarłam oczy i weszłam do mieszkania. Piotr rozsiadł się w salonie i oglądał telewizję. Zadomowił się na dobre. Zajął miejsce Martina.

– Gdzie byłaś tak długo, kochanie? Nie gniewasz się, że się tak tu rozgościłem?

– Nie, skąd, nie ma sprawy. Ja też się zaraz zadomowię. Jestem wykończona.

– Idź się kąp, a ja ci zrobię herbatę przed snem. Może meliskę? – Jasne, chętnie.

W gardle stała mi kula wielkości jabłka. Co robić, co robić? Jeśli jutro zjawi się tu Martin, nie może zastać Piotra. Ale teraz już go przecież nie wyrzucę.

– O której jutro idziesz do pracy? – krzyknęłam z łazienki. Muszę go wybadać, kiedy stąd zniknie.

– Myślę, że koło ósmej, a czemu pytasz? Chcesz mi zrobić śniadanko?

Zdrabniał jakby zwracał się do dziecka. Meliska, śniadanko. Dawno nikt tak do mnie nie mówił. To było nawet dość miłe. Widziałam, że mu zależy. Byleby tylko mnie nie zagłaskał.

– Nie wiem, na którą nastawić budzik.

– Kochanie, nie przejmuj się, ja się sam obudzę i chyłkiem wymknę do pracy. I wrócę około czwartej, pójdziemy na obiadek, nic nie gotuj, zajmij się swoimi sprawami, dobrze?

Jasne, zajmę się. Wcale nie miałam zamiaru gotować obiadku!

Umyłam się, wypiłam meliskę i położyłam grzecznie do łóżeczka. Piotr był miły, czuły i już nie taki powierzchowny, jak w Wilnie. Zaczynał się ze mną oswajać i ja z nim, powoli uczyliśmy się siebie. Nasza wieczorna miłość była pełna oddania z jego strony, z mojej – nieco mniej, ale się starałam. Nie było tego wyczekiwanego dreszczu, ale była duża przyjemność z dotyku, smaku ust, zapachu nowego ciała. Obcowanie z Piotrem było dla mnie formą masażu receptorów. Oddając mu się, przez cały czas zastanawiałam się, czy Martin zjawi się tu przed czy po ósmej?

Piotr, jak obiecał, wymknął się chyłkiem z mieszkania, nawet go nie usłyszałam. Obudziłam się przed dziewiątą. Wyskoczyłam z łóżka, wykąpałam się i ubrałam. Może włożę sukienkę? Martin lubił mnie w sukienkach. Niech wie, co stracił. Śniadanie. Na kolana wspiął się Mietek. Były we mnie takie pokłady złości, że najchętniej bym nie otworzyła Martinowi drzwi. Ale pani Marysia wczoraj... Naprawdę prosiła. No i muszę się zdystansować, układam sobie przecież życie od nowa. Powolutku, jeszcze wszystko przede mną. Piotr jest blisko mnie. Stara się w niczym mi nie uchybić, być dla mnie jak najlepszy. Martin nie był tak opiekuńczy. Owszem, czuły, ale często skupiony na sobie, uciekający we własny świat. Piotr przy nim to ostoja bezpieczeństwa. Typ człowieka, który zapewniłby mi spokojny dom i pozwolił bezpiecznie wieść życie u jego boku. Dawał całego siebie, trochę nieporadnie, w obawie, że mu się wymknę, ale wiernie i cierpliwie. W łóżku nie był szalony, raczej poprawny, ale słyszałam gdzieś w telewizji, że seks jest przereklamowany. Może tak jest naprawdę? Przecież chyba wiedzą, co mówią. W sumie, na pewno nie jest najważniejszy w relacjach damsko-męskich. Piotr zaspokajał mnie w inny sposób. Był inteligentny, oczytany i w ogóle. Czyż nie o takim właśnie mężczyźnie myślałam, spacerując wczesną wiosną nad brzegiem jeziora? Więc marzenia jednak się spełniają.

Zabrał ze sobą klucze, żeby mnie nie budzić. Drugi komplet leżał na szafce. Kiedyś należał do Martina... Piotr obiecał, że dziś wróci już do swojego domu, chciał mieć tylko jeszcze jeden wieczór i noc. To miał. Muszę trochę odpocząć, pobyć sama ze sobą.

Rozłożyłam więc swoją pracownię na dużym, drewnianym biurku: serwetki, klej i crack-lakier, następnie włączyłam komputer, żeby sprawdzić aukcje. Kilka dni tam nie zaglądałam, nie wiadomo, co się dzieje. Może wszystko sprzedałam? Zalogowałam się. O rany! Sprzedałam piętnaście rzeczy! Świat jest wspaniały! Dlaczego tyle czasu czekałam z odejściem z redakcji, dlaczego się bałam tej decyzji? Przecież wcale nie musiałam znosić humorków Artura!

Zaraz, zaraz, jest jeszcze jakiś mail. Od Hanusi. Tak się wyświetla. Hanusia... Wiem, to tamta babka, która mnie szukała. Odpisałam jej tak dawno! A ona dopiero teraz się odzywa? Prawie o niej zapomniałam.

„Pani Ludmiło. Przepraszam za tak długie milczenie, ale nie było mnie w kraju, wyjeżdżałam i wolałam sprawę załatwić po powrocie. Bardzo bym się chciała z Panią spotkać, mam coś ważnego do powiedzenia. Świat się zmniejszył do rozmiarów kropli, dzięki Internetowi wiele rzeczy jest możliwych, również ta, o której chcę Pani opowiedzieć. Bardzo proszę o spotkanie. Będę na Mazurach przejazdem, ósmego czerwca jadę do rodziny pod Giżycko. Zależy mi na tym. H."

Intrygujące. Ciekawe, co to za jedna i dlaczego chce się ze mną spotkać. I co znalazła w Internecie. To może być jakaś ciekawa historia. Pewnie wie, że jestem dziennikarką, i chce, żebym o czymś napisała. Wiele razy dostawałam takie maile od obcych ludzi. Tylko dlaczego pytała się o mego tatę? Jasne, że się z nią spotkam. I odpisuję:

„Pani Haniu! Jestem do dyspozycji ósmego czerwca. Proszę się odezwać, gdy pani już będzie w Mrągowie, spotkamy się na przykład pod ratuszem. Chyba pani trafi? Pozdrawiam. L."

Enter. Poszło. No dobra, jedno z głowy. Teraz do roboty. Mietek, zaciekawiony moim nowym zajęciem, kręci się po stole, potrąca słoiczki

i pędzle. Włączyłam telewizor. Maja w ogrodzie. Ależ piękny ogród pokazuje! Wiejski, z malwami, nagietkami. Jak w *Panu Tadeuszu*. Cudo. Ach,
żeby taki mieć. I mały domek na wsi. To tylko marzenia, i tak nigdy nie
będę miała takiego domku. Bo i skąd? Masę kasy na to trzeba. Ale by było
fajnie... Dość. Praca czeka!

Udało mi się zrobić całkiem zgrabne kuferki na biżuterię. Popakowałam
też inne rzeczy, te sprzedane. Po południu pojadę na pocztę. Porobiłam
trochę wieszaków na ścianę, wpadłam na taki pomysł: na kawałku starej
deski, którą znalazłam na strychu, robię wzory de-kupażem i wbijam
drewniane kołeczki. Całość zawieszam na zwykłym sznurku. Są super. Nie
dość, że postarza je dekupaż, to jeszcze wyraźny rysunek słojów drzewa
sprawia wrażenie, że wieszaki mają jakieś sto lat. Piękne! Robię fotki,
wystawiam na Allegro i wysyłam do toruńskiej galerii. Może spodobają
się koleżance Ewy?

Czekam na Martina. Przeglądam aukcje internetowe. Przypominam sobie,
że Piotr ma niedługo urodziny. Może kupię mu jakiś prezent? Zastanówmy się.
Jaki prezent można kupić dla mężczyzny? Buty. Ładne, ale musiałby zmierzyć.
Sweter. To samo. Pasek do spodni. Eee, niech sobie sam wybierze. On teraz
taki strojniś. Myślę o nim ciepło. Wiem, kupię mu pióro! Wprawdzie to prezent
dla dziennikarza lub pisarza, ale niech tam! Najlepiej parker, elegancki i na
moją kieszeń. Wpisuję w wyszukiwarce. Jest. O rany, ile tego wszystkiego!
Musi być cały metalowy, żeby się nie połamał. Kiedyś miałam plastikowe pióro
i mój Mietek mi je pogryzł. Bez sensu. Ustawiam granicę cenową. W sumie,
nie mam dużo kasy, to i pióro nie będzie z najwyższej półki. Są. Nawet całe
zestawy, w dobrych cenach. Wybrałam jeden z nich. Piękne pióro i długopis
w eleganckim etui. Klikam na aukcję. Wyświetla się. Warmińsko-mazurskie.
To gdzieś blisko. Oho, Olsztyn! Sprawdzam użytkownika. Login arturro. Zaraz,
zaraz. Skądś znam ten zestaw! Tak, to ten! O rany, Artur wystawił na Allegro
prezent, który otrzymał od nas w prezencie urodzinowym! Nawet go, bie-
daczek, nie poużywał! Musi mieć straszne problemy finansowe, żeby za taką
cenę... My zapłaciliśmy nieco więcej!

Klikam opcję „Kup teraz". I odkupuję od Arturka nasz prezent. Ale się
zdziwi, gdy zobaczy dane do wysyłki. Udał mi się numer!

To ostatecznie poprawia mi humor. Zatem nie tylko praca, ale również
możliwość rewanżu za wszystkie życiowe biedy. Może nie za wszystkie,

bo z Martinem Artur nie ma nic wspólnego. Na szczęście. No właśnie, niech się ten Martin nie wygłupia, skoro ma takie ważne do mnie sprawy, nie będę czekać w nieskończoność. Niech przyjdzie, powie, co ma do powiedzenia, rozstaniemy się kulturalnie i cześć. Pierścionek do zwrotu. Już go nawet przygotowałam. Praca jest naprawdę najlepszą terapią!

A nie mówiłam, że wieszaki piękne? Koleżanka Ewy – już wiem, że ma na imię Halinka – odpisała po kwadransie. Bierze pięć. Mam jej dziś wysłać. Cenę musiałam trochę zmniejszyć, co robię chętnie, bo to przecież początki. Za to na Allegro z ceną nie dyskutują. Opcja „Kup teraz" i tak się składa, że już jeden został sprzedany. Pakuję w folię bąbelkową i szary papier, pozostałe rzeczy przygotowuję do wysyłki, bo mam już na koncie przelewy. Reszta przyjdzie potem, a ja będę miała wszystko gotowe. Po południu na pocztę. Uznałam, że Martin pewnie nie przyjdzie, więc sukienkę okrywam roboczym fartuchem. Na szyję wieszam sznurek do pakowania, ten od wieszaków. Rozkładam się w salonie z papierem, walczę z taśmą do klejenia, kilka odmierzonych kawałków doklejam do fartucha, żeby się nie zapodziały. Dzwonek do drzwi. No nie, Martin?

Stoi na progu, blady, zdenerwowany. Widać, że coś go gryzie. Patrzy na mnie lekko zdumiony. Zapominam, że jestem w fartuchu, w którym raczej nie wyglądam wystrzałowo, jeszcze z tymi doklejonymi paskami taśmy. Zapominam oczywiście o nich i otwieram drzwi z miną księżniczki. Witam się z nim oschle, on chce wejść do środka, patrzy na mnie badawczo, obserwuje, mnie boli z nerwów żołądek. Wpuszczam go do środka, wraz z nim wchodzi wielki bukiet róż. Czerwonych. I co, mam znać mowę kwiatów i jeszcze jej uwierzyć?

Zapraszam go do salonu. No tak, w salonie bałagan, ale już za późno. Rozgląda się zdezorientowany, pod ścianą stoją kartony, obok szary papier.

– Nie... Nie mów, że się wyprowadzasz? Ja ci to wyjaśnię... – jęknął.

I nagle przypomina mi się, że stoję przed nim w tym paskudnym fartuchu, obklejona taśmą, może mam ją nawet we włosach, i jakieś sznurki wiszą mi na szyi.

Wybucham śmiechem. On patrzy zdezorientowany, przestraszony.

– Nie, to moje nowe zajęcie. Nie pracuję już w redakcji. Zajęłam się rękodziełem. Nigdzie się nie wyprowadzam, nie myśl sobie, że się tak przejęłam – mówię lekko. W sumie, przydał się ten śmiech. On się zawsze przydaje. Stopniał we mnie gniew, została tylko chęć wyjaśnienia spraw i pożegnania Martina.

– Ludmiło, ja wiem, że to źle wyszło, ale jest inaczej niż myślisz...

– Jasne – przerywam – zawsze się tak mówi. Tylko ja, głupia, źle zrozumiałam Ritę, która jednak w sposób wyraźny mi powiedziała, kim jest.

– Ludmiła, posłuchaj, usiądźmy, ja ci to wszystko wytłumaczę. Czy możesz zrobić mi herbaty?

– Dobrze, ale nie mam za dużo czasu. Pracuję, jak widzisz, to nic, że w domu.

– Będę się streszczał – wreszcie podał mi bukiet. – Wstaw do wody, bo zwiędną.

Wstawiłam. Co kwiaty winne, że ten, który je przynosi, to zwykły oszust matrymonialny? Swoją drogą, nigdy od nikogo takich pięknych kwiatów nie dostałam. W ogóle mało w życiu dostawałam.

Herbata na stole. Martin za stołem.

– No, słucham cię teraz?

I zaczął. O tym, że Rita rzeczywiście jest jego żoną, ale się z nią właśnie rozwodzi. Mieszka jeszcze z nim i jego rodzicami, ale miała się już niedługo wyprowadzić, bo znalazła mieszkanie i pracę w innym mieście. Kiedy wyjeżdżał do Polski, miał nadzieję, że gdy wróci, Rity już nie będzie. I spotka się z nią na sprawie rozwodowej, której termin był wyznaczony na koniec maja.

– To Rita odeszła, nie ja. Miała już dość kłótni z moimi rodzicami, a moi rodzice mieli dość jej. Zresztą nigdy nam się nie układało i już dawno nie było między nami żadnego uczucia. Poza tym ona chyba miała kogoś, ale to już nie było dla mnie ważne. I tak od roku mieszkaliśmy oddzielnie. Jeszcze zanim wyjechałem do Polski, zaczęła pakować swoje rzeczy i część nawet wywiozła. I wtedy właśnie rodzice poprosili ją o pomoc w odebraniu zdjęć, które wysłałem mailem. Oni nie znają się na Internecie, najpierw chcieli poprosić sąsiada, ale wyjechał. To zwrócili się do prawie byłej synowej. Oczywiście, że pomogła, bo sama była widać ciekawa tej historii. Skąd rodzice mogli wiedzieć, że na niektórych zdjęciach zobaczą ciebie? Ona się do razu domyśliła. Jak mówiła: poznała po moich oczach, że jestem zakochany. Najpierw nękała mnie i szantażowała, że mam wracać do Niemiec, natychmiast, bo chce ze mną omówić kilka spraw. Nie chciałem wracać, dopóki ona tam była. Powiedziałem jej, że nie mamy już żadnych wspólnych spraw i że to ona podjęła decyzję. Nie chciałem z nią rozmawiać, wyłączałem telefon, rodzicom tylko mówiąc, że mają zrobić wszystko, by ona zniknęła. Ale Rita oszalała z zazdrości, widać rzucił ją tamten, a kiedy dowiedziała się, że przeprowadzam się do Polski, zakomunikowała mi telefonicznie, że wcale nie zamierza się ze mną rozwodzić i że wraca, bo wciąż jest prawnie panią Ritkowsky. Nie chciałem ci mówić o tym, pragnąłem po prostu zacząć życie od nowa. Dość mi krwi napsuła moja była żona.

– Obecna... – wtrąciłam.

– Ona jest dla mnie była, nie ma już jej, rozumiesz, jesteś tylko ty!

– Martin, nie przesadzaj, nie ma mnie, nie byłeś wobec mnie uczciwy. Przecież mogłeś mi to wszystko powiedzieć!

– Bałem się, że cię stracę. Proszę cię, zrozum mnie. Czy nie liczy się to, co razem przeżyliśmy?

Liczyło się, ale odchodziło w zapomnienie.

– Martin, musisz o mnie zapomnieć. Wracaj i uporządkuj swoje sprawy i całe życie. I nie oszukuj nigdy kobiety, z którą zechcesz być – ostatnie zdanie powiedziałam prawie z płaczem.

– Ludmiła! Nie rób tego, nie psuj, ja się rozwiodę. Obiecuję. Rita nie chce być ze mną, tylko chce mi zagrać na nosie. Znam ją, jest zepsutą jedynaczką.

– Ja też jestem jedynaczką!

– Ale ty jesteś inna. Ona jest wyrachowana. Teraz nagle zaczęła udawać wspaniałą żonę!

Był zdenerwowany. Pewnie nawet mówił prawdę, ale nie miałam siły go słuchać.

– Gdzie ona teraz mieszka? – zapytałam.

– U nas. Nie wyprowadziła się.

– To jakiś żart? Przyjeżdżasz do mnie, żeby wyjaśnić, że jesteś wolny, a tymczasem mieszkasz z żoną?

– A co mam zrobić? Rodzice powiedzieli, że na bruk jej nie wyrzucą. Co by sąsiedzi pomyśleli? Nikt nie wie, jak było naprawdę. Dla moich rodziców sam rozwód jest już wystarczającym stresem. U nas w rodzinie nigdy się coś takiego jeszcze nie zdarzyło. Myślą, że może się nam jeszcze ułoży.

– Martin, wiesz co, wracaj, skąd przyszedłeś. To bez sensu – ściągnęłam wreszcie ten fartuch i odrzuciłam na fotel.

– Ludmiła, proszę, ja nie chcę być z nią. Muszę dostać rozwód, rozumiesz? Zrobię wszystko! Żeby tylko z tobą być!

Następny, który zrobi wszystko, żeby ze mną być. Od tych miłosnych wydarzeń kręciło mi się już w głowie. Dość miałam deklaracji, obietnic. Kobiety powinny chyba być same, mieszkać same. Z dala od męskich ramion. Do niczego dobrego, jak widać, nie prowadzi kołysanie się w tych ramionach.

– Martin, jedź, wracaj do Niemiec, uporządkuj swoje życie, mówię ci jeszcze raz. Ja porządkuję właśnie swoje. To był dla mnie cios, gdy ona mnie odwiedziła. Zobacz, ile zadała sobie trudu, żeby tu przyjechać. Skąd w ogóle o mnie wiedziała?

– Pamiętasz, wtedy na bankiecie, kiedy się poznaliśmy? Była tam moja koleżanka z redakcji, Klaudia, taka niewysoka blondynka. To ona właśnie jej powiedziała. Klaudia miała na mnie ochotę i kiedy zacząłem się z tobą spotykać, wściekła się. Znała Ritę i jej charakterek, więc pobiegła do niej z rewelacjami na nasz temat. Widzisz, do czego zdolne są kobiety?

– A mężczyźni? Może są święci? Nie powiedziałeś mi prawdy o sobie! Choć pytałam!

– Przecież ci mówię, że się bałem! – Jasne, i to ma niby wszystko tłumaczyć.

– Ludmiła, proszę cię. Ja dla ciebie uczę się języka polskiego, chcę tu z tobą zostać. Mój ojciec chce tu przyjechać, może jesienią, gdy przejdzie fala upałów, będzie mu lżej. Chce zobaczyć swoje dawne mieszkanie, chce poznać panią Zosię, która tam mieszka. Chce jej dać pieniądze na remont. Żeby miała łazienkę w mieszkaniu. Żeby jego dawny dom służył jej na kolejne lata.

– A nie chce przejąć tego mieszkania? – zainteresowałam się.

– Skąd! Wymyślił sobie, że skoro to samotna, schorowana kobieta, on jej powinien pomóc. Jak powiedział: „To ona przechowywała mi moje ołowiane żołnierzyki. Ona pilnowała ognia w moim piecu". Teraz chce jej pomóc. To ma dla niego wartość sentymentalną.

– Wspaniała wiadomość! Powiem o tym pani Zosi, mogę?

– Nie, jeszcze nie, chcemy, żeby to była niespodzianka. Proszę, nic jej nie mów! Dopiero jesienią.

– Dobrze, nie powiem, ale to ładny gest ze strony twego taty.

– Też tak myślę o tym.

Martin dopił herbatę. Włączyłam radio. Lokalna dziennikarka czytała serwis. I nagle do moich uszu dobiegła informacja: „Dziś rano policja zatrzymała kierowcę fiata, redaktora naczelnego pisma lokalnego, Artura N. Miał we krwi dwa promile alkoholu".

Dalej nie słuchałam. Jęknęłam. Chwyciłam za telefon.

– Piotr, słyszałeś? – wykrzyczałam do słuchawki.

– Ludmiłko, witaj, kochana, o co chodzi?

– Piotr, Artur.. Policja go złapała...

– Wiem. Porozmawiamy po powrocie. Teraz nie mogę. Mam spotkanie. I odłożył słuchawkę. Martin patrzył na mnie zdziwiony. Naprawdę szybko się uczył polskiego, rozumiał moje słowa.

– Dlaczego do niego dzwoniłaś? – zapytał od razu. Wyraźnie nie lubił Piotra.

– Mój były szef jechał po pijanemu. Policja go zatrzymała.

– Czemu były?

– Nie pracuję już w redakcji. W ogóle, dużo się u mnie zmieniło.

W wielkim skrócie przedstawiłam mu moje życiowe perypetie, pomijając oczywiście wątek Piotra.

– Ludmiła, takie miałaś problemy, a mnie przy tobie nie było...

– Martin, już ci mówiłam, musisz sobie najpierw wszystko poukładać. Poza tym chciałam ci powiedzieć, że między nami wszystko skończone. Oto twój pierścionek – zaręczynowy krążek leżał pod ręką. Sięgnęłam tylko i oddałam mu.

– Ludmiła, nie... – jęknął głucho. – Nie możesz mnie teraz zostawić. Jesienią rozpoczynam pracę w twoim mieście, czy tego chcesz, czy nie. Przyjedzie tu mój ojciec, chce poznać przyszłą synową. Do jesieni uporam się ze wszystkim. Po prostu dam Ricie pieniądze, zapłacę jej za rozwód. Ludmiła, będziemy razem, obiecuję.

– Martin... Ja nie wiem... Przestań.

– Przepraszam za wszystko.

– Martin, ja...

Nie wiedziałam, co mu powiedzieć. Czy miałam mu powiedzieć o tym, że związałam się z Piotrem? Że byłam z nim w Wilnie, że byliśmy ze sobą, że spaliśmy w jednym łóżku? Że gdyby mi to wszystko wcześniej powiedział, nic takiego by się nie stało? Co mam teraz robić? Niech los sam zdecyduje. W tym momencie zadzwonił telefon. To był Piotr.

– Kochanie, wracam o czwartej, pójdziemy razem na obiad do Księżycowej. Podobno mają tam świetną pieczeń z indyka! Czekaj na mnie na miejscu, będę punktualnie. Mam ci wiele do opowiedzenia. Całuję. Pa!

Cisza. Martin chyba coś usłyszał, zrozumiał jakieś słowa. Bo spojrzał się na mnie pytająco.

– Ludmiła... Kto to dzwonił? Z kim idziesz na obiad? Zrozumiałem, jakiś obiad....

– Martin... – los naprawdę zdecydował. Kłamstwem się daleko nie zajdzie.

– Ludmiła! Nie mów, że ty... z Piotrem?!

– Martin, zaraz ci to wytłumaczę.

– Przecież ja cię wciąż kocham, jechałem do ciebie jak na skrzydłach, jesteś moją narzeczoną! Przecież chciałem ci wszystko wyjaśnić.

– Ale ja nic nie wiedziałam. Przyjechała do mnie twoja żona, wszystko runęło.

– No tak, ale chyba... mnie kochałaś?

– Martin, tak, ale...

– Ludmiła! Zdradziłaś mnie!

– Nie mów mi o zdradzie, to ty zagrałeś nie fair. Skąd miałam wiedzieć, co robisz tam w Niemczech!

– Co ty mówisz, przecież to ty nie odbierałaś telefonu, nie dałaś mi nawet szansy na wytłumaczenie!

– Martin, nie wiem, co ci powiedzieć. Jestem z Piotrem. Po tym wszystkim, co przeżyłam, potrzebuję spokoju. Nie nękaj już mnie – poprosiłam.

– Jak mogłaś, dlaczego?! I jeszcze z nim! Ludmiła! – krzyknął. Wybiegł z mieszkania. Zostawił telefon. To znaczy, że wróci... Rozpłakałam się. Żeby się uspokoić, spakowałam wszystkie paczki, sprawdziłam aukcje, sprzedały się dwie bluzki i jedna spódnica.

Kiedy dotarłam do Księżycowej, Piotr już na mnie czekał. Zamówiliśmy pieczeń z indyka. Choć miałam ochotę na rybę. Niech mu będzie.

– Opowiadaj, co u ciebie? – zaczął.

Opowiedziałam o wysłanych paczkach, o wielkim sukcesie na Allegro i w toruńskiej galerii, i o tym, że nawet używane ubrania mi się sprzedały.

– Jestem z ciebie dumy – powiedział.

„Jasne – pomyślałam. – Jest z kogo. Zawikłałam się w sprawy uczuciowe. Nie wiem, co robić, a on wyjeżdża mi z tym «dumny»".

– A co u ciebie? Co się stało z Arturem? – zmieniłam temat.

– Ludka, nie zgadniesz! Po prostu przyjechał dziś do pracy już wstawiony, czuć było, jak nie wiem co. Potem poszedł na jakieś spotkanie. Wrócił kompletnie pijany!

– Gadasz? Ale jak to się stało, że ta policja?...

– Kochanie. To niesamowita sprawa. Bo wracając do redakcji, napotkał patrol policji!

– Żartujesz?

– Skąd! Wracał bocznymi dróżkami, żeby go policja nie złapała.

– O losie, nie do wiary! Czekaj, a czy ty czasem... Nie pomogłeś policji odnaleźć Artura?

– Cha, cha, cha, może, trochę... Za to wszystko, co złego zrobił. Nawet już do pracy nie wrócił. Dzwonił wydawca, pytał o niego, chyba coś wie. Mówię ci, afera nie z tej ziemi!

Chciałam mu powiedzieć jeszcze o aukcji na Allegro, ale ugryzłam się w język. Nie byłoby niespodzianki. No i porobiło się Arturowi. Tak to właśnie jest. Gdy ktoś wysyła komuś złą energię, ta powraca podwojona. Tak mi powiedziała kiedyś moja koleżanka, wróżka Iwona. Święte słowa.

Pieczeń nie smakowała mi. Coś było w jej zapachu, co mnie drażniło. Jadłam trochę na siłę, żeby nie zrobić przykrości Piotrowi. Taki był szczęśliwy, że mnie ma przy sobie. Nie miałam sumienia opowiedzieć mu o wizycie Martina.

Zostawiłam połowę obiadu, tłumacząc się brakiem apetytu. Mdliło mnie teraz i żałowałam, że nie wzięłam ryby.

Wróciliśmy do domu. Piotr opowiadał mi o nowej propozycji pracy i o tym, że właściwie zdecydował się na odejście z redakcji. Pieniądze

lepsze, długie wakacje i święty spokój. Ja też cieszyłam się, że zaczęło mi się układać. Wprawdzie nie miałam stałej pracy, ale jeśli tak dalej pójdzie, będę zarabiać więcej, bez reżimu porannych wstawań i znoszenia Artura. Miałam też przeczucia, że nadchodzi koniec jego zawodowej kariery! Nasze rodzące się właśnie porozumienie przypieczętowaliśmy fizycznym spełnieniem. Po raz pierwszy Piotr wzbudził we mnie namiętność, na której spełnienie tyle czekałam! Oddałam mu się dziwnie chętnie, nie czekając zbyt długo na finał. Przez chwilę było tak, jak z Martinem. Patrzyłam na jego pochyloną nade mną sylwetkę i myślałam: „Ty mnie nie oszukasz, ty jesteś inny". Gdzieś w głębi siebie czułam jednak lekkie drżenie na myśl o Martinie, ale starałam się to od siebie odsunąć. Jego komórkę dobrze schowałam. Może po nią jednak wróci?

Piotr wieczorem poszedł do siebie. Zabrał rzeczy i umówił się ze mną w weekend, postanowiliśmy wybrać się na wycieczkę. Póki co, weźmę się za dekupaż. Obiecuję sobie do końca tygodnia pobić normę i zagospodarować wszystkie kupione przedmioty z drewna, zgromadzone w małym pokoiku.

Wreszcie chwila ciszy. Mietek wyleguje się na parapecie. Mogę sobie pomyśleć, posłuchać muzyki. Włączam Czerwony Tulipan. To mój ulubiony zespół, z Olsztyna. Zwłaszcza piosenka *Rudy płomień* jest mi bliska. Najładniejsza! Gitarzysta, Andrzej, pochodzi z Mrągowa. Kiedyś, jeszcze w liceum, chodziliśmy razem na siłownię. On pewnie tego nie pamięta, bo dziś już nie mamy ze sobą kontaktu. Życie nas poniosło w dwie różne strony. Podświadomie czekam na Martina. Wierzę, że wykorzysta fakt zostawienia telefonu. Chyba go wzywam myślami, gdyż słyszę dzwonek do drzwi. I oczywiście wiem, że to Martin.

– Cześć, przyszedłem po telefon. Zostawiłem go... – zaczął dość oschle.

– Jasne, wejdź.

– Nie, nie będę wchodził.

– Martin, wejdź. Proszę.

Wszedł. Naburmuszony. W ręku trzyma torbę wypchaną zakupami. Znaczy, zostanie tu jeszcze przez kilka dni.

– Jeśli chcesz, możesz zamieszkać u mnie, w małym pokoju – zaczynam.

– Nie, nie potrzeba, poradzę sobie. Znalazłem kwaterę prywatną – odpowiedział szorstko.

– Martin, to nie moja wina, mogłeś...

Tak bardzo czekam, żeby mnie przeprosił, przytulił. Gdyby to zrobił, od razu wpadłabym mu w ramiona. Jakie jednak te uczucia są trudne! Martin chyba mnie nie rozumie. Niemiecka duma.

– Wiem – uciął krótko. – Daj mi mój telefon. Jest mi potrzebny. Załatwiam sprawy zawodowe.

– Martin, nie rozstawajmy się tak...

– Jak?! – wybuchnął nagle Martin. – Co ty sobie myślisz?! Wyjeżdżam, mam narzeczoną, wracam, nie mam jej?!

– Martin, ale to nie moja wina! To ty mi nie powiedziałeś....

– Jasne, przyznaję. Ale żeby tak szybko, wręcz od razu?

– Piotr był moim przyjacielem. Nie chcę być sama! Może mnie też spróbujesz zrozumieć? Czy tylko ja mam rozumieć wszystkich?! Boję się samotności!

– Ludmiła, jak mogłaś mnie tak zranić, dlaczego?

– Martin, ale dlaczego nie popatrzysz na to, co było tego powodem? Jak się czułam ja, kiedy przyszła do mnie Rita?

– Skończ już o niej. Ty szybko znalazłaś pocieszenie!

– Martin, to nie tak. Spróbuj mnie zrozumieć!

Chyba nie zrozumiał, bo wyszarpnął mi z dłoni telefon i zbiegł po schodach. Wizjer pani Marysi lekko się przesłonił, a potem znów przeświecało przez niego światło przedpokoju. Wróciłam do mieszkania. I rozpłakałam się. Czuję się taka zbolała, zrezygnowana. Nie wiem, czy dobrze postępuję, nie mam nikogo, kto by mi wskazał, którą drogą iść. Nie mam rodziców. Nie mam mamy, która pomogłaby mi podjąć decyzję. Przez to moje sieroctwo i samotność wciąż szukam domu, jak ptak wyrzucony z gniazda. Mimo iż na to moje mieszkanie, urządzone ciepło, trochę po ikeowsku, trochę rustykalnie i przede wszystkim w drewnie, patrzę z miłością, to jednak chciałabym mieć kawałek ziemi, siać kwiaty i warzywa, zrywać majową pokrzywę i czerwcową brzozę i wyprawiać się do lasu z moją rodziną. Wiem, że wystarczy marzyć i zaczarować wszechświat...

Rozdział XXII

O zaskakującej wiośnie, która zazieleniła Dolinę Rospudy,
protestach ekologów i o tym, jak zaczynają się Suwałki.

Wiosna powoli przechodzi już w lato. Maj zaskoczył w swojej połowie upałami, które łatwiej znosiło się w chłodnym wnętrzu mojego mieszkania w kamienicy. Moje sprawy zawodowe miały się coraz lepiej. Złożyłam wniosek o dotację z urzędu pracy na działalność gospodarczą. Myślę, że ją dostanę, zwłaszcza że nie stawiam już pierwszych kroków. Mam sporo pozytywnych komentarzy na Allegro, które zdobyłam przez pierwsze dziesięć dni działalności. Myślę o założeniu własnego sklepu internetowego. Dlatego właśnie staram się o dotację. Jutro zapadnie decyzja, czy dostanę pieniądze. I pomyśleć, że jeszcze pod koniec kwietnia byłam zakochaną dziennikarką, a teraz, w połowie maja, moje życie wygląda zupełnie inaczej.

Artur, chciał czy nie chciał, musiał mi odpisać, że otrzymał przelew i pakuje przesyłkę, czyli nasz zestaw parkera. Przesyłkę dostanę z Olsztyna, ponieważ mój były szef w Mrągowie już nie urzęduje. Nie omieszkałam mu napisać, że widzę w tym zestawie dziwne podobieństwo do tego, który otrzymał w dniu urodzin. Nie odpisał. Interes jednak zrobiłam, bo nawet z przesyłką zestaw wyniósł mnie o wiele taniej niż gdybym go kupiła w sklepie.

Piotr ucieszył się z podarunku bardzo. Jak powiedział, to pierwszy mój prezent dla niego i będzie czymś w rodzaju amuletu. Nie rozpoznał pióra wręczonego Arturowi przez Jolę w dniu urodzin! Cieszę się, że docenił mój gest, naprawdę się starałam. Miło było patrzeć na jego radość! Dzień jego urodzin spędziliśmy bardzo oryginalnie. Piotr wziął wolne

Rynek w Sensburgu otoczony był kamienicami, z prawej strony widać tak zwany Dom bociani, nazwany tak ze względu na bocianie gniazdo na jego dachu. Dziś nie ma już domu bocianiego, w jego miejscu jest promenada, prowadząca na molo.

i postanowił zabrać mnie w jakieś ciekawe miejsce. Nasz wybór padł na... Dolinę Rospudy. To miejsce stało się bardzo modne, cała Polska słyszała o protestach ekologów, a za ich sprawą usłyszałam również o Dolinie ja! Ciekawe, czy turyści wciąż tam jeżdżą?! Wsiedliśmy więc w Piotrowego passata i ruszyliśmy wąską wstążką drogi do Mikołajek, potem do Ełku, Augustowa, wszędzie zatrzymując się na trochę, żeby poznać ogólny klimat każdego miasta. W informacji turystycznej w Augustowie udało nam się nabyć za trzy złote mapkę Doliny Rospudy z zaznaczonym na niej miejscem protestów ekologów. Cóż za wspaniałe wyczucie rynku, jaka szybka reakcja na, w sumie przypadkową, promocję!

Z mapką było łatwiej podróżować, choć nie udało nam się przedrzeć dokładnie do miejsca, gdzie ekolodzy tak głośno walczyli o byt Doliny. Po drodze spotkaliśmy rodzinę rowerzystów, która też go szukała. Wspólnie uradziliśmy, że lepiej Rospudę zobaczyć z drugiej strony, od Uroczyska nad jeziorem Jałowym.

Oni na rowerach, my samochodem i z postanowieniem, że następnym razem zabierzemy jednoślady, pojechaliśmy dalej piaszczystą drogą. Czułam się jak poszukiwacz zaginionej arki. Niczym japońscy turyści, robiliśmy sobie co chwila zdjęcia, zwłaszcza na tle drzew w Dolinie. Dotarliśmy do Uroczyska, kierując się nagle wzmożonym ruchem samochodowym. Pełno turystów z aparatami, a nawet zapaleni kajakarze, którzy rozbili nad jeziorem, tuż przy Rospudzie, obozowisko. Rospuda jest piękna. To byłoby barbarzyństwo – puścić właśnie tędy obwodnicę. Niewybaczalny błąd, zbrodnia na naturze. Słońce iskrzyło w wodzie, czarny labrador parskał jak młody źrebak i my patrzyliśmy na ten cud w nadziei, że zdjęcia po części oddadzą piękno chwili. Nie oddały, zdjęcia zawsze wszystko spłaszczają. Najżywszy obraz zawsze zostaje pod powieką.

W drodze powrotnej zahaczyliśmy o Suwałki. W szkolnych latach moja koleżanka miała tu rodzinę i opowiadała, że Suwałki to miasto z jedną ulicą i polami wokół. Chciałam się o tym przekonać. Niezwykłe wrażenie już na wjeździe do miasta. Przeważnie miasta zaczynają się od razu za tablicą, a czasem nawet jeszcze wcześniej, jak na przykład Kraków czy Warszawa. W Suwałkach jest odwrotnie. Jedzie się, jedzie, mija się tablicę i dalej jedzie wzdłuż pól i łąk. Czasem pojawi się jakieś gospodarstwo. Potem znów pola i łąki. Wreszcie docieramy do większego zbiorowiska budynków i to już jest centrum, czyli główna ulica. Szeroka, z niską zabudową. Zatrzymaliśmy się na ryneczku i rozpoczęliśmy poszukiwania miejsca, w którym można zjeść obiad. Zajrzeliśmy do pierwszej napotkanej restauracji. Przy barze stała para. Dziewczyna paliła papierosa, chłopak pił piwo i grał w rzutki. Między jednym rzutem a drugim przemknęliśmy wzrokiem po menu, potem – uchylając głowę na bok (przed rzutką!) – próbowaliśmy znaleźć kelnerkę. Bezskutecznie. Chłopak grał dalej. Wyszliśmy głodni, na szczęście cali, ze śmiechem komentując sytuację.

Druga restauracja była zarezerwowana na jakąś rodzinną uroczystość, po kolejnym kwadransie poszukiwań zaczął nam się warzyć humor. Jadłodajnie na pewno nie są mocną stroną Suwałk. Znaleźliśmy w końcu, zziębnięci i wygłodniali, Bar Polski i tam już zostaliśmy, nie ryzykując dalszych poszukiwań. Gorąca herbata w dużych kubkach postawiła nas na nogi, potem świetne kartacze posiliły przed dalszą podróżą. Zrobiła je własnoręcznie właścicielka, pani Tereska. Dostaliśmy ostatnie – zaraz po nas przyszła rodzina, specjalnie na te kartacze. Czuliśmy się jak winowajcy, dłubiąc widelcami w tutejszym smakołyku. Bo rodzina patrzyła na nas nieco zeźlona – właścicielka mówi, że kartaczy nie ma, a tymczasem ci przy stoliku właśnie je jedzą. Cóż za niesprawiedliwość!

Bar ma swoją historię. Otworzył go pradziadek obecnego właściciela w 1908 roku. Gastronomiczne dzieło kontynuował dziadek do 1948 roku, a po odzyskaniu w 1989 roku praw do korzystania z lokalu działalność prowadzi prawnuk pierwszego właściciela. Budynek, w którym dziś znajduje się bar, należy do matki – wnuczki założyciela Baru Polskiego. Na tę historię trafiliśmy zupełnie przypadkowo, choć może nie ma spotkań przypadkowych. Każde spotkanie czegoś uczy. Być może jeszcze tu wrócimy. Być może kiedyś, gdzieś opiszę historię tego smakowitego miejsca...

Z Suwałk wyruszyliśmy do Giżycka. Pięć kilometrów przed miastem zobaczyliśmy na drodze machającego na samochody chłopca. Miał mniej więcej osiem lat. Zatrzymaliśmy się. Był zmarznięty i brudny. W ciągu kilku minut opowiedział nam, że mama wysłała go do cioci pożyczyć pieniążki, bo nie mają na chleb. Ale ciocia też nie miała pieniędzy, więc cała jego wyprawa była na darmo. W domu czeka na niego piątka rodzeństwa, najmłodsza Martynka ma dwa latka. Daliśmy mu te pieniądze – wysiadł z uśmiechem na ustach. Mieszkał tuż przy wjeździe do Giżycka.

Giżycko to miasto, które moja mama wybrała. Kiedy uciekała z rodzinnej wsi w dorosłe życie, postanowiła przyjechać tu, „na Prusy" – tak się wówczas mówiło. O mamie mówili „Krzyżak", ale nie przejmowała się tym. Znalazła pracę jako tokarz i tam poznała tatę. Tak niewiele wiem o jej giżyckim życiu. Ani którymi ulicami chodziła, ani gdzie mieszkała. Nie znam jej ówczesnych przyjaciół, a przecież musiała się z kimś spotykać! Nie zdążyłam o to wszystko zapytać, ale z wielkim sentymentem tu przyjeżdżam.

Wróciliśmy do domu pełni wrażeń, rozgadani, szczęśliwi. Piotr z iskrami w oczach opowiadał, że dawno nie był na tak fantastycznej wyprawie i że na długo ten czas zapamięta. Nie wątpię. Jest zakochany po uszy. A ja? No cóż, czas na stabilizację. Bardzo go lubię, a jak mówiła moja babcia, reszta przyjdzie z czasem. Piotr poszedł ze mną na górę, kochaliśmy się coraz śmielej, coraz bardziej bez skrępowania. Potem wrócił do siebie. A ja zapaliłam świecę. Waniliową. Piękny zapach. Daje mi taką błogość i poczucie bezpieczeństwa. Siedzę sobie w miłym, bezpiecznym mieszkaniu, słucham odgłosów majowego zmierzchu, patrzę na kwitnące za oknem bzy i dusza mi się gdzieś błąka po bezdrożach. Marzenia? Chciałabym nie być samotna. Mieć swoją rodzinę. Realizować się w pracy.

W marzeniach wszechświat potajemnie sprzyja, może tym pięknym majem zaczaruję swoje marzenia?...

Martin chyba wyjechał z Polski. Nie mam z nim kontaktu. Nie próbował do mnie dzwonić. Nie unikam go już, bo wiem, że powiedziałam mu wszystko. Nie chcę go okłamywać. Piotr od września zaczyna pracę w szkole. Cieszy się. Na razie jeszcze chodzi do redakcji, lecz są to jej, w tym składzie, ostatnie dni. Artur nie dość, że jeździł po pijanemu, to jeszcze nabrał ze sklepów AGD sprzętu, niby to na konkursy dla czytelników, ale nigdy go im nie przekazał. Pewnie sprzedał. Teraz trzeba spłacić długi. Wydawca stracił więc cierpliwość i zwolnił go. Resztę na razie zostawił. Zresztą tylko Piotr był na etacie, pozostali na umowę zlecenie. Okazało się też, że wydawca jeszcze w kwietniu, nie informując załogi, sprzedał tytuł regionalnemu dziennikowi i wkrótce zaczną się prace przy organizacji nowego tygodnika. Całe szczęście, że odeszłam. I dobrze, że życie utarło nosa Arturowi. Piotr miał rację – zło zawsze powraca do tego, kto je sieje. Nie tęsknię już za pracą w redakcji. Coś się skończyło, pora rozpocząć coś innego.

Z Piotrem układa się na razie poprawnie, jest opiekuńczy i odpowiedzialny. Nie narzuca się. Nie wprowadził się do mnie, szanuje moją su-
werenność. Zachęca do pracy. Cieszy się z sukcesów. I trzyma kciuki za
dotację na działalność. Jeśli ją dostanę, otrzymam z urzędu pracy czter-
naście tysięcy złotych! Zawsze to coś. Kupię nowy komputer i program
graficzny. Musiałam znaleźć poręczyciela, Piotr zgodził się bez wahania.
To bardzo miłe. Jego wsparcie jest mi bardzo potrzebne, bo w sumie jest
teraz najbliższym mi człowiekiem. Moją teraźniejszością.

Rozdział XXIII

O początkach lata, które odbierają siły, artystycznych
wyżynach i dołkach natury miłosnej i nie tylko.

Źle znoszę wiosnę, choć właściwie jest już lato. Słabo się czuję, jakbym miała niedokrwistość. Na to najlepsza jest pokrzywa. Mam jeszcze trochę z minionej wiosny, więc codziennie parzę ją i łykam falvit. Co roku pomaga, to pomoże i teraz. To przez to zabieganie i ciągłą pracę, ale dam radę. Byleby dostać tę dotację!

Od rana czekam na decyzję z urzędu pracy. Maluję, dekupażuję, robię to, co lubię. Pisać lubię też, ale skoro nie mogę, bo tak wyszło, to przynajmniej oddaję się teraz innym pasjom. Najważniejsze robić coś, co się kocha. Nawet jeśli nie przynosi to takich zysków, o jakich marzą biorący udział w wielkomiejskich wyścigach szczurów. Ja nie muszę z nikim się ścigać, nie muszę konkurować o względy szefa, znosić humorów i milczeć ze strachu. Nie dopadnie mnie mobbing, nie muszę sprzątać biurka i być świadkiem humanizowania wnętrza biurowego, o którym słyszałam ostatni raz w programie „Maja w ogrodzie". Śmieszna nazwa. Owo humanizowanie to nic innego, jak na przykład wstawianie pni brzozy do biura. Ponieważ w sumie człowiekowi potrzebna jest natura, jak woda, tyle że na co dzień się o tym nie myśli. Kiedyś żyło się pośród prawdziwych brzóz, dziś obcowanie z nimi jest skutkiem humanizowania. Trochę to śmieszne!

Dzwoni telefon. Ewa.

– No co tam, moja miła, u ciebie? – rzuca pytanie.

– Ewcia, co za niespodzianka! Pewnie masz ful roboty przy tych twoich ogrodach! Akurat myślałam o naturze i człowieka z nią związkach, a tu pyk, telefon.

Widok na rynek od strony sklepików — wyraźnie widać Ratusz (największy budynek), obok strażnicę bośniacką i bank. Naprzeciwko tego ostatniego mieściła się (i mieści się do dziś) Apteka Pod Orłem. Tu przychodził Hans po lekarstwa i bandaże z ich produkcji słynął bowiem Sensburg — mieszkańcy miasteczka i okolic uprawiali len.

– Super, Ludmiłciu. Jak ci się wiedzie z niemieckim narzeczonym? Musimy pogadać, wpadnę do ciebie niedługo, przyjeżdżam do ciotki na imieniny, wszystko mi opowiesz. Teraz musze lecieć, dzwonię tylko, żeby się zapowiedzieć, będę w tę sobotę. Chyba się wyrobię. Ludmiłko, tyle czasu się nie widziałyśmy, nic nie piszesz, co w pracy, co u dziewczyn. Ludmiłaaaa? Jesteś tam?

– Jasne, jestem... – Ewka tyle gada, że że nie ma możliwości przebicia się. Na razie nie prostuję informacji na temat niemieckiego narzeczonego, że po prostu go nie ma, że się rozpierzchło głupio i nie wiem do końca, czy słusznie. Ale muszę dać czasowi czas.

– No bo nic nie gadasz. Ludmiła, lecę, mam jeszcze tyle do załatwienia, biegam tylko za tramwajami, muszę sobie chyba auto jakieś kupić, bo nie mam już siły. To szaleństwo, wszyscy powariowali z tymi ogrodami, przydałaby się dodatkowa para rąk do pracy, szkoda, że nie umiesz projektować ogrodów, bym ci dawała sporo zleceń. Ludka, lecę, źle się dziś czuję, jakaś jestem osłabiona wiosennie. A jeszcze babska przypadłość mnie dorwała. Pa, kochana, do soboty, zdzwonimy się!

Tyle sobie pogadałam. Szalona Ewka. Kochana dziewczyna. No, każda z nich jest kochana. Jak mi dobrze z kobietami. Nie ma takich problemów, jak z facetami. Możemy być szalone, szczere ze sobą do bólu i obywa się bez zazdrości i złości. Zaraz, zaraz, co Ewka mówiła? Że dopadła ją babska przypadłość? A kiedy mnie ostatnio dopadła, bo straciłam rachubę, a mam wrażenie, że to jakoś dawno było...

I biegnę do torebki po zielony kalendarzyk, w którym zapisuję, oprócz adresów i telefonów, również TE dni. Jak mnie mama uczyła. Liczę, sprawdzam i robi mi się gorąco. Moja przypadłość powinna się zacząć tydzień temu. Dziś powinna się kończyć! Więc to... Nie, to nie może być prawda, nie teraz, nie zaraz. A może to tylko anemia. Zwykła taka, normalna. Przecież słabo mi, jak każdej wiosny. Tak po prostu. Muszę zrobić wyniki. Na anemię, oczywiście, nie na ciążę. Bo to drugie jest niemożliwe. Brałam przecież tabletki. Zaraz, zaraz. Jakie „brałam"? Przecież właśnie nie brałam. W kwietniu nie zaczęłam kolejnego listka. Zupełnie wyleciało mi z głowy. Jak to się mogło stać?! Przecież nigdy do tej pory...

Robi mi się słabo. Ze strachu. W głowie mi się kręci, w ustach czuję dziwną suchość. Mam dla samej siebie niezbyt dobre wieści. To może nie być anemia. Niestety. To może być dziwne, złośliwe zrządzenie losu, przez które czuję się jak w matni. Już teraz wiem, dlaczego przeszkadzały mi dziwne przyprawy wtedy, w restauracji, na obiedzie z Piotrem! I ten brak apetytu dostrzegalny od kilku dni.

Idę do drogerii po drugiej stronie ulicy. Jak dobrze, że testy ciążowe można teraz kupić również w sklepach samoobsługowych. Nie trzeba na całą aptekę krzyczeć do pani za szybką, czego się chce. To musiało być dość krępujące. Pierwszy raz w życiu kupuję taki test. Biegnę do domu, zamykam się w łazience. W ulotce piszą, żeby sprawdzać ranny mocz. Bzdura, do rana nie wytrzymam, zwariuję! Muszę teraz. Sikam do słoika, zbieram kropelki pipetką i pac, na białe okienko. Czekam te minuty, nie ma rady. Z zamkniętymi oczami. Serce mi wali jak oszalałe. Gorąco mi, cała się spociłam jak mysz. Otwieram oczy. Nieeeee... To nie może być prawda. Różowa kreska jest bezlitosna. Odbiera mi złudzenia. Tak chciałbym mimo wszystko mieć anemię! Tymczasem leży przede mną pierwsze zdjęcie mojego dziecka. Mojego i... Martina. Nie mam wątpliwości. W tym czasie byliśmy w Warszawie. Oświadczał mi się. Może to dziecko jest owocem tamtej nocy, kiedy spałam wtulona w jego piękne ramiona, z marzeniami o wspólnej przyszłości. Co ja teraz zrobię? Sama. Nie, nie sama. Z dzieckiem...

Telefon. Urząd pracy. Dostałam dotację! Umowa do podpisania już jutro, jutro również dostanę pieniądze. Widać, spodobał się im mój biznesplan sprzedaży rękodzieła w moim własnym sklepie internetowym! To już coś. Niby się cieszę, ale w mojej radości jest cień. Dziecko. Nie mam wątpliwości, że jestem w ciąży. Bo i czuję się inaczej. Do tej pory myślałam, że to tylko wiosenne przesilenie. Nic z tego. Co robić? Jak ja wychowam dziecko, pracując, prowadząc firmę? Co w ogóle ze mną, z Piotrem? Jak zareaguje na wieść o nieswoim dziecku? Zrozumiem, gdy będzie chciał odejść. A nie zamierzam go oszukiwać. Życie jakoś tak zaplata sytuacje, że zawsze ostatecznie prawda wychodzi na jaw. Jak w filmie, gdy ojciec chce ratować dziecko i oddaje mu krew, ale okazuje się, że niepotrzebnie, bo ma zupełnie inną grupę krwi! Nie chcę takich niespodzianek. Muszę o wszystkim powiedzieć Piotrowi. Kiedy? Jeszcze nie dziś... Dam sobie trochę czasu.

Zabieram się za pracę, to jedyne antidotum na smutki. Dziś słabszy dzień na moim Allegro. Sprzedałam tylko dwa duże pudła na zabawki, z wizerunkami zwierzątek. I nowy globus, zdekupażowany na stary, bo takie serwetki kupiłam na Allegro. Już niedługo założę własny sklep internetowy. Piotr mi pomoże, zadba o to, by zaistniał w sieci, a ja będę go sama obsługiwać. No, może Piotr też będzie mi pomagał, bo znając go, nie zostawi mnie z tym samej. Pewnie do czasu, ponieważ gdy się dowie o dziecku...

Tamta Hania mi odpisała. Że spotka się ze mną ósmego czerwca. No dobrze. Zobaczymy, jaką ma do mnie sprawę. Sprawdzam pocztę w nadziei, że może Martin do mnie napisał. Milczy. Może i lepiej. Albo zamyka te swoje sprawy, albo schodzi się z żoną. Niech robi, co chce.

Pewnie będę musiała iść do lekarza. Musi przecież potwierdzić moją diagnozę. Niby się cieszę, że się doczekałam, że przecież tyle o dziecku marzyłam, ale z drugiej strony... Nie teraz! To wszystko wydaje mi się ciężkim snem, aż szczypię się, żeby sprawdzić, czy to prawda. Zabolało. Prawda. Najgorsze jest to, że pewnie zostanę panną z dzieckiem. Oj, rodzice nie byliby ze mnie dumni. A co powiedzą dziewczyny?! Jak mogłam zapomnieć o tabletkach, jak mogłam zachować się tak nieodpowiedzialnie?! I jak ja teraz mam zamiar pogodzić pracę z wychowywaniem dziecka? O rany!!! W co ja się wpakowałam? Nawet nie mam siły płakać, tak jestem zdenerwowana. Ja wiem, że to podobno niezdrowo, ale nie umiem poradzić sobie z emocjami. Jak zwykle, w najtrudniejszych momentach mego życia jestem sama. Zawsze wszystko sama i sama. Żeby ktoś przyszedł i mi przetłumaczył, zbagatelizował, bo w sumie to radosna nowina, tysiące kobiet marzy o tym, a u mnie na dziecko był już prawie ostatni dzwonek...

Borykam się tak z myślami i przez chwilę pojawia się ta straszna, że może usunę, że przecież są takie możliwości nawet tutaj, na prowincji. Nie muszę jechać i szukać. Koleżanka mojej koleżanki to zrobiła! Opowiedziała mi kiedyś o tej koleżance, ta koleżanka, a ja złapałam się za głowę – jak tamta mogła coś takiego zrobić?! A teraz sama jestem w idiotycznej sytuacji, kiedy dopada mnie to straszliwe zwątpienie, kiedy czuję się jak na końcu ślepej uliczki. Może to dobre wyjście? Niech mi się w życiu lepiej ułoży, niechby to było dziecko Piotra, skoro już z nim jestem... Ale nie Martina... Wszystko, tylko nie to! Mam jeszcze trochę czasu, zastanowię się. Muszę z kimś o tym pogadać. Ale... to przecież zwyczajne morderstwo i to swego dziecka. Czy potrafiłabym to zrobić? A może to nie dziecko, tylko jakaś zygota bezkształtna, im szybciej, tym lepiej, tym bardziej nie przypomina dziecka. Poszłabym do tego lekarza z którąś z przyjaciółek, wsparta na jej ramieniu. W tajemnicy przed Piotrem, to jasne, po co ma widzieć? To moja sprawa, mój brzuch. Ale... To przecież... A wyrzuty sumienia po tym wszystkim? Czy umiałabym z nimi żyć? Zaglądać do wózków innych kobiet? Dalej marzyć o dziecku?

Walczę ze złymi myślami. Dawno się tak nie czułam, jak w matni. Mój świat zaczyna robić się szary, potem czarny, nie cieszy mnie nawet ta przyznana dotacja. Wybieram numer koleżanki.

– Cześć, mam nietypową sprawę. Moja koleżanka jest w niechcianej ciąży. Twoja koleżanka kiedyś rozwiązała ten problem... – cóż za idiotyczny eufemizm z mojej strony!

– No tak, to duży problem. Musiałabym się zorientować. Zadzwonić, co i jak. Ja nie wiem, czy on jeszcze to robi, ten lekarz.

– A możesz dla mnie to zrobić, to znaczy, dla tej mojej koleżanki? – pytam nieco zdenerwowana.

– Jasne, zaraz oddzwonię. Oddzwania po kwadransie.

– Robi, rozmawiałam z nim. Dwa tysiące. Niech ta koleżanka przyjdzie w środę o czwartej. Z kimś. Adres wyślę esemesem.

Nie myślałam, że tak szybko to pójdzie. I nagle dopada mnie myśl: „Dziś jest poniedziałek! Moje dziecko ma żyć jeszcze tylko dwa dni?! Niecałe?! Mam tak zupełnie świadomie podpisać na nie wyrok? Co ja wyrabiam?! Zidiociałam chyba na amen!" Kłębowisko myśli, złości, zapytań. Nie ma nikogo, kto by poradził, co robić, ale czuję, że ten pomysł jest zupełnie bez sensu. Nie mogę tego zrobić swemu dziecku! To nie jego wina!

Odwołuję wizytę u lekarza. Wyjaśniam, że koleżanka się jednak rozmyśliła. Że mąż się dowiedział i zabronił. Mimo iż mają już troje dzieci – wychowają także czwarte! Koleżanka mówi, że taki mąż to skarb i że nie ma problemu. Odwoła wizytę. Zastanawiam się, skąd u niej taka znajomość z lekarzem. Może sama kiedyś?... Nie wiadomo.

Podobno takich kobiet jest bardzo wiele, mijamy je na ulicach i nie wiemy, że w sercach noszą bolesną tajemnicę. Wieczną żałobę.

Że odliczają czas, ile lat miałoby, gdyby się urodziło. Nie, nie mogłabym dołączyć do tego grona. Może są i takie, dla których jest to zwykły zabieg, ale jakoś dla mnie nie. I nie ma w tym religijnego podtekstu, bo jestem niewierząca. Agnostyczka. Po prostu słucham swego wnętrza, swoich uczuć. Poniosło mnie z tym telefonem, z tymi myślami. Może walka hormonów już się rozpoczęła? Słynna nieobliczalność ciężarnych?

Dzień zleciał. Postanawiam rozpocząć oswajanie siebie z własną ciążą. Niepotwierdzoną przez lekarza, ale przecież już wyczuwalną. Bo dziwna wrażliwość na zapachy nie pozwala mi umyć się moim ulubionym Dove. Mam to od kilku dni. Myślałam, że zapach mi się znudził. Teraz wiem, co się święci.

Piotr chce spędzić ze mną kolejny wieczór. Dobrze, bo nie chcę zostawać teraz sama. Chociaż pewnie będzie oczekiwał ode mnie wylewności i oddania, a mój humor nie sprzyja zbliżeniom. Zapowiadam, że pójdziemy grzecznie spać.

– Jasne. Widzę, że marnie wyglądasz. Coś się stało? Źle się czujesz?

– To wiosna. Przesilenie. Mam tak od lat. Na starość – próbuję zażartować.

– Jaka starość, Ludmiłko, przecież dopiero robisz się kwitnącym kwiatem!

– Jesteś bardzo miły, Piotrze. Zrobisz mi herbatę?

Wyciągam się w fotelu, zagarniam Mietka na siebie, kładę go na brzuchu. Mietek chyba już czuje lokatora, bo rozpłaszcza się na moim płaskim pępku i zaczyna mruczeć. Może kocią kołysankę? I robi mi się jakoś błogo, spokojnie, południowe nerwy przechodzą na chwilę. Z kuchni słyszę odgłosy przesuwanych naczyń, wyobrażam sobie, że to Martin robi mi tę herbatę. W drzwiach pojawia się jednak Piotr, czujny jak zawsze.

– Ludmiłko, czy na pewno wszystko w porządku? I Mietek jakiś inny. Coś mi tu nie gra.

Hm, czyżby mężczyźni też mieli intuicję?

– Wiesz, dostałam tę dotację. Jutro podpisuję umowę. Musisz iść ze mną też złożyć podpis – zmieniam temat.

– To fantastycznie, Ludka, musimy to uczcić! Lecę po wino!

– Zaczekaj, nie mam ochoty...

– Dlaczego? Taka okazja! Chętnie bym się napił. Z tobą...

– Nie chcę, podaj mi tylko herbatę.

– Luduś, martwię się. Nie cieszysz się, jesteś nieobecna. Coś się stało? Może... Martin przyjechał? – zająknął się lekko przed jego imieniem. Zawsze będzie się go bał.

– Nie, Piotrze, nic mi nie jest. Jesteś bardzo miły i troskliwy, ale naprawdę, nie denerwuj się. Nic mi nie jest – powtórzyłam.

– Ludmiłko, chodź do mnie – zagarnia mnie na kanapę i stawia nasze herbaty na stole. Kładzie mi głowę na swoich kolanach, wyswabadza włosy ze spinki i zaczyna się nimi bawić, okręcając pasma na palcach. Włącza telewizor, kończy się *Teleexpress*.

– Obejrzymy *Klan*? – pytam. – Jasne.

– Wiesz, zwykle nie oglądam, ale takie fajne popołudnie. Miło, cicho, nie chce mi się myśleć.

– To ty oglądaj, a ja zrobię ci coś do jedzenia. Jadłaś w ogóle coś?

– Nie bardzo – uświadamiam sobie, że z tych nerwów zapomniałam o jedzeniu.

– To coś ci zrobię. Może omlet z szynką? Całkiem niezły mi wychodzi! Biszkoptowy, jak puch, z wtopionymi kawałkami sera!

– Jasne, rób! – chyba zgłodniałam.

Piotr biegnie do kuchni, szczęśliwy, że może się przydać. Znów słyszę kuchenne krzątanie, Mietek ociera się o mnie i mruczy jakoś inaczej niż zwykle. Koty znają chyba wszystkie nasze tajemnice!

Po dziesięciu minutach Piotr już jest. W moim kuchennym fartuszku wygląda pociesznie. W dłoniach dzierży dumnie dwa talerze. To, co na nich, pachnie intensywnie. Na dwóch liściach sałaty prezentują się dumnie dwa identyczne krążki, jak dwa słoneczniki.

– Hm, jaki zapach... Super! Jesteś aniołem! – mruczę, sięgając po widelec. Biorę pierwszy kęs, trzymam chwilę w ustach, nagle ten apetyczny zapach przeradza się w coś wrednego, nie do zniesienia, co zaczyna mdlić i powoduje zawrót głowy. Zrywam się i biegnę do łazienki, by zwrócić światu wszystko, co zalegało w moim pustym prawie przewodzie pokarmowym. Piotr zaniepokojony dobija się do łazienki.

– Ludmiłko, co jest, mówiłem, że coś jest nie tak! Żyjesz tam w tej łazience?!

– Żyję, zaraz wychodzę – szepczę. Co ja narobiłam. Jaki obciach, jaki wstyd! Myję zęby, płuczę gardło. Wychodzę z łazienki, blada taka, słaba, oby dotrzeć na kanapę.

– Piotrze, zabierz te talerze do kuchni... – proszę, czując, że zapach omletów, a właściwie szynki, znów powoduje u mnie mdłości.

– Jasne, już zabieram. Wraca zmieszany.

– Ludmiłko... – patrzy pytająco.

– Piotrze, to chyba grypa jelitowa. Podobno szaleje.

– Kochana, a ty nie jesteś... Boże... ty jesteś może... w ciąży? Dlaczego się domyślił?! Nie byłam na to przygotowana! Co mam teraz powiedzieć, jak się zachować?! No, proszę, droga Ludmiłko, taka mądra jesteś, to teraz wymyśl. Mleko się wylało!

– Nie chcę o tym teraz mówić.

– Więc jednak? – ta nadzieja w oczach, ten błysk szczęścia. Nie do zniesienia.

– Piotrze, nie wiem, podejrzewam dopiero.

– Dlaczego nie mówiłaś!

– Bo dopiero dziś...

– Robiłaś test?!

– Tak!

– Jak się cieszę! Pokaż, tak chciałbym zobaczyć! Moja siostra, kiedy zaszła w ciążę, to szwagrowi powiedziała, że to pierwszy list od ich malucha. Pokaż mi też ten list od naszego malucha, proszę!

No i co mam zrobić? Jak mu zabrać tę nadzieję, jak powiedzieć mu prawdę? Przecież on jest taki szczęśliwy! Pokazuję mu test. Różowe paski na wyschniętej już włókninie.

– Ludziu, kochana moja, będę wspaniałym ojcem, zobaczysz, tak się cieszę, marzyłem, że kiedyś. Marzenia się spełniają!

– Piotrze, to nie takie proste...

– Moja złota, moja kochana mamusiu. Ja będę dbał o ciebie, robił masaże, zobaczysz, nie będziesz musiała pracować, zarobię na nas dwoje i potem troje! Ludmiłko!

– Nie planowałam...

– Kochana, no chyba nie myślałaś, żeby?...

– Na początku się załamałam... – Ale nie myślałaś?...

Nie powiem mu o tym telefonie. Sama się tego wstydzę jak nie wiem co. Głupia gęś ze mnie. Dziecko to dziecko. Nawet mała zygotka. Dam radę, wszystko będzie dobrze, ułoży się jakoś. Piotr kołysze mnie w ramionach, płacze ze szczęścia, opowiada, jak będzie wychowywał, wstawał w nocy. I nagle nieruchomieje.

– Ludmiłko...

– Słucham – skąd ja wiem, o co chce mnie zapytać?

– Ludmiłko, a który to tydzień?

– Początek.

– A dokładnie?

– Piotrze...

– Nie, powiedz, że nie... – jęknął głucho. Już wie. Nie musiałam mówić, sam się domyślił.

– To dziecko jest... jego?

Kiwam głową. Pobladł jak ściana. Nie mogę go przecież okłamywać. Ma prawo wiedzieć. Ile oddałabym za to, żeby to było jednak dziecko Piotra! Żeby nie musiał cierpieć!

– Nie, powiedz, że nie! Jak mogłaś mi to zrobić?! Jak mogłaś zajść z nim w ciążę?! Z tym niemieckim lalusiem! Dlaczego byłaś tak lekkomyślna?! I co zamierzasz teraz zrobić z tym bękartem?!

– Zamierzam go urodzić, po prostu. Nie planowałam tego dziecka – próbuję mu wyjaśniać. Ale on już szaleje, jest załamany, nie wie, co robić, podchodzi do okna, otwiera i krzyczy: „Dlaczego?!!!"

– Uspokój się. Nie musisz ze mną być, zrozumiem, jak odejdziesz. To nie jego wina. Ja je urodzę!

– Ja cię tak kocham. Kochałem. Dlaczego mi zrobiłaś?!

– Nie wiedziałam! – Trzeba było przewidzieć!

– Łatwo mówić!

– Jesteś przecież chyba dorosła, odpowiedzialna?!

– A jak ty szedłeś ze mną do łóżka, to byłeś odpowiedzialny? Spytałeś, czy nie zajdę w ciążę? Martwiłeś się? – próbuję się bronić.

– Nie, bo myślałem, że nawet jak zajedziesz w ciążę, to będzie dobrze, bo będę cię miał nareszcie całkiem dla siebie, ciebie i nasze dziecko...

– Czy ty nie rozumiesz, że ja niczego nie planowałam?

– To po co z nim spałaś? On nie jest ciebie wart! Co zamierzasz? Może wprowadzisz się do niego i jego żony i powiesz: „Dzień dobry, przyszłam tutaj z dzieckiem pani męża, czy mogę zamieszkać z wami, bo dziecko musi mieć ojca?!"

– Piotr! Jak możesz tak mówić?

– Jasne, muszę zachowywać się kulturalnie i z klasą. Zawsze!

Chwycił kurtkę i wyszedł, trzasnąwszy drzwiami. Omlety wystygły, wyrzuciłam je do kosza. Wyłączyłam telewizor. Mielimy oglądać *Klan*, gadać i jeść obiadokolację. A tymczasem zorganizowaliśmy sobie piękną awanturkę. Jasne. Rozumiem Piotra. Sama nie wiem, jak zachowałabym się na jego miejscu. Może podobnie?

Muszę napisać do Martina. Nie mogę ukrywać przed nim tak poważnej informacji. Włączam komputer. Sprawdzam pocztę. Niech ktoś mi powie, że nie istnieje telepatia. Mail od Martina:

„Ludmiło, skoro podjęłaś taką decyzję, muszę ją uszanować. Rzeczywiście, mogłem wtedy powiedzieć ci prawdę. Ale teraz widzę, że nie ma chyba takiej potrzeby. Życzę ci szczęścia z Piotrem. Żegnaj".

„Żegnaj" brzmi inaczej niż „Do widzenia". Definitywny koniec miłości. Bolesny skurcz w okolicy żołądka. Nie ma Martina, nie ma Piotra. Co mam teraz mu odpisać? Że Piotr jednak mnie zostawił? Że proszę go, by wrócił do mnie? Do nas?

Za dumna jestem na to. Na pewno nie. Nigdy w życiu! Poradzę sobie sama! I wystukuję na klawiaturze kilka słów, które bolą mnie jak uderzenia:

„Żegnaj. Ja zaś życzę ci szczęścia z Ritą. I pamiętaj, nigdy nie okłamuj bliskiej osoby. Kimkolwiek ona będzie".

To wszystko. Boli jak cholera. Ale co mam zrobić? Prosić go teraz, żebyśmy może pogadali? Był w Polsce. Miałam szansę. Przyjechał do mnie, a ja... ja go nie okłamałam. Zresztą jaką mam pewność, że w tych swoich wyjaśnieniach mówił prawdę? On już wybrał. Ja też wybrałam. Ale czy naprawdę wybrałabym samotność? Piotr odszedł i nie wiem, czy w ogóle jeszcze pojawi się w moim życiu.

Zmęczona, zrobiłam sobie kąpiel i położyłam się wcześniej spać. Sięgnęłam po książkę. Nie mogę skupić się na losach młodej prawniczki, bogatej i wyzwolonej. Ona mieszka w wielkim mieście, ma kupę pieniędzy i luksusowy apartament i na pewno żadnych takich problemów jak ja w tym małym miasteczku, w którym zaraz wszyscy się dowiedzą, że jestem w panieńskiej ciąży i będą gadać, ino huk! Przypominam sobie, że jutro rano muszę iść, podpisać tę umowę w urzędzie pracy. O rany! Piotr miał iść ze mną, jest przecież moim poręczycielem! A jak zapomni, a jak nie pójdzie? Chyba mnie wyczuł.

Piknął esemes. Od Piotra. „Mogę przyjść?"

Odpisuję: „Przyjdź".

Po kwadransie stoi pod drzwiami. Przybladły, zgaszony. Jak nie Piotr. Zapraszam go do środka. Wolno wiesza na wieszaku kurtkę. Zdejmuje buty. Wkłada kapcie, bo ostatnio sobie kupił, specjalnie do mojego domu. Jak również szczoteczkę do zębów i sprzęt do golenia. Bierze mnie za rękę. Prowadzi do salonu. Siada na kanapie, włącza telewizor, mnie układa na kolanach. Jak kilka godzin temu, przy *Teleekspresie*.

– Zacznijmy jeszcze raz. Od nowa.

– Posłuchaj...

– Chcę ci powiedzieć, że za bardzo cię kocham, żeby tak po prostu odejść. Będę z tobą i twoim dzieckiem. I pokocham je, jak własne. Jesteś moim spełnionym marzeniem.

– Nie musisz niczego, pamiętaj... – bardzo mnie wzruszył, łzy lecą mi po policzkach jak głupie, nie mogę ich zatrzymać.

– Wiem, że nie muszę, ale chcę. Rozumiesz. Kocham cię! Wiem, że muszę poczekać, aż ty mnie pokochasz, ale poczekam. Pozwól tylko mi ze sobą być. I obiecaj, że przestaniesz o nim myśleć.

– Piotrze, to będzie trudne. To dziecko... Zawsze będzie jego.

– Ludmiło, wiem, ale wiem też, że jak się postaramy oboje, to ułoży się nam, musi!

– Nie wiem, czy dobrze robisz.

– Nie umiem inaczej.

– Zastanów się. Nie zmuszam cię. Gdybym chciała, powiedziałabym, że to twoje...

– Wiem, doceniam twoją uczciwość. Zastanowiłem się, ochłonąłem i jestem gotowy. Tylko pozwól mi ze sobą być.

– Dobrze, zgadzam się – w tym momencie naprawdę wierzyłam, że tego właśnie chcę.

Zasnęliśmy jak stare dobre małżeństwo. Wtuleni w siebie, w nocnych ubraniach. Piotr powiedział, że musi mnie teraz oszczędzać. I że powinnam iść do lekarza. Koniecznie! Ułoży się nam, Piotr na pewno mnie nie skrzywdzi!

Noc minęła spokojnie. Śniła mi się moja mama, która przyszła do mnie i powiedziała: „To będzie córeczka". Zaraz po przebudzeniu postanowiłam wymyślić dla tej córeczki jakieś sensowne imię. Może je sobie sama przyniesie? Na pewno nie jest tylko bezkształtną zygotą. Nabiera już ludzkich obrysów, a ja ją pokołyszę przez te dziewięć miesięcy do samych narodzin! Mój telefon do tamtej koleżanki i moje głupie zamiary rozwiązania problemu wydały mi się nagle śmieszne, niedojrzałe. Już nawet nie okrutne, bo nigdy bym tego nie zrobiła. Czyżby rozbudzał się we mnie właśnie matczyny instynkt?

W tej kamienicy, w wieżyczce mieszkał przedwojenny rabin. Był lubianym i szanowanym mieszkańcem Sensburga. Miał stąd niedaleko do bożnicy, która mieściła się niespełna dwieście metrów od jego domu.

Rozdział XXIV

Jak zostaję prowincjonalną bizneswoman i dlaczego tak często sprawdza się polskie przysłowie „Nosił wilk razy kilka, ponieśli i wilka".

Umowa podpisana, kasa przelana, sprzęt kupiony. Mam supernowiuśki komputer, który chodzi jak błyskawica. Mój laptop przy nim to lekki przeżytek. Program graficzny oraz taki specjalny do robienia stron www działają bez zarzutu. Piotr robi mi stronę oraz zakłada sklep internetowy. Wykupił już domenę. Nie chodzi teraz do pracy, ma wakacje, od września rozpoczyna pracę w szkole. Redakcja zamknięta na cztery spusty. Nie ma już lokalnego tygodnika. Nasz wydawca robi dalej biznes w Opolu, zainkasował jakąś tam kasę za tytuł, wystarczyło mu na auto dla żony.

Nowy właściciel, Niemiec, zrobi z naszego tygodnika gazetę podobną do innych, jakie ukazują się w miastach powiatowych. Tak jest podobno w całym kraju. Mnie to już ani ziębi, ani grzeje. Artur przepadł gdzieś w Olsztynie. Piotr mówił, że miał jakąś sprawę w sądzie o długi, a drugą założyła mu dwójka czytelników, którzy wygrali telewizor i lodówkę w konkursie gazety i nigdy ich nie otrzymali. Artur sprzedał sprzęt, bo potrzebował pieniędzy. Komornik zajął mu samochód. Aż chce mi się powiedzieć: „Tak to jest, drogi Arturze". To, co złego dajesz, wróci do ciebie. Każdy chyba się o tym w swym życiu przekonał, ja również, nie raz. Normalne. Ale takich pokładów złości i zazdrości to Arturowi tylko można współczuć. Patrysia oczywiście zostawiła go i związała się z naszym handlowcem, Michałem. Pewnie, bo i po co jej taka partia?! Michał dostał pracę u Niemca, który nas wykupił. Tyle że w Olsztynie. Swoje zarobi, Patrysię wkręci w towarzystwo, kiedy już się obroni, to pracę pewnie będzie miała i bez Arturowej łaski. Artur podobno zaczął pracę w jakiejś

hurtowni artykułów budowlanych. Może nauczy się obsługi wózka widło-
wego, kto wie? Zawsze to nowa umiejętność. Ale się narządził!

Zbyszka tylko szkoda, bo nadawał się do naszej redakcji jak nie wiem
co, ale podobno zapuścił już korzenie u siebie, zadomowił się i nie chce
wracać. Piotr twierdzi, że wkrótce ruszy nowa redakcja i będą szukać ludzi
do pracy. Ale ja już nie chciałabym. Jeden – ponieważ i tak robię to, co
lubię, dwa – niedługo, bo za siedem i pół miesiąca zmieni się moje życie,
przybędzie w nim ktoś zupełnie nowy. Maleńki. Kogo pokocham wielką
miłością. Taka duża miłość dla takiego malucha. To cud, prawda?

Piotr jest dla mnie dobry i opiekuńczy. Pomaga w pracy – wozi paczki
na pocztę, czasem gotuje obiady. Mieszka trochę u mnie, trochę u siebie.
Jest wręcz nadopiekuńczy, a przecież ja nie jestem obłożnie chora! Zresztą lekarka, do której wreszcie się wybrałam, powiedziała, że mam się,
owszem, oszczędzać, ale bez przesady. Łykam kwas foliowy, wszystkie
ciężarne robią to teraz. Jakieś witaminy, bo jestem drobna i szczupła,
a mój organizm musi unieść ciężar wykarmienia i uniesienia dziecka. Na
razie jest całkiem małe, ale to niedługo się zmieni. Już je widziałam na
USG. Lekarka mi pokazała, ale tak naprawdę to widziałam tylko jakiś mały
zalążek. Podobno już bije jej serce, tylko że ja jeszcze tego nie słyszę.
Czytałam o badaniach genetycznych, ale mam w sobie jakieś przeczucia,
że wszystko będzie dobrze. Moja mama mi powiedziała przecież, że
to będzie dziewczynka. Na razie nie widać, że jestem w ciąży, więc też
nikomu nie mówię. Nawet dziewczyny jeszcze nie wiedzą, ale przecież
im niedługo powiem. Zwołam je do siebie. Cierpię na pasmo porannych,
popołudniowych i wieczornych mdłości, przerażeniem napawa mnie prze-
chodzenie obok pizzerii i budek ze smażoną kiełbasą. Smażona kiełbasa
jest moim wrogiem numer jeden! Mocne perfumy to numer dwa. Zbliża
się ósmy czerwca, mam spotkać się z panią Hanią, ciekawi mnie, czego
może chcieć ode mnie całkiem obca osoba, ale ponieważ wciąż jestem
zajęta, nie zaprzątam sobie tym zanadto głowy. Jedno wiem, gdyby to
było coś ważnego, to przecież powiedziałaby mi wcześniej. Znaczy –
mało ważne.

Razem z Piotrem jeździmy po różnych miejscach, żeby założyć działalność gospodarczą. Załatwiliśmy jakiś regon, o którym wiem, że jest,
ale nie bardzo się orientuję, po co i czy nie żyłam sobie równie spokojnie

i szczęśliwie bez niego?

Dobrze, że wszystko jest pod ręką. W miejskim urzędzie miła pani podała mi kwity, pomogła wypełnić, poinstruowała, jak i co. Spoko, nie zginę. Dała swój numer telefonu, w razie wątpliwości mogę dzwonić. Regon załatwiliśmy korespondencyjnie. Do Kętrzyna musieliśmy pojechać tylko raz, do urzędu skarbowego, choć i tak okazało się, że niepotrzebnie, bo wszystko można było załatwić u nas. Ale chciałam, gdyż w Kętrzynie są fajne ciuchy, no i Sylwia. Wpadłam na herbatkę, pobuszowałam w jej hurtowni, zakupiłam bagażnik rzeczy i heja, do domu, wystawiać na Allegro! Piotr się ze mnie śmiał, że taka szalona jestem z tymi ciuchami. No lubię to i już! Trochę dla siebie, reszta na handelek. Piotr pomagał nosić co cięższe rzeczy, bo wyłowiłam dwa sztuczne futra i skórzaną kurkę męską, firmową.

Dziewczyny niewiele wiedzą o Piotrze, tyle tylko, że to ktoś nowy przy moim boku. Sylwia mruknęła mi tylko podczas wynoszenia worków do auta, że Martin był ładniejszy. I zapytała, czy na pewno kocham tego Piotra. „Jasne, że kocham" – odpowiedziałam ze śmiechem, bo co miałam powiedzieć? Czekam, aż przyjdzie z czasem to, co ma kiedyś nadejść. Muszę wierzyć słowom mojej babci. Zresztą dziecko musi mieć ojca, prawda?

Siedzę sobie teraz w domu, czytam wciąż tę książkę o prawniczce, która, o dziwo, teraz zachodzi w nieplanowaną ciążę i wyjeżdża do pracy do Anglii, bo ze względu na swój stan wypadła nagle z wyścigu szczurów. W dużych miastach chyba częściej nie patyczkują się z kobietami w ciąży! Przynajmniej mam takie wrażenie. Nie mieszkam w dużym mieście, to może się mylę, ale chyba tak właśnie jest. Stąd moda na singli. Bezdzietnych. A tymczasem człowiek jest zwierzęciem stadnym. Nawet ja, z panieńskim dzieckiem, szukam teraz męskiego ramienia. Choćby nie należało do biologicznego ojca. Mam jednak wrażenie, że Piotr powoli akceptuje nową sytuację i moje dziecko. Wie, że nie jego, a jednak dogląda mnie w tej ciąży.

Martin zamilkł na dobre. Trudno. Nie będę po nim płakać, choć szkoda mi tamtych szalonych chwil, pierwszych w życiu zaręczyn, namiętności, jakiej nie przeżyłam z nikim dotąd. Nie wiem, co bym zrobiła, gdyby się znów pojawił. Teraz noszę w sobie owoc tamtych chwil. Zapamiętam je na całe życie. Gdybym wtedy nie wyszła po chleb do sklepu, może nigdy nie spotkałabym i nie pokochała tego niemieckiego przybysza? Nie wiadomo, jakby było.

Czekam na Piotra. Załatwia jakieś swoje sprawy, prowadzi kurs dla bezrobotnych. Nie siedzę u niego w kalendarzu, nie śledzę jego zamierzeń. Ma swoje życie. Czekam na niego jednak prawie jak na męża. Jeszcze nie z obiadem, bo mdli mnie od zapachów i unikam przebywania w kuchni, ale herbatę mogę mu zaproponować. Jest pierwszy czerwca. Za rok o tej porze moja córeczka będzie świętować dzień dziecka! Ciekawe, do kogo będzie podobna?

Rozdział XXV

O tym, że nie można napierać z uczuciami,
bo lud mazurski bywa uparty, gdy się go naciska.

Zgrzyt zamka. To Piotr. Ściąga buty, zakłada kapcie i myje ręce. Potem prosto do mnie, po drodze spotyka Mietka wyciągniętego na ręcznie tkanym dywaniku.

– Co, Mieciulek, tak leżysz sam, nie z panią? Boisz się, żeby zarazków na dzidzię nie przenieść?

Dobry z niego człowiek. Na Kresach powiedzieliby: „Porządny chłop, z kościami". Znaczy – godny zaufania. Przychodzi do mnie, do salonu, odkładam książkę.

– Jak minął dzień, kochanie? – całuje mnie w czoło i gładzi po dłoni.

– Dobrze, pracowicie, jak zawsze.

– Są jakieś paczki, to pojadę wysłać?

– Nie, wysłałam już sama. Nie kłopocz się. Jadłeś obiad?

– Tak, po drodze, ale ty zapewne jesteś głodna?

– Nie, proszę, nie mów o jedzeniu.

– Wciąż cię mdli? Biedna ty moja, chodź do mnie. Przejdziemy przez to wszystko razem.

Przytula mnie i kołysze, po czym wyciąga zza koszuli małe zawiniątko. Para małych, różowiutkich bucików, obszytych wokół drobnymi, białymi perełkami.

– To dla naszej córci, na nową drogę życia. Z okazji jej pierwszego dnia dziecka. Od tatusia – mówi.

Wzruszyłam się bardzo. Pamiętał, że dziś dzień dziecka! Kochany jest. Na pewno będzie dobrym tatą. Całuję go mocno w oba policzki. I słyszę:

– Zostań, proszę, moją żoną...

Patrzę na niego zaskoczona. No tak, mogłam się tego spodziewać. Że kiedyś te słowa wypowie.

– Nie musisz mi teraz odpowiadać. Ja wiem, że wszystko potrzebuje czasu. Rozumiem. Nie musisz mi nic odpowiadać. Wiedz tylko, że jestem obok ciebie i że zamierzam o ciebie powalczyć. Żebyś była całkowicie moja.

– Piotr, Piotruś... – pierwszy raz zdrabniam jego imię. – Ja wiem, co do mnie czujesz, w ogóle w to nie wątpię. Ale nie wiem, czy chcę wychodzić teraz za mąż. Już za dużo mi nowego na głowę się zwaliło. Nowa praca, wcześniej te przeboje z Arturem. Pamiętasz, ile to było nerwów! I teraz ciąża. Nie jest mi łatwo, za dużo się dzieje, nie nadążam.

– Rozumiem, kochana. Nie musisz się spieszyć, wybierzemy sobie dobry moment na ślub. Taki, jaki będzie tobie odpowiadał.

Za bardzo napiera ten Piotr. Owszem, jest bardzo czuły, oddany mi, ale chyba za bardzo chce urządzić mi życie przy swoim boku. Jest ze mną i moim nieślubnym dzieckiem, pełen oddania, planuje ślub, nie przyjmując do wiadomości, że nie chcę zbyt wielu zmian. Traktuje moją decyzję jedynie jako przystanek przed ostateczną decyzją. Jak odwleczenie w czasie, a nie zaniechanie, odmowę po prostu. Nie wiem, co robić. Przecież jeśli odmówię, to znów skurczy się w sobie, posmutnieje, tyle dobra mi dał, a ja... Niepotrzebnie go oswoiłam. Trzeba ponosić odpowiedzialność za swoją Różę. No i mam. Zamiast Małego Księcia – mam przed sobą Małą Księżniczkę, która oswoiła pana Róża. Ciekawe, jak to wszystko rozegram do końca?

Spoglądam na niego chłodnym wzrokiem. Natychmiast to wyczuwa.

– Ludmiłko, co się stało? Czemu tak na mnie spojrzałaś?! Chciałabym mu krzyknąć, że nie chcę wychodzić za niego, żeby mnie

do niczego nie zmuszał, ale nie mam siły. Zamykam oczy i opieram głowę o poduszkę.

– Nie, nic... Zupełnie nic. Jestem po prostu zmęczona.

Omotał mnie swoją miłością jak bluszczem. Nie mam siły teraz z tym walczyć. Może to i lepiej. Dziecko powinno mieć ojca. Udaję, że zasypiam. Mam prawo. W ciąży potrzeba więcej spokoju i odpoczynku. Na palcach wychodzi z pokoju, zamyka się w kuchni, żeby nie leciały do mnie zapachy i zaczyna coś pitrasić. Pewnie jutrzejszy obiad. Słyszę pukanie do drzwi, ale nie chce mi się wstawać. Piotr otwiera, rozmawia z kimś przez chwilę i znów wraca do kuchni. Jest spokojnie, dobrze. Naprawdę zasypiam. Moja sytuacja życiowa nie jest taka zła. Przede wszystkim – przestało mi brakować pieniędzy. Nie zarabiam kokosów, ale mam więcej niż gdy pracowałam w redakcji. Opłacam sobie niższy ZUS, przez dwa lata mam taką promocję, prowadzę firmę. Piotr już prawie przygotował mi sklep internetowy. Będę w nim sprzedawała swoje rękodzieła i ciuchy. Mam nawet stałych klientów. Sama sobie poradzę. Jestem bardzo wdzięczna Piotrowi, że mi pomaga, ale też coraz częściej zastanawiam się, czy dobrze zrobiłam, decydując się na bycie z nim. Na myśl o nim nie czuję przyspieszonego bicia serca, nic w moich uczuciach do niego się nie zmienia, choć z pewnością wiele kobiet chciałoby być na moim miejscu! Piotr ostatnio jeszcze bardziej wyprzystojniał. Jest taki ułożony, poprawny, można na nim polegać. Powinnam się cieszyć, a tymczasem... Sama nie wiem, o co mi chodzi. Pewnie to te hormony!

Brukowany rynek Sensburga zawsze tętnił życiem. Otoczony sklepikami i restauracjami, był głównym punktem miasteczka.

Rozdział XXVI

O tym, że los czasem płata figle, zwłaszcza gdy chodzi
o więzi międzyludzkie. I o tym, że czasem życie kończy
rozpoczęte przed laty familijne scenariusze.

Ósmy czerwca. Dziś spotkanie z panią Hanią. Wcześniej umówiłyśmy się na trzynastą pod ratuszem. Ledwo zdążyłam, ponieważ miałam jeszcze kilka paczek do wysłania. Przebrałam się w coś bardziej dla ludzi, czyli luźne płócienne spodnie i białobrązową tunikę, bo odkąd pracuję u siebie, zaniedbałam się nieco i po domu chodzę przeważnie w workowatej niebieskiej sukience. Moja figura niezbyt się zmieniła, wręcz jeszcze bardziej schudłam, gdyż prawie w ogóle nie jem. Marzę o tym, żeby z apetytem spałaszować jakiś smakowity obiadek. Lekarka pociesza mnie i zaleca jedzenie jabłek. Jem. Na szczęście mam na nie ochotę. Powinnam skrócić końcówki włosów, znów nałożyć hennę, wyregulować i poczernić brwi. Ogarnąć się.

Idę pod ratusz nieco zdenerwowana. Nie wiem, dlaczego czuję nagły niepokój. Czego ta kobieta właściwie chce ode mnie? Nie dość mam pracy i nowych komplikacji życiowych? Czy nie czekają mnie następne? Tak bardzo potrzebuję spokoju.

Mam trochę czasu, to zajdę jeszcze do Rossmanna, skończyły mi się kosmetyki. Nie mam tuszu do rzęs i szamponu. Dobrze, że Rossmann tak blisko! Tyle fajnych rzeczy w jednym sklepie. Pamiętam, jak go otwierali przed którymś Bożym Narodzeniem, to szał był wielki. Wszyscy tu biegli robić zakupy! Ja znałam go już z dużych miast, między innymi z Olsztyna. Często tam bywałam. Kiedyś to nawet pojechałam na zakupy specjalnie do Rossmanna!

Na schodkach przed sklepem spotykam panią Zosię. Zatrzymuje mnie od razu, machając ręką. W drugiej niesie siatę z zakupami. Moja sąsiadka jest już zdrowa, jakoś wyładniała, może trochę utyła, co w jej przypadku pójdzie na zdrowie, bo strasznie sucha z niej starsza pani.

– Ludmiłko, poczekaj kochana, muszę ci coś powiedzieć. To cud jakiś. Byłam ostatnio u ciebie, ale jakiś miły pan mi otworzył i mówi, że śpisz. No to nie przeszkadzałam.

– Słucham, pani Zosiu, coś się stało?

– Ludmiłko, wyobraź sobie, że ten pan, co kiedyś mieszkał w moim mieszkaniu, napisał do mnie list. Bardzo długi, cały po polsku, bo do tłumacza dali. Wydrukowany, żebym łatwiej mogła go przeczytać, bo wiesz, pisane to nie zawsze dobrze widać.

– Pani Zosiu, jeśli można szybciej, bo się śpieszę...

– No tak, Ludmiłko, oczywiście. Pamiętasz, jak ja się bałam, że ten pan zabierze mi mieszkanie, bo ciągle w telewizji słychać, że się ludzie sądzą z Niemcami i przegrywają, no to i ja się bałam, że mnie się stanie to samo. Że on, ten Niemiec, to przepadziwy będzie...

– Jaki? Przepadziwy?

– No wiesz, chytry, u nas na Podlasiu tak mówili, i że przez tę przepadziwość jego to wszystko stracę. Dlatego też nie dałam wtenczas wejść temu młodemu Niemcowi do mieszkania, bo skąd mogłam wiedzieć, co za jeden, i żeby nie ten wypadek wtedy, to za próg bym go nie wpuściła!

– Pani Zosiu, jestem strasznie ciekawa, co dalej, ale się spieszę!

– Już kończę, kochana, ależ wy młodzi to prędkie jesteście, nie możecie w miejscu usiedzieć. Ustać, znaczy się. No i ten pan mi wysłał list, w nim pisze do mnie, że pieniądze mi na remont wyśle, żebym to mieszkanie ładne miała, łazienkę w domu, nie na korytarzu, i będzie nowocześnie! I fachowca znajdzie, żeby ten piec mi odnowili, bo nie ciągnie od lat, toć się zajmować nim nie będę. Nie na moje lata. Ale skoro on zapłaci? I że syna tu wyśle i syn przyjedzie, ten młody, co tu był, to razem z majstrami popatrzą, co tu potrzeba zrobić. I zapłacą za wszystko! To się jeszcze chyba w kraju nie zdarzyło, że Niemce mi zafundują remont mieszkania na stare lata!

– Pani Zosiu, to wspaniale! Cieszę się! A kiedy... pani Zosiu... kiedy ten Niemiec tu przyjedzie? – serce mi załomotało.

– A pisał coś ten Ritkowsky, że już chyba niedługo, może latem nawet, bo chciałby późną jesienią, już po remoncie, sam tu też przyjechać i czy bym go przenocowała chociaż z kilka nocy, on by powspominał sobie, pochodził uliczkami. Pewno, że go przenocuję, pan to wielki, z dobrym sercem. Mnie starej by tak pomógł. Rodzone dzieci mnie tak nie pomogły... – otarła łzę palcem.

– Pani Zosiu, wpadnę jeszcze do pani, to pogadamy, naprawdę, teraz nie mam czasu, kochana moja.

– Leć, ty młoda, to masz tyle spraw, a ja stara, to już wolniej czas płynie. Leć, leć.

Omal się na spotkanie nie spóźniłam, tak mnie pani Zosia zagadała. Martin przyjedzie. Może nawet latem. Co robić? Ciekawe, co u niego? Pewnie z żoną pogodzony, pracuje sobie w niemieckiej gazecie, jak wtedy, plany pewnie całkiem pozmieniał. Tak to się głupio wszystko rozpadło, niepotrzebnie zupełnie. Każde z nas jakieś dumne, niepotrzebnie.

Teraz to już biegnę. Jest ratusz. Siadam na ławeczce. Mam tu czekać. Kręcę się niespokojna, taka jestem ciekawa, co pani Hania chce ode mnie. I jak wygląda? Podobno młoda dość, młodsza ode mnie. Miała ten wrzosowy szalik, ale to był kwiecień, teraz przyjdzie przecież bez szalika. Ciepłe lato się zapowiada, dobrze, że brzucha jeszcze nie będę miała dużego, to będzie mi lżej.

Minął kwadrans, już zaczynam się denerwować. Wstaję i spaceruję wokół ławeczki. Nie lubię siedzieć w miejscu. Nagle słyszę za moimi plecami „Dzień dobry". Odwracam się i widzę kobietę w ciemnych okularach, młodszą o kilka lat, z ciemnymi włosami dość krótko obciętymi, prawie na pazia, z równą grzywką z przodu. Jest ode mnie trochę wyższa, pełniejsza, wydaje się sympatyczna. Ma na sobie rdzawe spodnie w drobną kratkę, ciekawy kolor i faktura. Bluzka luźna, zgniłozielona, przybrana haftem i koralikami. Taka w stylu etno. Kocham ten styl! Ta bluzka jest po prostu piękna!

– Nazywam się Hanna Konarska. Pani Ludmiła Gold? Potakuję głową.

– Słucham panią.

– To bardzo ważna sprawa. Może gdzieś usiądziemy?

– Czy może być tu, na ławce?

– Wolałabym się czegoś napić, strasznie dziś ciepło.

– Zatem chodźmy do restauracji przy ratuszu. Taka malutka, z klimatem. Na pewno będzie tam spokój, zwłaszcza na patio.

– Dziękuję. – Ależ pani jest...

Kobieta przygląda mi się uważnie, a ja czuję się jak królik doświadczalny! Jak małpa w klatce. Ona ma ciemne okulary, ja swoich nie zabrałam. Zapomniałam, leżą na komódce.

– Jaka jestem?

– Nie, nic, zaraz, pani Ludmiło. Może się napijemy?

Kobieta zamawia sok pomarańczowy, ja porzeczkowy. Wychodzimy na patio. Poza nami, na szczęście, nie ma tam nikogo. Czego ona chce ode mnie? Może to znów jakaś kochanka lub żona, nie wiem, może Piotra, może Jacka? Tego najbardziej się obawiam, po doświadczeniach z Ritą.

Siadamy przy stole. Hanna ściąga okulary. I widzę jakby siebie, tyle tylko, że z krótszymi włosami i młodszą o kilka lat! Te same oczy, ciemnobrązowe i niezbyt duże, te same ciemne brwi w regularnym łuku, który trzeba tylko lekko korygować. Te same usta, dość duże, z górną wargą nieco większą. Kości policzkowe lekko wystające. Okulary wszystko to maskowały. A najbardziej... Te oczy. Identyczne! Takie oczy miał mój tata i wszyscy mówili, że się córki nie wyprze. A teraz ona... Te same oczy, te same usta, ten sam nos.

Robi mi się słabo. Gorąco. Blednę. Krew odpływa mi z głowy.

– Jestem twoją siostrą – mówi mi ta kobieta, a ja mam wrażenie, że zaraz odpłynę. Jakbym zobaczyła postać z zaświatów! Mojego tatę w kobiecym wydaniu!

– Źle się czujesz? – pyta zaniepokojona.

– Nie, to nic, zaraz przejdzie, przepraszam – szepczę. I dodaję: – Jak to możliwe, żebyś była moją siostrą?

Nigdy nie słyszałam o kryzysie małżeńskim moich rodziców. Żyli zgodnie i nadzwyczaj spokojnie. Dobrali się jak w korcu maku. A jednak musieli go mieć. Dwadzieścia pięć lat temu. Kiedy byłam jeszcze całkiem mała.

Podobno zaczęło się od głupstwa, ale potem urosło to do rozmiarów awantury i zaczęli wypominać sobie wszystkie swoje grzeszki i przewinienia. Krótko po tym tata wyjechał do sanatorium. Mama podobno nawet go nie pożegnała, gdy szedł na autobus. Nawet nie pomogła mu się spakować i tato nie zabrał połowy potrzebnych rzeczy. Musiał sobie potem wszystko kupować w Ciechocinku.

Te wszystkie opowieści o sanatoriach nie są, jak widać, wyssane z palca. Rzeczywiście, dla zdesperowanych samotników to istny raj do nawiązywania kontaktów! Mój tata wyjechał sam po raz pierwszy w swym życiu. I ostatni. Jednak widać poczuł swobodę, skoro tego samego dnia, przy stole w restauracji, poznał uroczą, filigranową szatynkę Stasię z Wrocławia i zaraz po śniadaniu wybrał się z nią na zakupy. Żeby pomogła mu kupić koszule i co tam jeszcze było potrzeba. Tata był zawsze zadbany i elegancki. Wysoki, postawny, przystojny, lekko tylko szpakowaty. Uwodził czarnymi oczami, strzelał nimi na boki. Mama wiedziała, że jest z niego niezły kawalarz, ale nie robiła mu nigdy scen zazdrości. Ufała mu, widać.

To pewnie te domowe awantury sprawiły, że tacie łatwiej niż zwykle przyszło nawiązanie nowej znajomości. Stasia przypominała moją mamę, choć mama miała jaśniejsze włosy. Jednak obie były tak samo niskie i szczupłe. Malutkie kobietki potrzebujące męskich ramion. Na wieczornej potańcówce byli pierwszą parą na parkiecie. I przez resztę turnusu również.

Tato wrócił do domu skruszony i cichy. Pamiętam jego powrót, bo akurat byłam wtedy w mieszkaniu, bawiłam się z Izą w moim pokoju. Przez cały turnus rodzice nie kontaktowali się ze sobą. Gdy pytałam mamę, czy wie, co u taty, wzruszała tylko ramionami i mówiła: „A co mnie ojciec obchodzi?" A ja tęskniłam, jak to mała dziewczynka.

Gdy zobaczyli się po trzech tygodniach, nie było żadnego ciepłego przywitania. Przestraszyłam się wtedy nie na żarty, bo nigdy nie widziałam moich rodziców skłóconych. Zamknęłam się w pokoju i nasłuchiwałam. A tata wypakował swoje rzeczy, brudne wrzucił do pralki i zamknął się w salonie. Mama poszła do ogródka. Tyle wszystkiego. Nie odzywali się do siebie kilka dni, potem zaczęli prowadzić rozmowy na oficjalne tematy i wreszcie wszystko wróciło na dawne tory. Nie było w domu żadnego listu, zdjęcia wspólnego ze Stasią. Po prostu. Zamknięty rozdział. Tyle tylko, że – jak się okazało – owocem romansu z Ciechocinka była Hania. Młodsza ode mnie o dwanaście lat przybrana siostra, która teraz siedzi przede mną!

– Wychowywałam się sama, mama nigdy nie związała się z nikim, co mnie bardzo dziwiło. Nie miałam rodzeństwa, nawet psa. Byłam bardzo samotna. Mieszkałyśmy z mamą we Wrocławiu, w bloku, na czterdziestu metrach. Mama pracowała w szwalni, potem prywatnie szyła u kogoś ubrania jako chałupnictwo. A wreszcie sama otworzyła sklep odzieżowy, w którym pracuje do dziś. Sprzedała ciasne mieszkanie w bloku, znalazła domek w szeregowcu, do remontu. Tam zamieszkałyśmy. Ja i moja mama. Zawsze same – Hania snuła swoją opowieść.

A ja patrzyłam, jak układa usta, jak skubie palce, kiedy jest zdenerwowana. Zupełnie tak samo, jak ja!

– Wciąż pytałam o to, kto jest moim ojcem. Mama nie chciała mi powiedzieć. W dokumentach jest napisane: „Ojciec nieznany". Głupio tak żyć, wiesz? Powiedziała mi tylko, że zakochała się kiedyś w żonatym mężczyźnie i że to nie miało znaczenia. Rok temu mama zachorowała. Bardzo poważnie. Bałyśmy się, że nowotwór, bo najpierw były takie wyniki. Potem okazało się, że udało się guz wyciąć, że nie był to rak, tylko niezłośliwa narośl, ale nieźle się wtedy przestraszyłyśmy. Zanim jednak dotarły ostateczne wyniki, mama już żegnała się ze światem i ze mną. Opowiedziała mi wtedy wszystko. Że poznała Jana Golda w Ciechocinku, że zakochała się jak nastolatka, wiedząc przecież o tym, że nie jest wolnym człowiekiem. Że chciała sobie tylko podarować trzy tygodnie radości, szaleństwa, a on był taki zagubiony. Kiedy wróciła, okazało się, że jest w ciąży. Nie chciała zmieniać życia Janowi, mówiła mi, że nigdy nie powiedziała mu ani słowa o tym i nigdy się nie spotkali. Ja też nic od niego nie chcę! Jestem dorosła, pracuję na siebie. Chcę go tylko poznać. Proszę, czy możesz mi pomóc spotkać się z nim?

– Haniu, nie jest to możliwe...

– Dlaczego! Naprawdę, nic od niego nie wezmę! Obiecuję, że nie powiem nic twojej mamie.

– Mój tata nie żyje od trzynastu lat.

– O Boże... A mama? Nie wiesz, czy twoja mama coś wiedziała o tym wszystkim, o mnie?

– Moja mama też nie żyje, zmarła kilka miesięcy po tacie. Chyba nic nie wiedziała...

I nagle przypominają mi się słowa taty, które szeptał chwilę przed tym, jak stracił przytomność. Kilka godzin przed śmiercią. Chciał mi przecież coś powiedzieć! Zatem... Wiedział! Mówię o tym Hani i dodaję:

– Tata wiedział o tobie, na pewno. Bo na pewno o tym właśnie chciał mi powiedzieć! To znaczy, że może twoja mama odezwała się jednak do niego...

– Może... Jeśli tak, to dobrze. Wolałabym, żeby wiedział, mimo wszystko, wiesz? Mamy o to jednak nie spytam. Nie chcę. Ona wie tylko, że cię odnalazłam, przeżyła to bardzo, ale wreszcie zgodziła się na to, byśmy się spotkały. Błagała tylko, żeby nic nie mówić twoim rodzicom! Ludmiła, to jesteś teraz całkiem sama?

– Tak. Nie mam rodzeństwa. Jestem... to znaczy byłam, jedynaczką. Skąd wiedziałaś, jak mnie szukać?

– To proste. Znałam już nazwisko Jan Gold. Jest przecież portal nasza-klasa. Wpisałam to nazwisko i miasto. Wyświetlił mi się tylko twój profil. Pomyślałam, że jesteś pewnie córką Jana, bo mama mówiła, że Jan miał córkę, opowiadał mu o niej. W profilu miałaś napisane, że pracujesz w lokalnej redakcji. Zaczęłam szperać w Internecie i znalazłam kilka twoich publikacji. Znalazłam adres redakcji i przyjechałam. Przejeżdżałam przez Mrągowo w drodze do Giżycka. Pod Giżyckiem mieszka rodzina mojej mamy. Jestem na Mazurach przynajmniej raz do roku. Mama nie mogła ze mną przyjechać, bo ma masę pracy. Przyjechałam więc sama. Pociągiem. Dziś jeszcze jadę do Giżycka! Ludmiło, jaka szkoda, że nie poznam nigdy swojego ojca! Opowiedz mi coś o nim, pokaż mi jego zdjęcia! Mama zawsze mi mówiła, że jestem do niego podobna...

– Ja też jestem podobna do taty. Obie jesteśmy do niego podobne.

– Ludmiła, tak się cieszę, że cię znalazłam!

– Haniu... Ja też!

Nie miałam żadnych wątpliwości, że Hania jest moją odnalezioną siostrą! Podobieństwo było uderzające. Tak samo się uśmiechała, miała podobny do mojego głos. Tak samo mrużyła oczy, gdy czegoś słuchała. Nie musiała mi udowadniać niczego. Choć miała przy sobie zdjęcie Stasi z Janem, na tle ciechocińskiej tężni. Pokazała mi. Zobaczyłam mojego tatę, uśmiechniętego, w jasnym garniturze. Obok stała Stasia, zupełnie inna niż Hania.

– Niepodobna jesteś do mamy, Haniu.

– Wiem o tym, zawsze się zastanawiałam, jak wyglądał mój tata.

– Haniu, ciężko się pewnie wam żyło?

– Tak, bardzo, był czas, że ledwo dawałyśmy sobie radę. Rodzina wtedy mówiła do mamy, że powinna wystąpić o alimenty. A mama uważała, że to na nic, że to jej wina, nie jego.

Zaprowadziłam swoją odnalezioną po latach siostrę do mojego mieszkania. Pokazałam zdjęcia, cały album. Hania pachniała tak samo jak ja.

– Jakich perfum używasz?

– Teraz? Kate Moss.

Jasne, po co pytam. Przyniosłam jej mój flakonik z łazienki.

– Ja też – pokazałam.

– To niezwykłe – powiedziała Hania i po prostu przytuliła mnie. Moja mała, wyższa ode mnie siostra. Po raz pierwszy tuliłyśmy się do siebie! Stopniowo topniała niepewność między nami i robiło się miejsce na wielkie, siostrzane uczucie!

Hania została na noc. Stwierdziła, że nie będzie wracać, kiedy ma do przegadania ze swoją siostrą całe dwadzieścia cztery lata. Zadzwoniła do mamy. Słyszałam, jak mówiła, że Jan Gold nie żyje. I jego żona też. I że jestem zupełnie sama, bo rodzice mieli tylko mnie jedną.

– Mama cię pozdrawia i mówi, że Wrocław czeka. Możesz w każdej chwili do nas przyjechać!

– Haniu, teraz nie mogę. Tyle pracy.

– Nad czym pracujesz?

Opowiedziałam jej w wielkim skrócie o moim życiu zawodowym, jak się za sprawą Artura zmieniło, i że mam teraz swoją firmę, dostałam dotację z urzędu pracy i że żyję z dzieł rąk swoich, czyli rękodzieła. I ubrań, które sprzedaję na Allegro, a już niedługo w swoim własnym sklepie internetowym.

– Jesteś niesamowita – powiedziała Hania i poczochrała mnie po włosach. A ja ją. I dotknęłyśmy się nosami, takimi samymi. I jakaś czułość siostrzana spłynęła na mnie, i wreszcie zrozumiałam, że marzenia naprawdę się spełniają. Że kiedyś marzyłam o własnym dziecku, a teraz noszę je w sobie, maleńkie jeszcze, takiego Stuarta Malutkiego. Że marzyłam kiedyś o własnym rodzeństwie i myślałam, jak to by było fajnie mieć własną siostrę, młodszą lub starszą, obojętnie, i teraz ta siostra nagle zjawia się, znienacka, jak w telenoweli, i postanawia zostać już w moim życiu na zawsze!

Spędzamy razem całe popołudnie. Jest mi cudnie bliska, jakbyśmy znały się przez całe życie. Patrzy na mnie tymi swoimi ciemnymi oczami i wreszcie zbieram się na odwagę i mówię jej to, co najważniejsze w tej chwili w moim życiu:

– Haneczko, wiesz, to nie koniec rodzinnych historii. Niedługo będziesz ciocią...

– Żartujesz? Hurra! Ale przecież nic nie widać – patrzy na mnie uważnie, odsuwa się na metr i ocenia moją szczupłą jeszcze sylwetkę.

– Każda ciąża kiedyś się zaczyna i nie od razu wychodzi w niej brzuch! – zaśmiałam się serdecznie. Moje życie zawirowało po raz kolejny. Jeszcze wczoraj byłam w rozterce. Teraz jest przy mnie Hania, moja mała siostrzyczka!

– Ludmiłko, to znaczy, że masz męża?

– Nie, nie mam, wciąż jestem starą panną! – zaśmiałam się.

– To, ale chyba z kimś jesteś. Z mężczyzną... Czy to była partenogeneza?

– Nie, no jasne, jestem, niedługo go poznasz, ale nie zamierzam na razie wychodzić za niego za mąż!

Postanawiam na razie jej nie wtajemniczać w zawiłą problematykę ojcostwa mego dziecka.

– Rozumiem – pokiwała głową spokojnie. I rozsiadła się z albumem. Już drugi raz wertuje stare zdjęcia swojego i mojego taty.

– A pokaż mi swoje zdjęcia, z dzieciństwa – rzuca nagle. Sięgam po drugi album i podaję jej, a ona z torby wyciąga mi swoje zdjęcia, zapakowane w szarą kopertę A4.

– To moje, sądziłam, że powinnam je zabrać ze sobą.

Siadamy na kanapie obok siebie, dwie panny Gold, nawet jeśli Hania jest Konarska. Oglądamy zdjęcia. I obie widzimy te same dziewczynki. Z lekko zbuntowanym spojrzeniem, czarnym jak smoła, z włoskami ciemnymi i prostymi jak druty. Gdy byłyśmy mniejsze, mamy obcinały nas krótko, na zdjęciach późniejszych nosimy już kucyki z kokardami. Hania ma wciąż ciemne włosy, moje z czasem pokryły się rudawozłotym nalotem, który teraz wzmacniam henną i dzięki temu są całkiem rude. Obie jednak jesteśmy tak podobne, że prawie identyczne, niezaprzeczalnie związane więzami krwi. Już nie tylko mnie mój tato by się nie wyparł.

Również małej Hani, która siedzi przede mną i zaśmiewa się, oglądając małe dziewczynki! Tato, to największa twoja niespodzianka zza grobu! Wspaniała scheda, choć pewnie mama myślałaby inaczej! Może i lepiej, że nic nie wiedziała!

Nie zauważamy, kiedy mija popołudnie. Wraca Piotr. Jak zwykle, myje ręce, wchodzi do salonu i wita się ze mną. Hania odwrócona tyłem patrzy przez okno. Odwraca się powoli.

– Piotrze, to moja siostra, Hania! – Jak to, twoja siostra?!

– Przychodziła wtedy do mnie do redakcji, pamiętasz? Jesteśmy siostrami! Potem ci wszystko opowiem!

– No pamiętam, ale miała pani wtedy takie ciemne okulary. Ojej, naprawdę, jaka podobna do ciebie, Ludmiłko!

– Dzień dobry, jestem Hania, siostra Ludmiły – przedstawia się mój Haniczek, który już zapadł mi w serce. Może przez to podobieństwo, może przez te zdjęcia z odebranego nam wspólnego dzieciństwa? Nie wiem. Wiem jednak, że jest mi już całkiem bliska i nie oddam jej nikomu!

– A ja jestem Piotr, narzeczony Ludmiły.

– Bardzo mi miło. No i gratuluję potomka!

– Już Ludmiła ci powiedziała? – pyta niezmieszany. Całkiem zaakceptował swoje ojcostwo.

– Tak, pochwaliła się, strasznie się cieszę, że nagle mi się rodzina powiększa!

– Zapraszam obie siostry na obiad. Wczoraj wszystko przygotowałem, dziś tylko odgrzać. Będzie ulubione danie Ludmiłki: kopytka z cebulką i zupa pomidorowa!

– Hurra, kopytka to też moje ulubione danie! – woła moje małe Hanczysko i biegnie umyć ręce. Piotr dopiero teraz całuje mnie na przywitanie i prowadzi do kuchni.

– Idziemy zjadać. Jak mdłości?

– Chyba już powoli przechodzą. Normuje się – uśmiecham się do niego czule i myślę: „W sumie, fajny ten Piotr. Kopytka mi zrobił. A Hania też je lubi!"

I zjadamy wszystko łapczywie, ciesząc się sobą, zwłaszcza ja Hanią i wzajemnie. Piotr patrzy na nas i wciąż powtarza, że jesteśmy jak dwie krople wody.

– Moje śliczne dziewczyny! – mówi nagle i śmieje się razem z nami. Już przyjął ją do rodziny, już stała się częścią mnie. To fajnie, będzie nam łatwiej być razem, bo dosyć mam już tego życia bez korzeni, bez bliskich, z mężczyznami, którzy czasem nie rozumieją lub rozumieją za bardzo. Kobieta to co innego. A jeszcze kobieta-siostra! To musi być zaiste superwynalazek! Muszę koniecznie spotkać się z dziewczynami. Dzwonię i oznajmiam, że organizuję małą rodzinną uroczystość i muszą koniecznie być.

– Nie mów, że się zaręczasz z tym poprawnym czterdziestolatkiem? – Sylwię żżera ciekawość.

– Powiedz, co się stało! Przyjadę w sobotę, może być? Ale mów już teraz! Albo potem, bo lecę na tramwaj, pa, będę – woła do słuchawki Ewka.

– No dobrze, może będę, jak się wyrobię, ale z Rysiem czy bez? – pyta Iza. I rozumie, że Rysiu ma tym razem zostać w domu z dzieciaczkami. Kochane moje trzy przyjaciółki! Każda cudownie inna. Różnimy się pięknie.

Hania zostaje. Nie ma wyjścia. Więzy rodzinne trzeba zacieśniać póki czas. Odwołała zapowiedziane spotkanie i postanowiła tygodniowy urlop spędzić ze mną. Mnie też przyda się odpoczynek. Piotr deklaruje, że zajmie się sklepem. Mam parę zrobionych pudełek i skrzynek, nie ma problemu, by to wystawić w pierwszym rzucie na wirtualnych półkach. Trochę pracuję z Piotrem, bo muszę wszystkiego podoglądać, Hania w tym czasie zwiedza miasto i lata do czytelni. Uwielbia czytać. Zupełnie jak ja! W swoim Wrocławiu pracuje w bibliotece i obcowanie z książkami sprawia jej dziką przyjemność. A poza tym... zna języki! Nauczyła się trochę sama i trochę na studiach, jest bardzo zdolna, trochę jej zazdroszczę, bo choć niemieckiego nauczyłam się szybko, innymi językami jakoś się nie interesowałam.

Po towar do Kętrzyna Hania jedzie ze mną, jednak nie chcę, by wysiadała z auta. Sylwia jeszcze nie może zobaczyć! Nie ma mowy. Bo spalę niespodziankę! Pakuję wory do bagażnika, nie są ciężkie, poza tym ciąża to nie choroba. I wracamy, roześmiane, a Hania zapowiada, że zaraz zrobi przegląd mojej garderoby i co będzie mogła, to mi zabierze.

– Uwielbiam buszować w szmateksach – woła. – A tu mam szmateks w domu siostry!

Doskonale ją rozumiem, ja też uwielbiam buszować i mieć w domu całą masę ciuchów.

Po drodze zajeżdżamy na rynek. Po świeże warzywa i owoce. Nasz rynek składa się z dwóch części. Starej, jeszcze przedwojennej, wyłożonej brukiem, oraz nowszej, wylanej asfaltem. Dawniej targ był tylko na bruku, przyjeżdżali tu ludzie z okolicznych wsi i sprzedawali to, co wyhodowali. Obok było małe jeziorko, zwane Małym Magistrackim. Potem, w czasach współczesnych, rynek został powiększony. Na bruku, jeszcze w czasach mego dzieciństwa, sprzedawano ziemniaki, buraki i kapustę prosto z wozów, nowsza część była zarezerwowana dla ubrań i innych przedmiotów. Jeziorko przez lata zamieniało się w bagienko i jako małe dziecko pamiętam je już właśnie takie: zarośnięte i niedostępne. Mówiło się u nas w klasie: „Idziemy na bagna!" I szczytem odwagi było przejść przez nie. Głupie dzieci. Mogliśmy się potopić. Ale znaliśmy tajemne przejścia i nie raz udawało nam się je pokonać.

Kupuję warzywa u pana Szybkiego, który ma stoisko na granicy bruku i asfaltu. Lubię u niego kupować, bo zawsze ma warzywa tanie i świeże. A jeszcze daje mi upusty! Nazywam go panem Szybkim, bo jest bardzo prędki, energiczny. Zawsze ciężko pracuje, zwija się jak w ukropie, gdy ma dużo klientów. A ma ich sporo, gdyż ludzie doceniają tego prostego, sympatycznego człowieka. Opowiadam o wszystkim mojej Hani, oprowadzam ją po rynku, jakby był to co najmniej Wersal. Tu Pan Szybki, tam pani Władzia ze świetnymi wędlinami. Tu pan z kwiatami i grzybami, to w ogóle ciekawy osobnik. Nazywam go Człowiek z Lasu. Bo naprawdę mieszka gdzieś w środku lasu i żyje tylko z jego darów. Zbiera grzyby i sprzedaje świeże, ale również suszy je i marynuje i dzięki temu ma klientelę przez cały rok. Zwłaszcza niemiecką! Niemcy doceniają jego wyroby i zachwycają się suszonymi łańcuchami grzybów. Człowiek z Lasu wszystko ma pięknie poukładane, zamarynowane, ususzone, na sznurkach, w słoiczkach, w koszyczkach. Kiedy jeszcze nie ma grzybów, zwozi na rynek całe masy kwiatów, na przykład konwalii lub grubego bzu. Sprzedaje też pęki bagienka na mole. To takie intensywnie pachnące łodyżki zbierane na bagnach. Któż dziś o nich pamięta! Tylko nieliczni. A u nas w szafach zawsze to bagienko było. Pachniało ładniej niż naftalina, no i było naturalne!

Hania kupiła bagienko, zapakuje je w płócienny woreczek i zawiezie mamie jako gościniec z Mazur. Super! Dalej pan Stasiek z miodami. Miód nie ma dla niego tajemnic. Jakie chcemy! Jest pszczelarzem i żyje w zasadzie tylko z tego. Poza emeryturą. Kupuję słoiczek rzepakowego, Hania wybiera jesienny.

– To z tamtej jesieni – tłumaczy pan Stasiek.

– Nie szkodzi. Ma piękny kolor.

Hania ma rację, jej miód jest bursztynowo-rdzawy z dodatkiem żółci. Mój – całkiem biały, jak smalec. Wyjadamy nasze miody palcami. Mój jest delikatny, śliski i mało słodki, Hani intensywniejszy w smaku, aż cierpnie język.

– Jak tu super, Ludmiłko, zupełnie inny świat niż we Wrocławiu. U nas nie ma takiego pana Stasia, pana Szybkiego czy pani Władzi! U nas jest tak... obco. To chyba najlepsze słowo! My robimy zakupy w supermarkecie i tam nie można pojeść miodku na środku sklepu!

– Nie opowiadaj, na pewno macie takie ryneczki! – oponuję.

– Pewnie, że mamy, ale czy mamy czas je odwiedzić. Ty wiesz, że do najbliższego musiałabym jechać całe czterdzieści minut? Komu by się chciało? A jeszcze jak się trafi korek! Wrocław teraz taki rozkopany, wszędzie remonty. Aż się jeździć odechciewa. Robimy więc z mamą zakupy w dużym sklepie, wszystko na raz. Nie ma czasu na pogaduszki, na przebieranie w kalarepce, bo już jest zafoliowana i na tacce.

– Biedna Hania. Musisz tu przyjechać i zamieszkać ze mną. Na prowincji czas płynie inaczej – mówię filozoficznie. Moja Hania patrzy na mnie bystro i mówi:

– Jeśli tylko znajdę pracę, to czemu nie?

Nie spodziewałam się! W sumie, dlaczego nie. Jest przecież moją siostrą. W moim dużym mieszkaniu znajdzie się miejsce również dla niej! Idziemy dalej. Mijamy asfaltową część i wchodzimy na bruk.

– Patrzy Ludmiłko, tu pani nawet książki sprzedaje! Wcale nie trzeba w księgarni! – woła do mnie zadziwiona.

To pani Krysia. Zawsze ma nowości i to w dobrych cenach. Jeździ po nie z córką Kamilką aż do Warszawy. Zdarzają się też prawdziwe cenowe rarytasy. Na przykład ostatnio kupiłam tu książkę z przepisami na nalewki. Za całe siedem złotych! A na w Internecie takie były za dwadzieścia. Udało mi się też kupić Paula Coelho za dziesięć złotych. Księgarnia – trzydzieści.

Jakaś szczupła blondynka przebiera w książkach o ogrodach. Poznaję ją, to Donatka, moja koleżanka z przedszkola, teraz pracuje chyba w urzędzie. Dawno jej nie widziałam! Witamy się z entuzjazmem. Trzeba było aż ryneczku i pani Krysi, by się spotkać! Hania buszuje. Wynalazła wszystkie trzy części mazurskiej trylogii Małgorzaty Kalicińskiej. O domu nad rozlewiskiem. Cieszy się jak dzieciak, bo zaoszczędziła dwanaście złotych!

– U nas drożej, o wiele. A mówi się, że życie w wielkim mieście jest tańsze!

– Jakie tam tańsze! Policz, ile tracisz na dojazdy, a ile czasu ci przecieka przez palce, gdy tak stoisz w korku! Poza tym, nie tylko kasa się liczy. Jeszcze jakieś relacje, które już w większym mieście jakby zanikają. Mówi się, że jest się anonimowym. Czy to takie dobre? Bo ludzie się prawie nie znają, nie mają czasu pogadać, a ja ci mogę opowiedzieć historie z życia pana Szybkiego czy Człowieka z Lasu. Bo my tu ze sobą rozmawiamy, robiąc zakupy, a nie tylko milczymy, podając karty kredytowe!

– Wstyd przyznać, dotąd było mi we Wrocławiu całkiem dobrze, ale teraz... Kiedyś nie myślałam, że można mieszkać w takiej dziurze powiatowej. Wiesz, chyba naprawdę chciałabym tu przyjechać na dłużej. Podoba mi się!

Hania mówi całkiem serio. Znamy się zaledwie kilka dni, ale jak się okazuje, kilka dni może znaczyć naprawdę bardzo wiele, jeśli ktoś jest dla kogoś naprawdę ważny. Jeśli jest przeznaczeniem. Nie ma wtedy potrzeby docierania się, dogadywania. Wszystko samo wychodzi. Jak mi z Hanią. Jak mi z Martinem... Bolesny ucisk przy sercu.

– Ludmiłko, kupię sobie może jeszcze jakieś buciki na lato, patrz, tam pan ma piękne takie, na koturnie.

– Kupuj, wariatko.

Kupiła. Dwie pary butów. We Wrocławiu dostałaby za te pieniądze nie dwie, a zaledwie pół. A tu – polata sobie spokojnie przez sezon, gdy jedna będzie w chodzeniu, to druga będzie wypoczywać, i o to przecież chodzi!

– Ludmiłko, zobacz, jakie ręczniki kąpielowe po dziesięć złotych. Wielgachne, że się cała owinę. Kupię nam do domu, dobre są?

– Dobre, mam ich kilka, w różnych kolorach. Po co przepłacać, skoro wchłaniają wodę jak te za czterdzieści?

– A ta pościel z flanelki też jest niezła. Normalna, miękka, tyle że tańsza – pokazuję siostrzyczce.

– To ja poproszę i pościel. Tę w kwiatki. Taką wiejską. Niech mama wie, że z prowincji. Łączka zamiast futurystycznych wzorów. W takiej to się pewnie lepiej śpi. Kwieciście! – śmieje się Hania jak dziecko, mała dziewczynka. Cieszy ją ta moja prowincja, no i bardzo dobrze! Mnie też, ale dziś odkrywam jej nowe uroki. Jest cudnie. Jak w piosence Maryli Rodowicz. Chyba już rozumiem, o co chodzi.

Mam przy sobie odnalezioną po latach siostrę. Gdzieś we mnie tarmosi się moje dziecko. Nabiera ludzkich kształtów. Mam pracę, która zaczęła się od konieczności, a stała pasją, ale dobrze, że się tak wszystko pozmieniało. Nic nie dzieje się przypadkiem. Tylko te sprawy sercowe jakieś dziwne, powikłane, ale i na to przyjdzie czas. Dorastam chyba i pokornieję wobec tego imperatywu, który popycha mnie naprzód, do życia. Do czerpania z niego garściami, do spełniania swoich marzeń. I nagle nie wiem, skąd mam siłę i tę pewność w moc wszechświata! Biorę Hanię pod rękę i mówię jej:

– Nie oddam cię, siostro. Będziemy już razem!

– Pewnie, siostro. I zbudujemy sobie piękny dom. Na wsi. Całe życie o nim marzyłam!

– Ja też. Miałyśmy te same marzenia!

– Ale ja mówię serio. Ludmiłko, moje życie nagle zmieniło się, przeszło na inne tory!

– Hanuś Zielona! Wiem, moje też się zmieniło. Możemy zbudować razem, we dwie, nasze rodzinne szczęście!

– Ludmiłko, a Piotr? Przecież będziecie mieli dziecko! To i chyba z nim też to rodzinne szczęście?!

– Hanuś, Piotr nie jest ojcem mego dziecka.

Brzmi to sucho i tak po postu, jakbym mówiła o kilogramie ziemniaków.

– Nie gadaj! – Hania nie dowierza.

– Mówię ci, jak jest. To nie jest jego dziecko. On mnie kocha z całym dobrodziejstwem inwentarza, ale to wszystko. To dziecko nigdy nie będzie jego!

– Zatem czyje?...

I opowiadam Hani o Martinie. O tym, że to wszystko nagle, zupełnie jak z nią i naszym siostrzeństwem, że od razu wiedziałam, że to przeznaczenie, że rozumiałam każdy jego gest. Nawet o tym dreszczu wzdłuż kręgosłupa powiedziałam.

– Ludmiłko, to dlaczego jesteś z mężczyzną, którego nie kochasz? Dlaczego chcesz swemu dziecku zabrać ojca, tego jedynego, prawdziwego?! Ja wiem, co znaczy nie mieć ojca. Wolałam go mieć choćby na fotografii, byleby tylko znać go, wiedzieć, czy usta mam właśnie jego, czy oczy, czy nos! Rozumiesz?! Ty wiesz, jak będzie się czuło twoje dziecko, gdy dowie się, a na pewno się dowie, że Piotr nie jest jego ojcem. Nie rób mu tego. Za wszelką cenę odnajdź Martina i daj mu choć prawo do tego, żeby dowiedział się o dziecku. To jego sprawa, co zrobi z tą wiedzą! Jeśli nie będzie chciał być z tobą i dzieckiem, to przynajmniej po latach powiesz mu, że chciałaś to pozlepiać, ale nie dało rady. Żyj w zgodzie z własnym sumieniem! Ludka!

– Ale Piotr... On mnie tak kocha, on jest taki dobry!

– Nie szkodzi. Grasz również na jego emocjach! On wyliże się z tego. Martin ma prawo wiedzieć. Jeśli nie wróci do ciebie, zostań z Piotrem!

I tak moja mała siostra, gdzieś między targowiskiem miejskim a sklepem zoologicznym, ułożyła mi scenariusz na życie. Od nowa. Przekopała to, co sobie tam układałam, pozapisywałam, ustaliłam z samą sobą. Rozwaliła mi moje postanowienia, ustalenia i plany. I poczułam się, jakby tajfun przeszedł przez moje życie! Ale ma, ta moja Hania Zielona, świętą rację! Cholerną rację! Kto to słyszał, żeby młodsza siostra pouczała starszą! A jednak...

Piotrowi nie powiedziałyśmy o naszych siostrzanych rozmowach. Zresztą obie zabrałyśmy się za przygotowania do zlotu czarownic.

Mam zamiar zrobić moim koleżankom prawdziwą ucztę muzyczno-irracjonalną i wyznać wszystko. Na czym mi szczególnie zależy! Uprzedzam Piotra, że ma na dzień naszego zlotu wolne.

– To typowo babskie spotkanie – mówimy mu obie.

– Jasne – przytakuje pokornie. – Ty, Haniu, masz pilnować Ludmiłki, żeby się nie przemęczała, a ty, kochanie, masz ogólnie o siebie dbać!

– Piotrusiu, nie jestem zbukiem – mówię niezbyt grzecznie. Już wiem, co znaczy zagłaskać kogoś na śmierć.

Przyjęcie wypadło super. Dziewczyny poprzyjeżdżały taksówkami, oprócz Sylwii, która postawiła swoje audi pod domem, komunikując od progu, że nocuje u mnie! Ewa zatrzymała się u rodziny, ale jakby co, to miejsce dla niej też jest u mnie. W moim łóżku. Bo Piotr ma przecież wolne! Rozsiadłyśmy się wokół stołu, na którym postawiłam dymiące pierogi, sałatkę, schabik duszony, łososia w sosie paprykowym. Dziewczyny wyciągnęły wino. Hania siedziała zamknięta w pokoju, czekając na właściwy moment.

– Co to za okazja, mów! – Sylwia wierci się niecierpliwie na krześle.

– Oj, przestań, zaraz powie, chyba to normalne. Czego się tak dopytujesz? – skarciła ją Iza.

– No dobrze, zatem, po pierwsze, chcę wam kogoś przedstawić... Zawieszam teatralnie głos. I Sylwia nie wytrzymuje:

– Nowy facet?!

– Wręcz przeciwnie – odpowiadam.

– Znaczy co, masz dziewczynę? Zostałaś lesbijką? Babską gejką znaczy się? – wcięła się Iza.

– Wam tylko jedno w głowie. Chcę wam przedstawić moją siostrę Hanię!

– Przecież ty nie masz siostry – zauważyła przytomnie Ewa. Iza dodała:

– No właśnie – i sięgnęła spokojnie po pieroga.

Zawołałam Hanię. Moje przyjaciółki zaniemówiły. I grzecznie wysłuchały całej historii naszego wspólnego już życia. Popatrywały na Hanię, widziały, że podobna, że na zdjęciach obie takie same, że taką mnie pamiętają z dzieciństwa i mylą moje zdjęcia z Hanczynymi. Szok! Udała się nam niespodzianka. Godzinę to trwało. Po czym zawsze trzeźwej, mimo lampki wina, Izie wyrwało się:

– Ale jeszcze coś miałaś nam powiedzieć!

Hania mnie uprzedziła:

– Zostanę ciocią!

Myślałam, że dziewczyny oszaleją. Kręciły się ze mną w kółko, a Iza krzyczała najgłośniej, chyba dlatego, że z nas ma najwięcej dzieci:

– Ludmiła, to już wiem, czemu wina ze mną nie pijesz! Gratulacje. Dla ciebie i Piotrusia!

I znów musiałam je zaskoczyć.

– Piotruś nie jest tatusiem – jak szczerość, to szczerość!

– Nie mów, że twój błękitnooki niemiecki cherubinek! – rzuciła Sylwia.

– Tak, właśnie on.

– No to się nam porobiło. Dziecko jedno, a tatusiów dwóch! – dodała Iza. I przytomnie zapytała:

– To który z nich będzie je wychowywał?

– My obie, siostry! – usłyszałam Hanię. Dobrze mi było z nimi, z tymi przyjaciółkami i siostrą! Po prostu cudnie.

Opowiedziałam im całą resztę: o żonie Martina i wszechobecnej miłości Piotra, o Wilnie i w ogóle o tych przygodach, które mi się w życiu przydarzyły. I o pracy, o Allegro i firmie. Sylwia się śmiała, bo już wiedziała, po co od niej ciuchy biorę, tylko nie mówiła Ewie i Izie. I wspomniała, że przecież sama mi to proponowała – sprzedawanie ciuchów. Potem trochę powspółczuły życiowego zamętu, ale były zbyt rozochocone winem, by wylewać nade mną łzy. I bardzo dobrze!

Popołudnie zleciało nie wiadomo kiedy i wieczór się już rozpoczął, gdy Iza wymyśliła, że ma ochotę na frytki.

– Zwariowałaś, o tej porze? To masz chyba alkoholowy apetyt! Ja na pewno nie będę jadła! – broniła się Sylwia.

– Przestań, chcę frytki i już. Ludmiła, do piwnicy po ziemniaki, tylko nie za dużo, bo nie możesz dźwigać, a ja nie wiem, gdzie masz na nie korytko. Ja rozgrzewam tłuszcz, dziewczyny sprzątają ze stołu. I rozlewają do kubków mleko. Zanim zrobimy te frytki, to się mleko ogrzeje nieco! – zakomenderowała jak nie Iza. Skąd u niej taka stanowczość. Czyżby... to wino?

Cóż było robić. Wzięłam siatę, klucze od piwnicy i zeszłam po schodach na dół. Mogła iść ze mną Hania, bo się trochę boję po ciemku tak chodzić, ale dobra, idę. Dobrze, że nie traktują mnie jak zbuka. Ja też mogę przynieść ziemniaki! Miałam na sobie luźną bluzę, nie dlatego, że brzuch mi rośnie, choć trochę się już wybrzuszył, nie powiem, ale bardziej dlatego, że wolę ostatnio luźne rzeczy, gdyż brzuch mam jakiś naprężony, jakby lekko spuchnięty. Podobno to normalne. W tej bluzie wyglądam już na całkiem ciężarną. Przyjemnie mi z tym. Przyzwyczajam się. Wyszłam z mieszkania, zapaliłam światło w korytarzu. Wolno zaczęłam schodzić po schodach, nasłuchując, czy nikt nie idzie do piwnicy. Cisza jak makiem zasiał. Zeszłam w kapciach na parter i już byłam prawie na wprost drzwi do piwnicy, gdy otworzyły się drzwi wejściowe i z wielkim impetem wpadł w nie mężczyzna słusznego wzrostu. Potrącił mnie boleśnie, aż się przewróciłam na schody, starając się upaść tak, żeby nic mi się nie stało. Trzymałam się za brzuch przestraszona, zgasło światło, a ten mężczyzna targał mnie do góry, podnosił i usłyszałam nagle, że mówi do mnie łamaną polszczyzną:

– Przepraszam bardzo, nie chciałem. Proszę wybaczyć!

Martin! Zaniemówiłam. Zapaliłam światło, ponieważ kontakt był tuż obok. Spojrzałam na niego. On na mnie. Pobladł. Jęczałam trochę z bólu, bo łokieć mnie bolał, poleciałam na niego, chroniąc brzuch. Trzymałam go teraz kurczowo, w tej obszernej bluzie, rozcierałam łokieć. Serce mi waliło, z nerwów i z tego, że zobaczyłam Martina.

– Co ty... tu robisz...? – wydukał. Po polsku!

– Ja, po ziemniaki, a ty?

– Do twojej sąsiadki.

– Wiem, mówiła coś o remoncie. Tak?

– No tak. Nic ci się nie stało? Przepraszam, spieszyłem się, bo przyjechałem właśnie i chciałem tej sąsiadce coś od ojca powiedzieć.

– Nie, nic się nie stało, nie przejmuj się. Biegnij na górę, nie ma sprawy!

– Ale boli łokieć? Źle wyglądasz, blada jesteś. Słabo ci?

Mówił trochę po polsku, trochę po niemiecku. Ja tylko po niemiecku. Żeby miał łatwiej.

– Nie, Martin, już dobrze, przestraszyłam się, to wszystko.

Spojrzał na mnie badawczo. Na dłoń na brzuchu, na tę za dużą bluzę. Chyba się domyślił.

– Ludmiła, ty jesteś w ciąży!

Skinęłam głową w milczeniu, unikałam jego wzroku. Ładną mi los zgotował niespodziankę. Nie tak to miało wyglądać! Nie w przejściu między korytarzem a piwnicą, nie w drodze po ziemniaki! Skoro już podjęłam tę decyzję, że mu powiem, to nie tutaj! Tego nie brałam po uwagę, miało być nastrojowo, w jakiejś knajpce, podczas spaceru na molo, ale nie w piwnicy, regularnie nawiedzanej przez koty!

– Ludmiła, czy to dziecko Piotra? Powiedz!

– Nie, twoje – powiedziałam zwyczajnie. Trudno, i tak jest już zwyczajnie, ani odrobiny romantyzmu, to co się będę wysilać! Martin jęknął i pobiegł na górę. Jasne, niech się oswoi. Wróci. Do mnie i do dziecka. Tatuś już wie, wszystko będzie dobrze. Wprawdzie nie wiem tego na pewno, ale tak przypuszczam. Dobrze, że wie. Wzięłam ziemniaki i poszłam na górę. Dziewczyny zagrzały już olej.

– To nie koniec atrakcji! – powiedziałam po tym, jak pochłonęłyśmy w pięć całą misę frytek. – Teraz mam dla was coś specjalnego! Za chwilę przyjdzie do nas najprawdziwsza wróżka!

Tarocistka Iwona mieszkała w kamienicy obok i była moją koleżanką, którą kiedyś poznałam na kolonii. Byłyśmy razem między innymi na Węgrzech, w Seksardzie, nasi tatusiowie pracowali razem i razem jeździłyśmy na letnie wypoczynki z socjalnego. Iwona od lat robiła masaże i wróżyła z kart. Była taka... hm... odjazdowa. Oryginalne stroje, niestereotypowe zachowanie. Lubiłam takie osoby. Na naszej prowincji od razu były zauważalne. Postanowiłam, że Iwona stanie się dopełnieniem naszego wieczoru. Zgodziła się.

Rozdział XXVII

O tym, że czasem tarot ma rację, że w piwnicy też można natknąć się na polsko-niemieckie przeznaczenie i że czas poszukać męża na dobre i na złe.

Iwona ma przenikliwe czarne spojrzenie spod grubych, czarnych brwi wygiętych w jaskółczy łuk. Dla mnie oczy to zwierciadło duszy, w spojrzeniu zawsze czułam jakąś energię: dobrą lub złą. Oczy wróżki Iwony były przenikliwe, czujne i wszystkowiedzące. Kiedyś zdarzyło mi się rozmawiać z inną wróżką, która zajmowała się przepowiadaniem z run. Tamta miała mętne spojrzenie, szare, nijakie oczy, nie patrzyła prosto w twarz, tylko uciekała wzrokiem na boki. Nie zaufałam jej, niechętnie zapłaciłam dziesięć złotych i więcej do niej nie wróciłam.

Wróżka Iwona wzbudzała zaufanie. Ubrana była bardzo zwyczajnie – żółta bluzka, granatowa spódnica. Przeciętna kobieta. A jednak miała w sobie jakąś niezwykłość. Hania odważyła się pierwsza. Usiadła przed Iwoną, ta sięgnęła po talię kart, powoli zaczęła ją tasować, nasycać swoją energią. Powietrze pachniało wonnymi ziołami, które wcześniej podpaliłam w kuchni, i delikatnymi perfumami wróżki Iwony. Chyba Chanson d'eau.

– Na jakie pytania szukamy odpowiedzi? – zapytała wróżka.

– Hm, może zapytamy o miłość...

Szelest rozkładanych powoli, dokładnie kart. Wróżka Iwona brała je w palce o krótko przyciętych paznokciach. A potem równie powoli odsłaniała.

– Tak... to ciekawy rozkład.

Wyszłyśmy z pokoju po cichutku.

Dziewczyny podsłuchiwały pod drzwiami, ciekawe, co też Iwona mówi Hani.

Gdyby nie wybuch wojny, Hans pewnie uczyłby się w tym gimnazjum. Dziś jest to Liceum Ogólnokształcące.

– Aleś wymyśliła! To ci niespodzianka. Naprawdę! Fajne z tą wróżką! Naprawdę, ty to zawsze coś wymyślisz nieziemskiego, Ludka. I jak dobrze, że takie zmiany w twoim życiu. Tylko tego taty dla dzidziusia brakuje – wyszeptała Sylwia.

– No, właśnie, co w ogóle zamierzasz? Musisz powiedzieć o dziecku Martinowi! – dodała Iza.

– Dziękuję, że się o mnie martwicie. Ale już mu powiedziałam...

– Kiedy?

– Przed chwilą. Gdy poszłam po ziemniaki...

– No przestań, co ty, w piwnicy siedział i czekał na ciebie, tak? – zaśmiała się Ewa.

– Tak właśnie było!

– I pewnie zaraz tu przyjdzie?

– Nie jest to wykluczone. Przyjdzie kiedyś na pewno. Jestem o to spokojna. Bo już wie, tylko w szoku był i zwiał na górę, do mojej sąsiadki. Do której zresztą się wybierał.

– Ludmiłko, nie zazdroszczę. Męża byś sobie znalazła, życie ułożyła! – westchnęła Sylwia.

– Ona i tak jest już bliżej tego rodzinnego stadła niż ja – pisnęła Ewa. – Ja to dopiero bez perspektyw!

Nareszcie wróciła do nas Hania. Długo jej zeszło u tej wróżki.

Następna poszła Ewa, potem Sylwia i Iza. Ja nie, bo Iwonę mam pod bokiem, kiedy zechcę, mogę iść. Hania wyznała mi, że wróżka przepowiedziała jej dziwną miłość. Będzie miała związek z siostrą, będzie to nietypowa relacja, ale wszystko się ułoży.

– Widzisz, to jednak będziemy razem wychowywać to twoje dziecko! – zaśmiała się moja Hania.

Pożegnałyśmy się po jedenastej wieczorem. Sylwia umościła się w małym pokoju, my z Hanią w moim. Ewa wróciła jednak do ciotki, choć miała do dyspozycji salon.

Zasypiałyśmy dwie siostry blisko siebie, ufne, zadowolone z kończącego się właśnie wieczora. Opowiedziałam o moim spotkaniu w piwnicy, przypadkowym, zaskakującym. O tym, jak upadłam na schody i że Martin się domyślił mego stanu.

– Na pewno nic ci nie jest? – zapytała Hania.

– Nie, wszystko w porządku.

– Wiesz, myślę, że on jutro tu przyjdzie.

– Też tak myślę. Dobranoc, Haniu Zielona.

– Dobranoc, Ruda Ludziu. Pamiętaj, ta piwnica to było przeznaczenie!

Dzwonek do drzwi wyrwał mnie z łóżka, zdezorientowaną zupełnie.
Niewyspaną. Bo była dopiero ósma! Odkąd nie pracuję na etacie, nie
wstaję tak wcześnie. Hania tyko odwróciła się na drugi bok i zamruczała
sennie, jak Mietek. Zresztą on również zamruczał, bo wykorzystał sytuację
i wlazł do łóżka, kładąc się na moim miejscu. Opatuliłam się w szlafrok
i, pomrukując: „Kogo to niesie?" – poszłam do drzwi. W drzwiach stał
Martin. Nieco zakłopotany, smutny, widać, że sporo przeszedł.

– Przepraszam, że tak rano, ale mam spotkanie z ekipą remontową
u pani Zosi.

– No wiem, słyszałam, piękny gest ze strony twego taty!

– No tak, dziękuję...

– Pani Zosia tak się cieszy!

– Ludmiło, możemy pogadać?

– Jasne, chodź do salonu albo do kuchni. Mówmy cicho, dobrze?

– Nie jesteś sama? On jest twojej sypialni, tak? Dlaczego mi to robisz?

– Żaden on. Jest moja siostra.

– Jaka siostra? Przecież ty nie masz siostry?!

– Już mam. Kiedyś ci opowiem, jeśli będziesz chciał.

Poparzył na mnie. Smutno jakoś, pustym spojrzeniem. Schudł, zmi-
zerniał. Musiało mu życie dać w kość, to było widać.

– Powiedziałaś wczoraj, że jesteś w ciąży. – Jestem.

– I że to moje dziecko, tak?

– Tak.

– Dlaczego mi nie powiedziałaś, gdy byłem u ciebie?

– Bo wtedy nie wiedziałam jeszcze...

– A potem przecież wysłałaś mi maila. Też nie wiedziałaś?

– Wiedziałam, ale nie chciałam ci jeszcze bardziej komplikować życia.
Układasz je przecież od nowa, tak?

– No, staram się.

Zabolało. Więc jednak jest z Ritą.

– Pomyślałam, że lepiej będzie, jeśli ci nic nie powiem.

– Jasne, najlepiej tak! Nie przyszło ci do głowy, że powinienem wiedzieć?

– Nie wiedziałam...

– Czy to na pewno moje dziecko? Masz taką pewność? Przecież jesteś z tym...

– Martinie, rozstaliśmy się przecież!

– To od razu musiałaś z nim, musiałaś? Tak? Może to jego?

– Nie, nie jego. Twoje. Nie będę ci niczego udowadniać! Nie męcz mnie już. Masz prawo wiedzieć, więc ci powiedziałam.

– Ludmiła, uspokój się, już dobrze, przepraszam.

Wstał. Jakby chciał wyjść. Moje serce krzyczało „nie", ale ta głupia duma nie pozwalała nic zrobić. Przecież chciałam to jakoś poskładać, ale jak?

– Ludmiła, jeśli to naprawdę moje...

– Naprawdę.

Poparzył na mnie jakoś pusto. Myślał, widać było zmarszczone czoło. Zmaga się. Najwyżej odejdzie, ale powiedziałam!

– Zdradziłaś mnie...

– Nie zdradziłam! To ty mnie okłamałeś. I wciąż jesteś z tą Ritą!

– Ludmiła, o czym ty mówisz?! Wcale z nią nie jestem i nie byłem, rozumiesz?! Jestem już po rozwodzie, udało się wreszcie! Gdy zobaczyła, że mnie zostawiłaś, to się ucieszyła i powiedziała, że teraz utrze mi nosa. Od razu się wyprowadziła. Głupia baba i tyle. Tak to mówicie po polsku?

– Martin, skąd mogłam wiedzieć?!

– Trzeba było ze mną rozmawiać, Ludmiła, a nie tylko złościć się. Czy dałaś mi w ogóle szansę?!

Trzymał mnie w ramionach, zły, poszarzały na twarzy. Widziałam w nim zapiekłą złość, hardość jakąś, której nigdy wcześniej nie znałam. Był silny i stanowczy, potrafił na mnie krzyczeć! Z oczu popłynęły mi łzy. Bałam się go trochę, nie znałam takiego Martina.

– Jeśli to moje dziecko... – zaczął znów.

– Martin, przestań, mam już dosyć tej rozmowy, skończmy już.

– Ludmiła, nie jest to da mnie łatwe. Zrozum. Zdradziłaś mnie. Będę chciał badań.

– Martin... – jęknęłam, doigrałam się. – Wyjdź stąd, rozumiesz, wynoś się! Nie będę robić żadnych badań, nie będę. Ja mam pewność i koniec. Nie muszę ci niczego udowadniać. Nie chcę żadnych pieniędzy, niczego, chciałam, żebyś po prostu wiedział, ty idioto. Jak ci zależy, to sobie policz! – rzuciłam mu wydruk z usg z badaniami, wskazującymi, który to tydzień. – To było wtedy, w Warszawie, jeśli masz sklerozę, głupku.

I wyszłam z pokoju do łazienki, trzasnąwszy za sobą drzwiami. Co ja wyprawiam, na pewno Hania się obudzi! I tak prawdopodobnie już nie śpi, tylko kultura nakazuje jej siedzieć w sypialni i nie wychodzić w tej decydującej chwili.

Pogładziłam brzuch ręką. Usłyszałam zamykanie drzwi od mieszkania. Najpierw głuche kopnięcie w coś. To były kapcie Piotra. Stały w przedpokoju.

Martin wyszedł. Nie uwierzył. Nie będę robić żadnych badań! I rozpłakałam się jak zagubione, bezbronne dziecko. Jak kiedyś, gdy w pochodzie pierwszomajowym zgubiłam się mamie, nie mogłam znaleźć taty i biegałam w tłumie ubranych elegancko ludzi. Aż koleżanka mojej mamy złapała mnie za rękę i zaprowadziła do mamy. Tak się właśnie teraz poczułam!

Nadeszły trudne dni. Hania wyjechała. Piotr czasem wpadał, ale już nie tak często, bo dużo pracował. Cieszyłam się z tego – nie musiałam udawać, że wszystko jest OK. Piotr jest czujny, zaraz by rozpoznał, że coś się ze mną dzieje. Nic przecież nie wiedział o moim spotkaniu z Martinem, który nie dał już więcej znaku życia. Mnie było źle i smutno, a Piotr tłumaczył sobie, że to hormony i takie tam różne. Chciałam być teraz sama, ale nie miałam siły odmówić Piotrowi, gdy stanął na progu z walizką. Zresztą umawiałyśmy się z Hanią, że dam Martinowi szansę. Nie skorzystał. Kazał mi robić badania. To podłe, okrutne! Z drugiej strony... Może miał powody tak się zachować? Dlaczego spodziewałam się, że od razu ucieszy się i mi wybaczy?

Czułam się jak miotana bezwolnie niezależnymi od siebie siłami. W sumie dobrze, że Piotr jest przy mnie, przynajmniej pomaga mi zmagać się z codziennością. Zaczynam się robić gruba. Tracę talię. Moją zawsze szczupłą talię, z której byłam taka dumna. Kobiece stroje upycham na pawlaczu. Na szczęście hurtownia Sylwii jest również nieprzebranym bogactwem strojów ciążowych! Przeminęło lato, przez miasto przewinęły się tysiące turystów, a ja ani razu nie poszłam na plażę! Jakoś życie mi przemyka bokiem. Koniec sierpnia, już czwarty miesiąc. Moja kruszyna skacze, trzepocze we mnie jak mały ptaszek, a ja nasłuchuję. I myślę: „Tylko ciebie mam tak naprawdę". Miłość do Piotra nie przychodzi, wręcz przeciwnie, jest jedynie jakieś stadium przyzwyczajenia. Nie łączy nas fizyczna więź, ja wykręcam się, że nie mogę, że w moim stanie. I tęsknię za bliskością, ale nie z nim.

Kilka razy spotkałam Jacka. Patrzył na mnie i patrzył, wreszcie któregoś dnia zagadnął:

– Ludka, ty jesteś... w ciąży? Czy ja dobrze widzę?

– Tak, dobrze widzisz. Jak widać.

– A wyszłaś za mąż? Bo nie słyszałem.

– Jeszcze nie, ale kiedyś pewnie wyjdę.

I poszłam sobie. Nic już nie czuję na jego widok. Teraz myślę tylko o jednym mężczyźnie. I o tym, że drugiego oszukuję.

Hania mailuje, gada na skypie. Tak się cieszę, że ją mam! Któregoś dnia dzwoni do mnie i oznajmia:

– Mam niespodziankę! Kiedyś powiedziałaś mi, że prowincja jest piękna, potem mi to pokazałaś i zaraziłaś mnie! No to przyjeżdżam, przyjmiesz mnie?

Jak to, przyjeżdża? Będzie ze mną mieszkała? Moja siostra! Okazało się, że – nic mi nie mówiąc – starała się o pracę w księgarni Współczesnej i ją dostała. Spakowała rzeczy, powiedziała mamie, że spróbuje. Pani Stasia długo nie chciała się zgodzić, ale wreszcie ta moja Hania Zielona wybłagała pozwolenie.

Za tydzień pierwszy dzień września. Hania zamieszka ze mną. Gdyby wszystko mi się ułożyło tak, jak wymarzyłam, Martin zacząłby pracę w szkole językowej i pewnie bylibyśmy już po ślubie! Moja córka miałaby tatę. A tak... szkoda gadać. Spieprzyłam wszystko przez własną głupotę.

Dobrze, że przynajmniej mój sklep z rękodziełem działa i prosperuje coraz lepiej. W sumie, wiele zawdzięczam pracy Piotra. Czuję, że mam wobec niego dług, ale innych uczuć we mnie brakuje. Duszę się w tym związku. Nie potrafię dłużej oszukiwać samej siebie. I w dniu, w którym Hania sprowadza się do mnie, jak mówi, przynajmniej na próbę, ja zbieram się na odwagę i zaczynam rozmowę z Piotrem. Nie jest mi łatwo. Rozmawiamy z godzinę. Piotr siedzi bezsilny, znów skurczony w sobie. Tak mi go szkoda, ale muszę.

– Piotr, ja cię chyba nie kocham. Próbowałam, ale mi nie wychodzi, wybacz.

– Kochasz jego?

– Tak.

– Ale przecież z nim nie jesteś, przecież rozstaliście się!

– Owszem, ale nie potrafię o nim zapomnieć. I nie chcę cię dłużej oszukiwać.

Wreszcie Piotr wstaje i wychodzi. Smutny, ale i zły. Hania wybiega za nim. Rzuca mi tylko w progu:

– Pogadam z nim, ja wiem, co gra w twojej duszy. Postaram się, by to zrozumiał!

Kochana, mądra siostrzyczka!

Siadam do komputera i wiem już, że mam w sobie dość odwagi, by to napisać: „Martinie, wybacz mi wszystko, co zrobiłam. Jeśli uważasz, że jest dla nas jakaś szansa, wróć do mnie. Do naszego dziecka. Rozstałam się z Piotrem. Definitywnie. L."

Enter. Czy mi wybaczy? Może jeszcze to poskładamy? Hania przyszła późno, opowiedziała, że Piotr płakał jak dziecko. Chyba wiedziałam, że tak będzie, ale to lepsze niż wyjść za niego i unieszczęśliwić nas oboje. Jest mi źle, smutno, patrzę na małe buciki od Piotra, stoją za szybą w kredensie. Płaczę. Co mam robić z moim życiem? Haniu, kochana, dobrze, że choć ty jesteś ze mną!

– Ludmiłko, ułoży się, poboli i przestanie. Ja jeszcze z Piotrem pogadam, wyprostuję to jakoś. On wciąż powtarzał, że znów go kobieta porzuciła. Że to musi być jakiś jego feler. Ludmiłko, ale teraz najważniejszy jest twój spokój. Kochana moja. Już dobrze, dobrze, chodźmy spać.

Sny miałam ciężkie, czarne jakieś, smutne. Śnił mi się Martin, który odpychał mnie od siebie i krzyczał, że żąda wszelkich badań. Obudziłam się z płaczem. Hania uspokajała mnie, głaskała, tuliła. Opowiedziałam jej, że gdy rozstałam się z Piotrem, napisałam mail do Martina. Ale nie odpisał, jeszcze nie. Szkoda.

Kolejne dni upływają nie wiadomo kiedy. Hania biega do pracy, dobrze nam się razem mieszka, ale ja wciąż zastanawiam się, co dalej. Zajęć wprawdzie mam dość i to pomaga, ale przestało wystarczać na zranioną duszę. Z nerwów robi mi się często słabo, piję melisę. Znikła gdzieś z mego życia magia, umiejętność cieszenia się każdą chwilą. Kompletny dół. Piotr po kilku dniach przyszedł po swoje rzeczy. Wolałam wyjść z domu, nie chciałam patrzeć, jak się pakuje. Zostawiłam go z Hanią, która pomagała mu, a ja poszłam do pani Zosi. Przywitała mnie elegancka starsza pani kostiumiku.

– Pani Zosiu, to naprawdę pani?! – wykrzyknęłam z niedowierzaniem.

– Ludmiłko, zobacz, jak ładnie mam teraz w mieszkaniu!

Starannie położone panele. Kuchnia odmalowana, łazienka komfortowa, nowe meble, takie niemieckie! Pokój stołowy zamienił się w prawdziwy salon. Ściany równiutkie, pięknie pomalowane. I piec! Podobno już działa, na nadchodzącą jesień będzie jak znalazł! Dawno nie byłam u pani Zosi. Słyszałam wprawdzie odgłosy remontu, ale nie sądziłam, że wprowadzono tu aż tyle zmian.

– Jak się czujesz, córciu? – zapytała, dotykając mojego brzuszka.

– Dobrze, pani Zosiu. Dziękuję.

– Czy ten Martin o tym wie?

– Wie.

– I co?

– I nic.

– Boże, jakie te młode głupie są! Ile ja bym dała, żeby się cofnąć do tych lat, kiedy mogłam mieć dzieci i cieszyć się nimi. Wiesz, on, ten Martin, teraz jest w Niemczech, ale wróci. Dostał pracę. Miał zacząć pierwszego września, ale w połowie będzie, bo przesunęli terminy. Mam z nim kontakt, nie powiem. Dzwoni. Ale mi ta niemiecka przygoda w życiu pozmieniała!

– Mnie też – stwierdziłam sucho. I nagle zrobiło mi się słabo. Poczułam się tak, jakbym wpadała w watę, potem już nic. A następnie ujrzałam nad sobą twarz Piotra. Rozejrzałam się. Leżałam na wersalce w saloniku pani Zosi, z nogami w górze.

– Już dobrze, Ludmiłko, już dobrze. Pogotowie zaraz przyjedzie. Zemdlałaś, ale już wszystko w porządku – pani Zosia głaskała mnie szorstką dłonią. Hania patrzyła na mnie przerażona.

– Moje dziecko! Co z nim?! – jęknęłam. Złowiłam spojrzenie Piotra. Miał kamienną twarz.

– Bądź dobrej myśli – powiedział sucho.

Za chwilę weszli pielęgniarze, potem lekarz. Zabrali mnie do szpitala. Tam szereg badań, jakieś usg. Na razie kazali mi leżeć. Z dzieckiem na szczęście wszystko dobrze, ale ostatnie przeżycia sprawiły, że byłam bardzo osłabiona. Miałam złe wyniki. Podali mi żelazo, jakieś leki wzmacniające i po prostu wyłączyli z codzienności. Hania przywiozła mi do szpitala niezbędne rzeczy: szlafrok, kapcie, dresy na co dzień, kosmetyki, książki. Jakoś to przeleżę. Muszę. Wytrzymam, byleby tylko moja córka była zdrowa!

Jestem w szpitalu już od czterech dni. Hania załatwia wszystkie moje formalności. Lata do księgowej, zdobywa dowody na to, że jestem ubezpieczona. Do tego ma jeszcze swoją pracę. Przyjechała do siostry na prowincję, miała sobie spokojnie żyć, a ma większy sajgon niż we Wrocławiu. Trudno, nie ma wyjścia. Opowiedziała mi, że Piotr już wszystko ode mnie zabrał. Nie może sobie poradzić, więc Hania, jak samarytanka, wspiera go na gadu-gadu. Już zaczyna do niego docierać, że to nie miało sensu, ale wciąż nie jest mu łatwo. Dobrze, że Hani chce się podtrzymywać go na duchu. Mimo wszystko, jest mi bardzo bliski, przeżyłam z nim wiele fajnych chwil. To nic, że nie narodziła się z tego żadna *love story*, ale jako przyjaciel i opiekun Piotr jest niezastąpiony. Hania mówi, że już nie czuje do mnie urazy. Że coś się w nim przełamało i powoli się uspokaja. Przynajmniej nie myśli o mnie źle. I zaczął szanować moją decyzję. Kochana Hania, gdyby nie ona, miałabym w Piotrze wroga, a tego bym zdecydowanie nie chciała! Cztery dni w łóżku strasznie mi się dłużą. Leży obok mnie dziewczyna, która poroniła i miała dziś zabieg. Wciąż płacze. A ja trzymam się jakoś, odpychając złe myśli, i myślę sobie, że to nieludzkie, kłaść kobiety po poronieniach na salę, gdzie leżą ciężarne. Obok mnie dziewczyna w siódmym miesiącu na podtrzymaniu. Postękuje, trudno jej chodzić. Ta po poronieniu patrzy na nią z żalem i smutkiem i wraca do swojej poduszki. Źle się tu czuję, w sumie nie jestem obłożnie chora, wolałabym już wrócić do domu, ale lekarz nie chce mnie jeszcze puścić. Mówi, że muszą mi się wyniki poprawić. Leżę z zamkniętymi oczami. Mam już dość czytania książek i rozmyślania. Może się trochę prześpię?

Leżę teraz spokojne, mój brzuszek leży też, otoczony dłońmi jak wianuszkiem. Musi śmiesznie wyglądać. W ogóle nie tyję. Tylko z przodu pojawiła się mała piłeczka. Z zamyślenia wyrywają mnie czyjeś kroki. To pielęgniarka.

– Pani Gold leży pod szóstką.

Ktoś do mnie idzie. Pewnie Hanusia już po pracy, biegnie do swojej siostrzyczki. Nie. Kroki się cięższe, Hania biegnie przez korytarz lekko. Nie myślałam, że tak szybko nauczę się rozróżniać kroki na szpitalnym korytarzu. W drzwiach pojawia się mój gość. Wysoki, w zielonym fartuchu, przerzuconym przez ramiona. Wygląda jak lekarz!

– Martin... – jęknęłam. I wyciągnęłam do niego dłoń, bladą i szczupłą. Wydaje mi się, że w szpitalu schudłam jeszcze bardziej. I zbladłam. Podszedł do mnie i długo milczał. Bałam się odezwać. Niech on pierwszy coś powie... Domyślił się?

Już dobrze, kochana. Wszystko będzie dobrze! Już jestem przy tobie.

Popłakałam się ze szczęścia. Całowałam go po twarzy, po dłoniach, on mnie. Dziewczyna po poronieniu przez chwilę na nas patrzyła, potem zabrała się za rozwiązywanie krzyżówki. Ta w siódmym miesiącu dyskretnie i powoli wyszła z sali. Nie przejmowałam się tym, co o mnie pomyślą!

Zamieszanie i mój płacz musiała usłyszeć pielęgniarka, bo wpadła zdenerwowana:

– Co tu się dzieje, co pan wyrabia?!

– Wszystko w porządku – wyjaśniam uśmiechnięta. – Ja ze szczęścia!

– Ale pani nie wolno się denerwować! Kim pan jest, co pan robi?

– Nazywam się Martin Ritkowsky, jestem narzeczonym pani Ludmiły i ojcem naszego dziecka – przedstawił się szarmancko mój Martin. Nawyki ma już prawie polskie! I język... Coraz lepiej mówi! Popatrzyłam na niego z wdzięcznością. Świat jest piękny! Hurra!

Nie muszę chyba mówić, że od tego momentu wyniki znacznie mi się poprawiły. Martin przyjechał, bo powiedziała mu o mnie pani Zosia. Miał zjawić się w połowie września, więc te kilka dni wcześniej nie robiło już żadnej różnicy. Nie zdążył tylko zabrać ze sobą ojca, bo gdy dowiedział się od pani Zosi, że leżę w szpitalu, nie było czasu pakować starszego pana.

– To nic, przyjedzie za kilka dni autokarem. Nie ma problemu. O nic się nie martw. Najważniejsze, żebyś już wróciła do domu. Zajmę się tobą.

I znów łzy szczęścia. Nie wierzyłam, a jednak. Marzenia się spełniają. Tak pragnęłam go przytulić, opowiedzieć o wszystkim, co było, bolało, co łkało we mnie żalem. I czego żałowałam... Usiadł na krześle przy moim łóżku, położył mi rękę na brzuchu.

– To wspaniałe, że przydarzyło mi się to wszystko. Martinie, jak dobrze, że przyjechałeś na Mazury szukać swoich korzeni! Już nie żałuję. Niczego! To ty jesteś moim przeznaczeniem! Nie mam najmniejszych wątpliwości.

Wyniki znacznie mi się poprawiły. Bo zdrowa dusza, to zdrowe ciało. System naczyń połączonych.

Rozdział XXVIII

O tym, że życie biegnie czasem jak koń w westernie i że
nawet we współczesności można odkrywać dawne Mazury.
Wystarczy tylko dokładniej popatrzeć.

Kilka dni później Martin zabrał mnie do domu. Najpierw sam porozmawiał z lekarzem, jakby mi nie wierzył. Siedziałam obok i nie wtrącałam się.

– Takie zasłabnięcia się zdarzają, proszę się nie denerwować. Pani Ludmiła musi mieć przede wszystkim spokój, dobrze się odżywiać i spacerować. Jeśli praca nie jest ciężka, może oczywiście pracować. Nie ma jakichś specjalnych ograniczeń. Już wkrótce będą mogli poznać państwo płeć dziecka, o ile państwo będą tego chcieli.

– Ja i tak wiem, że to będzie dziewczynka – odezwałam się. Martin spojrzał na mnie pytająco. Po wyjściu z gabinetu zagadnął:

– Skąd wiesz, że to będzie dziewczynka? Nie mówiłaś...

– Mam swoje sposoby. To tajemnica... Wyszliśmy na parking szpitalny.

– Zamówiłeś taksówkę?

– Nie, przyjechałem z Niemiec swoim autem. Przecież się tu zadomawiam. Naprawdę podoba mi się twój kraj, twoje Mazury. Powoli przewiozę tu moje życie.

Martin poprowadził mnie do czarnej toyoty. Bardzo ładny wóz. Gdy wsiadłam, poczułam się niczym królowa. Moja błękitna asterka też jest ładna, ale ten to prawdziwe cudo. Wyższy niż osobowy. Połyskliwy w słońcu, wysprzątany i pachnący.

– No proszę, jakie ładne auto! – pochwaliłam Martina. Mężczyźni lubią, gdy się podziwia ich samochody.

Jeziora Czos i Magistrackie nie są jedynymi w Mrągowie. Miasto przylega również do Jeziora Juno — tu również spacerowali przedwojenni mieszkańcy.

– Kupiłem ją kilka lat temu, przywiązałem się. Naprawdę, bardzo dobrze się sprawuje. Wygodna, daje sobie radę na różnych wybojach i trudnych drogach, a jako fotoreporter bywałem w rozmaitych miejscach.

– Nie żal ci dawnej pracy, dawnego życia?

– Chyba żartujesz?! Tutaj mam was!

– Martin, naprawdę nas chcesz?

– Naprawdę. Wszystko sobie przemyślałem. Pani Zosia mi w tym bardzo pomogła. Opowiedziała, jak bardzo cierpisz i że jesteś smutna. Gdy tylko wróciłem wtedy do Niemiec, od razu zacząłem szukać sposobu na to, by rozwieść się z Ritą. Ojciec powiedział, żeby jej dać kasę. Nie byłem pewien, czy to najlepsza metoda. I wtedy ty do mnie zadzwoniłaś, powiedziałaś, że była w Polsce. Nie pojechała specjalnie do ciebie, nie myśl sobie. To wyrachowana i zła kobieta. Ona po prostu wybrała się tu na wycieczkę! Z koleżanką. Scenę zakochanej żony odegrała perfidnie i z wyrachowaniem. Gdy powiedziałaś mi wtedy przez telefon, że ona zjawiła się u ciebie, miałem ochotę ją po prostu stłuc na kwaśne jabłko. A ona jeszcze szydziła ze mnie: „Myślałeś, że się mnie tak łatwo pozbędziesz?" Potem jakoś dowiedziała się, że zerwałaś ze mną. Triumfowała. Zbliżał się termin mojej sprawy rozwodowej. Ja byłem załamany, ona w znakomitym nastroju. I wtedy poznała, przez tę swoją koleżankę, jakiegoś Helmuta z Berlina. Po prostu. Nie w głowie jej było życie ze mną, skoro Helmut przyjechał po nią nowiuśkim Audi Q7. Ja jeżdżę tylko kilkuletnią toyotą! Nie zdążyłem nawet powiedzieć, że zamierzam jej zapłacić za rozwód. Byliśmy gotowi zaproponować niezłą sumkę, całe oszczędności moich rodziców, byle tylko zamknąć ten rozdział. Rita jednak tak spieszyła się do Helmuta, że wyprowadziła się na drugi dzień po rozprawie i z tego co wiem, mieszka ze swoim nowym mężem w stolicy. To właśnie wtedy ojciec podjął decyzję o remoncie mieszkania pani Zosi, skoro już i tak pożegnał się z tymi pieniędzmi. To nie koniec jego planów, ale do ich realizacji potrzeba nieco więcej czasu!

– Zaciekawiasz mnie. Jakież to plany ma twój ojciec?

– Nie sądziłem, że jest aż taki szalony! Że ta cała historia i odzyskane ołowiane żołnierzyki tak go odmienią. Powiedział mi: „Nigdy nie jest za późno na marzenia". Wyobraź sobie, że mój ojciec chce kupić mieszkanie tutaj, na Mazurach! W dawnym Sensburgu. Najlepiej w pobliżu twojej kamienicy! Więc jeśli będziesz o czymś słyszała, to powiedz. Poza tym najwyraźniej zaprzyjaźnili się z panią Zosią. Moja mama też bardzo ją polubiła, piszą do siebie listy, które tłumaczy im nasz znajomy tłumacz.

Zapadła cisza, słychać było tylko szum klimatyzacji. Dojeżdżaliśmy do domu. Martin świetnie radził sobie na mrągowskich uliczkach. Wystarczyło kilka miesięcy, a moje życie oraz życie moich bliskich i sąsiadów całkowicie się odmieniło. Czyż to nie jest niezwykłe? Jak sploty codziennych, wydawałoby się, sytuacji wpłynęły na cały łańcuch wydarzeń, niosąc za sobą tyle życiowych niespodzianek. Jeszcze w styczniu nie uwierzyłabym, gdyby ktoś mi powiedział, że będę spodziewała się dziecka, którego ojcem nie jest Polak, że zamieszkam z siostrą, że przejdę tyle miłosnych niespodzianek, a pani Zosia zbuduje w sobie nagle, na stare lata, zaufanie do Niemców i nie będą już dla niej tylko wrogami z czasów wojny! To niepojęte.

Jak miło było widzieć Martina, wnoszącego szpitalną torbę na moje piętro. Wyjrzała pani Zosia. Za nią pani Marysia.

– Witamy cię, Ludmiłko, jak się czujesz?

– Dziękuję, bardzo dobrze, naprawdę!

– Ludmiłko, tak się cieszymy! Pan Martin na pewno się tobą zajmie. To taki dobry człowiek! – i pomyśleć, że ostatnie zdanie wypowiedziała pani Zosia! Więc jednak można pokonać uprzedzenia!

Mieszkanie było wysprzątane, Hania w pracy. To dobrze, porozmawiamy sami. Nareszcie.

– Martin, usiądź na chwilę – powiedziałam, widząc, że chce iść do kuchni.

– Słucham?

– Czy na pewno chcesz tego wszystkiego? Czy jesteś pewien? – Jak niczego w życiu!

– Wierzysz, że to twoje dziecko?

– Wierzę. Choć przyznam, że miałem chwilę zwątpienia. Kiedy jednak zobaczyłem wtedy te wyniki, policzyłem. Wszystko się zgadzało.

– Martin, przepraszam. Niepotrzebnie to wszystko się zamotało. Wybacz. I przepraszam za Piotra.

– Ludmiło, nie jest mi łatwo, wciąż o tym myślę, ale wiem, że była w tym również moja wina. Nie byłem szczery, uczciwy. Poskładamy to jeszcze, zobaczysz. Ja obiecuję, że będę dla was dobrym ojcem... i mężem.

Wyszedł do przedpokoju, pogrzebał w swojej torbie i wrócił. Z moim zaręczonym pierścionkiem.

– Nigdy mi go już nie oddawaj. Jest naprawdę twój, rozumiesz? Może w sumie to dobrze, że był wtedy przy tobie ten cały Piotr. Nie lubię go, ale wiem, że przynajmniej opiekował się tobą.

– Skąd o tym wiesz?

– Od pani Zosi. Ty wiesz, że ona mówi trochę po niemiecku?

Pani Zosia, pani Marysia. Niby dzielą nas od siebie drzwi, a wiedziały więcej niż mogłam przypuszczać. Na szczęście lubię je. Gdyby były inne, powiedziałabym, że to takie domowe plotkarki, „pelargonie", bo siedzą w oknach lub z okiem przy wizjerach i patrzą. Jednak teraz wiedziałam już, że ich patrzenie to była tylko troska o mnie! I pewnie gdyby nie one, Martin tak szybko by do mnie nie wrócił!

– Ludmiło, zapomnijmy o wszystkim, co nas podzieliło. Pomyślmy o wspólnym życiu. Ja nie zrezygnowałem z marzeń o Polsce. Częściowo za sprawą ojca, który tak zaczął żyć przeszłością, że i mnie nią zaraził. Kiedy ojciec usłyszał, że chcę osiąść na Mazurach, początkowo to w sobie trawił, ale potem, po rozmowie z mamą, stwierdził, że może to dobry pomysł. I wtedy wymyślili to mazurskie mieszkanie. Na lato tylko, bo nie zamierzają tu osiedlać się na stałe, tam jest ich dom, znajomi, przyjaciele. Ale rodzice chcieliby mieć tu swój własny mały kawałek świata. Przyjeżdżałem kilkakrotnie, pilnowałem ekipy remontowej, ale pani Zosia w sumie nieźle sobie radziła z robotnikami. Załatwiałem sprawy związane z moją pracą. Patrzyłem czasem przez okno od pani Zosi na parking, gdzie stała błękitna astra. Myślałem, że jesteś teraz w domu. Tyle razy chciałem zajść do ciebie, przytulić, pogadać. Już kiedyś prawie podjąłem decyzję, ale zobaczyłem, że wsiadasz z Piotrem do auta. Ty wiesz, jak się czułem?! Nie dziw się, że zareagowałem tak na wieść o ciąży!

– Martin, ja wiem, ja też tęskniłam, ja byłam z nim, żeby zagłuszyć w sobie tę tęsknotę. Wmawiałam sobie, że może miłość nadejdzie, bo Piotr jest taki dobry. Ale uczucie nie nadchodziło! Dopiero moja młodsza siostra, która się nagle pojawiła w moim życiu, powiedziała mi kilka ważnych rzeczy. Przede wszystkim to, że masz prawo wiedzieć, iż będziesz ojcem.

– Dobrze, że się ta twoja siostra pojawiła. Opowiedziała mi o niej pani Zosia. Potem poznałem Hanię, gdy leżałaś w szpitalu. Wszyscy się o ciebie martwiliśmy. Cała kamienica. Najbardziej to pani Zosia, bo to u niej zemdlałaś. Hania mi powiedziała, że wyszłaś, bo rozstałaś się z Piotrem. Dobrze zrobiłaś, że porozmawiałaś z nim. Pocierpiał, ale już chyba przestał. Już go chyba to rozstanie mniej boli...

– Tak myślisz? Dlaczego?

– Wiesz, nie chcę nic mówić, ale wydaje mi się, że on... z Hanią... No, nie są sobie obojętni!

– Żartujesz?! To niemożliwe! Przecież... On jest chyba dla niej za stary! Po czterdziestce, a ona ma dwadzieścia cztery lata!

– Ja tam nie wiem, ile ona ma lat, ile on. Piotr wygląda całkiem dobrze, Hania ma chyba swój rozum. Widziałem, jak ze sobą rozmawiają, ciągle ze sobą chodzą. Pani Zosia mi mówiła. Widuje ich. I gdy leżałaś w szpitalu, to Piotr przychodził też, chyba nie karmił Mietka, prawda?

– Nie do wiary! Ale to byłby numer!

Nie dowierzałam. W sumie, dlaczego miałaby się tak nie zakończyć ta historia? Piotr nie rozpacza, Hania wygląda na szczęśliwą. Ja mam przy sobie mężczyznę, którego kocham. A że po drodze poraniliśmy się trochę wszyscy, to teraz już nic nie znaczy. Zagoi się. Nowa miłość najlepszym lekiem na stare smutki! Przytuliłam się do Martina. Było tak bezpiecznie i cicho. Pierścionek błyskał na serdecznym palcu. Wiedziałam, że ten mężczyzna jest moją drugą połową.

– Ludmiło, ja jeszcze o czymś myślę, nie daje mi to spokoju. Serce mi zamarło. O czym tak myśli mój Martin?

– Wiesz, mam jeszcze dwa pomysły na nasze życie. Bo będę teraz głową rodziny i muszę to jakoś zorganizować.

– Jakie to pomysły?

– Pierwszy taki, że musimy jak najszybciej wziąć ślub.

– Może byśmy poczekali, aż się mała urodzi?

– Nie, nie ma na co czekać. Ja nie mam wątpliwości, ty też nie. Przywiozłem wszystkie dokumenty. Załatwiłem je, nim jeszcze mnie zostawiłaś.

– Nie zostawiłam!

– No, dobrze. Zanim się rozstaliśmy!

– Zatem?...

– Zatem pójdziemy jeszcze dziś do Urzędu Stanu Cywilnego. Macie tu chyba taki? Ustalimy datę ślubu. Najszybszą, jaka będzie możliwa.

– No dobrze, zgadzam się! Nie ma na co czekać. Chcę być już twoją żoną. A drugi zamiar? Brzmi tajemniczo.

– Ludmiło, myślałem o nas i naszym przyszłym życiu. Otóż, wydaje mi się, że powinniśmy rozważyć zmianę mieszkania.

– Co?!

– Pomyśl tylko. Nie będziesz już sama. Będziemy ja i dziecko. Rodzina się nam powiększyła. Przecież będziesz chciała mieszkać z Hanią, prawda?

– Naturalnie. To moja siostra!

– Zatem powinniśmy pomyśleć o tym, zanim narodzi się dziecko.

– Martin, ale my się tu pomieścimy. Mieszkanie jest przecież duże!

– Zbyt małe, wkrótce się o tym przekonasz.

– Martin, ale mieszkania w blokach wcale nie są większe! A tutaj jest tak... dobrze. W bloku to jak w kołchozie. Poza tym to mój dom rodzinny. Ja nie chcę do bloku!

– Kto mówi o bloku? Nigdy bym nie chciał tak mieszkać. To w waszym kraju są takie modne te bloki. U nas żyje się inaczej.

– Co zatem chcesz zrobić?

– Ludmiła, zbudujemy dom.

Zatkało mnie. Dom? Owszem, marzyłam o domu, ale to były tylko odległe marzenia. Nigdy nie pomyślałam, że mogłabym je zrealizować! Co on wygaduje, ten Martin, skąd weźmiemy tyle kasy?!

– No, dobrze, a jak ty sobie to wyobrażasz? – zapytałam. Bo chyba wszystko, co się dzieje, kiedyś musiało być marzeniem. To ciekawe, jak Martin sobie to w głowie poukładał?!

– Sprzedamy twoje mieszkanie. Orientowałem się już w cenach. Możemy wziąć za nie ze sto osiemdziesiąt. Spokojnie.

– No dobrze, tylko kto je kupi? Myślisz, że to tak od razu, cyk i sprzedane? I za taką dobrą cenę?

– Mam już kupca.

– Tak? A kogo, jeśli mogę wiedzieć?

– Mego ojca. Kupi je Hans Ritkowsky. Już z nim rozmawiałem!

No pięknie. Wszystko zaplanował. Ja chyba zwariuję! Za dużo wrażeń, oj, za dużo. Wszystko naraz. Spełnia się to, o czym marzyłam, tylko naraz. I stąd ten zamęt. Marzyłam o dziecku, proszę bardzo. O miłości.

Przyszła. Praca na własny rachunek, bez humorów szefa? Trochę ciężej, ale mam ją. Przemknęło mi przez myśl marzenie o domu. Nie ma problemu. I jak tu nie wierzyć w marzenia?

– Musimy się tylko pospieszyć, znaleźć działkę. Myślałem o jakiejś mazurskiej niewielkiej wsi. Bo musi być klimat, który jest tylko tutaj. Wiesz, taka wioska z krętą drogą, domy z czerwonymi dachówkami. Z porykiwaniem krów, z polami obsianymi zbożem. U was jest tak pięknie. Pokochałem tę ziemię. Nie miłością zaborczą, łapczywą, taką, która uważa, że to wszystko jest nasze, nie wasze, polskie. Ale taką miłością, która jest w stanie funkcjonować w teraźniejszości, realiach, sytuacji, w jakich jesteśmy teraz. Bez roszczeń i oczekiwań. Ludmiłko, wybudujemy ten dom sami, będzie taniej i prościej, bo zrealizujemy przy tym swoje marzenia. Z kupionym domem jest inaczej. Już ktoś go zbudował, zgodnie z własnymi marzeniami. Nasze nie muszą być wcale takie, jak innych. Zatem, decyzja chyba podjęta. Wstawaj. Idziemy zamówić ślub na pierwszy pasujący termin. Potem umawiamy się z notariuszem, mój ojciec przyjeżdża za tydzień, z pieniędzmi za mieszkanie. Nie musi go oglądać. Zrobiłem zdjęcia, zresztą przez ojca przemawia bardziej sentyment niż chęć wyboru!

Moje życie nabrało nagle galopującego tempa. Czy nadążymy za zmianami, moja córko? Tobie potrzebny jest spokój, łagodne kołysanie w mamusinym brzuszku, a tymczasem mamusia, a raczej rodzice, serwują ci ogrom wrażeń. Wybacz, mała, ale to dla twojego dobra!

– Martin, poczekaj! Mam jeszcze jedno pytanie. Mówisz, że sprzedam swoje mieszkanie. Będę miała sto osiemdziesiąt tysięcy. Ale co z resztą? Przecież za to nie zbudujemy domu?!

– No chyba nie myślisz, że niczego nie dołożę? To ma być nasz wspólny dom, a nie tylko twój. Będziemy małżeństwem. Reszta pieniędzy będzie ode mnie. Mam trochę oszczędności, na resztę dostanę kredyt. Rodzice też pomogą. Damy radę!

No jasne, już wszystko zaplanował. Zaczynam się denerwować, czy to na pewno dobry pomysł. W sumie, sprzedam swoją ojcowiznę. A jak mi się w życiu nie uda albo co? To dokąd pójdę? No ale nie może się nie udać. Z Martinem się uda! Może warto zaryzykować? Ale, ale, jest przecież Hania. Co by nie powiedzieć, to moja siostra. Poniekąd to mieszkanie należy też trochę do niej. Ja wiem, że ona o tym nie myśli, ale muszę z nią pogadać!

Przed nami pierwsza od rozstania wspólna noc. Spędzamy ją we trójkę, ale to nam zupełnie nie przeszkadza. Martin jest delikatny i czuły, choć mówię mu, że również w ciąży, zwłaszcza na tym etapie, nic dziecku nie grozi. Dba o mnie, więc jest delikatny. Ja spragniona jego pięknego ciała, jego bliskości. Ożywa wiosenne wspomnienie, kiedy kochaliśmy się po raz pierwszy. Jego ramiona znów do mnie wracają. Jego uda dotykają moich. Kocham się z nim w szale, zapamiętaniu, każde drgnienie jego mięśnia przejmuje mnie znajomym dreszczem, dreszczem, który wywołuje u mnie tylko ten piękny mężczyzna!

Zasypiam nareszcie szczęśliwa. Na swoim miejscu. Chwile z Piotrem były pomyłką, próbą zapomnienia. I same odeszły w zapomnienie!

Następny dzień bardzo pracowity. Najpierw załatwiamy sprawę ślubu. Trochę to trwało, gdyż w ratuszu, gdzie mieści się Urząd Stanu Cywilnego, kolejka. Komuś urodziło się dziecko, jest też jakaś para. Siedzimy i czekamy na swoją kolej. Wreszcie możemy wejść do środka. Wiecznie uśmiechnięta pani Marianka, która od lat udziela ślubów, wita mnie wylewnie. Znamy się dobrze, kilka razy przychodziłam do niej po informacje, robiłam wywiady, poza tym kiedyś mieszkała na sąsiedniej ulicy. Wszyscy się tu znamy, takie są prawa prowincji.

– O, pani Ludmiła? Czyżby ślub?

– Dzień dobry, pani Marianko. Pora zmienić stan cywilny. Stara panna już ze mnie!

– Jaka tam stara panna? – pani Marianka udaje, że nie widzi lekko zarysowanego brzuszka pod kolorową tuniką.

Sprawę załatwiliśmy szybko. Dwudziesty pierwszy października. Wtedy zostaniemy małżeństwem. A to już całkiem niedługo! Po tym wszystkim Martin wsadza mnie do swojej toyotki i wywozi za miasto.

– Pokażę ci kilka kawałków ziemi na sprzedaż!

– Gdzie je znalazłeś?

– Kiedy leżałaś w szpitalu, ja zbierałem ogłoszenia i wykonałem kilka telefonów. W zasadzie telefonowała pani Zosia, mówiąc, że chce kupić działkę dla swego wnuczusia. Starsza pani zawsze działa na ludzi zmiękczająco. I jeszcze taka urocza! Potem zabrałem panią Zosię i pojeździłem z nią po wioskach. Spodobało się nam pięć miejsc. Ale ostateczna decyzja należy do ciebie.

Jasne. Wystarczyło kilka dni w szpitalu, żeby urządzili mi życie od nowa. Martin okazał się naprawdę opiekuńczym facetem! A pani Zosia – niezłą konspiratorką. Zawsze myślałam, że to pani Marysia ma większą ikrę i werwę życiową. I znowu mnie życie zaskoczyło!

Pierwsza działka jest w Użrankach. Najtańsza, jak mówi Martin. Ale i najdalej od miasta. Nie wiem, czy chcę emigrować aż tak daleko. Działka ma za to wodę i prąd, w zasadzie tylko budować. Bo i zakwalifikowana jest jako budowlana. Chodzę, patrzę i się zastanawiam. Sama nie wiem. Sąsiedzi wprawdzie dość daleko, ale to zaleta, bo skoro się wyprowadzamy z miasta, to nie po to, żeby sobie przez płoty zaglądać. Oboje tak uważamy. Ale jednak ta odległość... A jak przyjdzie zima i nas zasypie. Straszę Martina, że u nas zimy groźniejsze niż w Niemczech. Bo Mazury to biegun zimna.

– Widzisz, zatem przyda się moja toyota? Ona na pewno da sobie radę przy największych zaspach. Ma napęd na cztery koła!

Robimy zdjęcia działki w Użrankach i jedziemy dalej. Kolejny postój w Grabowie. Okazuje się jednak, że ten teren ma niejasną sytuację. Podobno jest jakiś spadkobierca, który mieszka za granicą. Trzeba poczekać. Sprawy spadkowe mnie nie interesują, nie ma czasu na czekanie. Odpada, choć działka faktycznie całkiem ładna. Sympatyczna. Kolejna jest w Młynowie. Sympatyczny pan po pięćdziesiątce podzielił swoją ojcowiznę i postanowił posprzedawać. Działka nie jest zbyt droga. Martin mówi, że udźwigniemy ten ciężar. Wszystko dobrze, ale nagle przypomina mi się, że za parę lat w Młynowie ma powstać obwodnica. Pytam o nią. Pan jest przygotowany, widać, że nie kręci i nie kombinuje. Wyciąga mapę z planem, oglądamy, obliczamy i wychodzi nam, że w przyszłości okna mego domu będą wychodzić na ekran dźwiękochłonny, który ma powstać przy obwodnicy! Niezbyt blisko, ale będzie widoczny, choćby nie wiem co!

Stanowczo odmawiam. Nie chcę mieszkać za ekranem. Nie po to wyprowadzam się z miasta, żeby mieć za oknem wymysły cywilizacji. Ma być wiejsko, sielsko i naturalnie. Z drzewami, łąką, polem. To wiem na pewno. Martin, tego szukam, a nie ekranu! Martin chyba też, bo żegna się z panem, dziękujemy mu za poświęconą nam chwilkę.

Kolejna działka – Brejdyny. Działka ma być uzbrojona, tuż przy otulinie Mazurskiego Parku Krajobrazowego. Cała wieś jest taka, o jakiej marzy Martin. Mazurska. Ma swoją historię. Stoją tu jeszcze przedwojenne domy kryte mazurską dachówką. Dojeżdżamy na miejsce. Rzeczywiście, piękna połać łąki, za nią czyjeś pastwisko z krowami. W oddali las. Co innego jednak przykuwa moją uwagę. Obok oglądanej przez nas działki leży inna, odgrodzona drewnianym płotem. A za tym płotem pyszni się piękny dom. Cały z drewna! Tradycyjny. Kryty dachówką. Nowiutką, ale w klimacie tej mazurskiej. Podchodzimy bliżej. Martin chyba myśli to samo, co ja. Od frontu trzy okna i drzwi, ukryte w bocznym podcieniu. Na górze balkon z balkonowymi oknami. Podwójnymi. Obchodzimy cały dom wokół. Z boku ma rozległy taras, nad nim również balkony i dwoje drzwi. Z tyłu budynku mała „kukułka" z oknem. Dom jest przepiękny!

– Martin, to właśnie dom moich marzeń!

– Ludmiłko, jest rzeczywiście piękny! Czy tak wyglądały kiedyś Mazury?

– Może niezupełnie tak, bo trafiały się też domy murowane, ale drewniane budownictwo było w Prusach Wschodnich bardzo popularne! Nie aż tak, jak na Podlasiu, w okolicach Hajnówki czy Białowieży, ale te drewniane domy dodawały naszej ziemi uroku!

– Ludmiłko, to może... Taki właśnie dom zbudujemy? Wchodzimy na podwórko. Wita nas radosny szczeniak. Na progu zjawia się sympatyczna blondynka z włosami upiętymi w kok. Za nią z domu wychodzi wysoki brunet, bardzo szczupły. Oboje są mniej więcej w naszym wieku.

– Dzień dobry! – witam się pierwsza. Mieszkańcy „drzewiennego" domu wyglądają na zdziwionych.

– Dzień dobry, w czym możemy pomóc?

– Zainteresował nas ten dom. Czy moglibyśmy dowiedzieć się o nim czegoś więcej?

– Ależ proszę, zapraszamy!

I wchodzimy już do przestronnej sieni, zostawiamy buty na ręcznie tkanym w barwne pasy chodniczku. W trosce o piękną, drewnianą podłogę. Idziemy długim korytarzem do salonu. Przedstawiamy się, żeby nasi gospodarze wiedzieli, z kim mają do czynienia.

Gospodyni ma na imię Julia, jej mąż – Tymoteusz. Piękne imiona. Oboje są artystami. Julia rzeźbi w glinie, Tymoteusz maluje. Ja tak uwielbiam artystów! Prawdziwych, a nie, jak ja, rękodzielników zaledwie!

Zadajemy mnóstwo pytań o dom, o to, kto go zbudował i za ile. Okazuje się, że takie domy buduje firma spod Mrągowa, a jej właścicielem jest dawny mieszkaniec okolic Zakopanego, który za żoną przeniósł się na Mazury. Wcześniej budował górskie domy z bali, teraz zmienił nieco technikę na tradycyjnie mazurską i specjalizuje się w domach z bali na Mazurach. Od dziesięciu lat. Jak to możliwe, że nigdy o tym człowieku nie słyszałam! Na pewno się z nim dogadamy. Ceny też nie są zbyt wygórowane. Bierzemy namiary na górsko-mazurskiego cieślę i uśmiechamy się szczęśliwi.

– Jeśli powiecie, że jesteście od Julii i Tymoteusza, na pewno się dogadacie – mówi pogodnie gospodyni.

Oprowadzili nas po całym domu. Mieszkają tu dopiero dwa lata. Nie do końca się jeszcze urządzili, ale i tak dom zachwyca swym pięknem. A także intensywnym drzewnym aromatem, od którego aż w nosie kręci. Czuję się, jakbym chodziła po lesie pełnym żywicznych aromatów.

– To dobre świerkowe drewno – zachwala Tymoteusz.

Ściany, podłogi i sufity, a nawet okna – wszystko jest z drewna, tylko łazienki i część kuchni wyłożone częściowo terakotą i glazurą. Na dole mieści się kotłownia, sporej wielkości pokój oraz salon z kominkiem i kuchnia, połączone ze sobą. Z salonu prowadzą schody na górę. Na górze cztery pokoje. Dwie łazienki – na parterze i na piętrze, a na samej górze mały stryszek. Tam już nie wchodzimy, bo i po co? I tak czujemy się trochę jak intruzi.

Podziękowaliśmy i przeprosiliśmy za najście. Potem obejrzeliśmy jeszcze sąsiednią działkę i w drogę!

– No i co sądzisz o tym, co zobaczyliśmy? – zapytał Martin.

– Co za piękny dom. Niesamowity. Czy myślisz... O tym samym?

– Tak, myślę, że to właśnie jest dom naszych marzeń. Teraz ty umów nas z właścicielem firmy. A co sądzisz o działce?

– Też by mogła być. Szkoda, że ma tylko piętnaście arów...

– To wcale nie tak mało!

– Ale ta następna ma podobno trzydzieści?

– No dobrze, zobaczymy jeszcze tę i podejmiemy decyzję! To już ostatnia! A teraz dzwoń do firmy budowlanej!

Zadzwoniłam. Trzeba kuć żelazo, póki gorące, więc umawiamy się na następny dzień rano. W siedzibie firmy, kilometr za Mrągowem.

Dojeżdżamy na miejsce, obejrzeć ostatnią działkę. To Popowo Salęckie, wieś, która tak mi się podobała! Tu zbierałam kiedyś moje zioła. I jak nie wierzyć w przeznaczenie? Martin mówi, że podobno tu mieszkała przed laty pani Marysia, zanim przeprowadziła się do Mrągowa. Tak opowiedziała Martinowi nasza Zosieńka podczas ich wspólnej wyprawy.

Jedziemy w kierunku szpitala, skręcamy w prawo i już dalej prosto. Mijamy kolejne krzyżówki. W prawo do Młynowa, w którym byliśmy przed chwilą, a w lewo do Popowa.

– Martin, przecież niedawno byliśmy w Młynowie, oglądać tamtą pierwszą działkę, nie mogliśmy zajechać od razu, tylko tak się kręcimy w kółko?

– Chciałem z tobą dłużej pobyć – zaśmiał się mój przyszły mąż. Działka nie leży całkiem we wsi, tylko na kolonii. Kilometr przed Popowem. Nieco na uboczu, bo trzeba zjechać z drogi na żwirówkę. Na działce jest prąd i woda. Spotykamy się z właścicielem. Sympatyczny i uśmiechnięty. Na imię ma Mietek, jak mój kot! Pan Mietek oprowadza nas po ziemi, pokazuje powbijane paliki, oznaczające odkąd dokąd jest te trzydzieści arów. Część działki graniczy z rozległym stawem. Śmieję się, że to działka z linią brzegową. Podoba mi się takie sąsiedztwo! Wokół tylko pola, całkiem blisko, niewielkie skupisko krzewów i niewysokich drzew, zielona wyspa na łące. Za tym wszystkim w oddali widać polną drogę. Pan Mietek mówi, że to dawna wąskotorówka, bo z Mrągowa do Kętrzyna jeździła przed wojną kolej wąskotorowa i, jak widać, przebiegała właśnie tędy. Teraz to zwykła droga gruntowa, wzdłuż której porozsiadały się dzikie jabłonie i grusze. Widać je z daleka, pora roku sprzyja owocowaniu. Naszła mnie nagle ochota pobiec tam z koszem wiklinowym i nazbierać tego dobra, porozrzucanego pod koronami drzew. A potem przerobić je na soki i szarlotkę, a może jakąś ciekawą nalewkę? Wokół rozległa panorama wsi. W oddali rozrzucone niewielkie domki, na nich czerwone dachówki, złożone na pół jak ustawione na stole karty do gry. Prawdziwa, mazurska wieś. Podoba mi się tu.

– Martin... – szepczę. – To chyba jest mój kawałek ziemi...

Jezioro Czos to dom dla ptaków wodnych. Dziesiątki kaczek i łabędzi zawsze były jego ozdobą. Karmienie sprawiało radość zwłaszcza maluchom — dzieci, zarówno te sprzed wojny, jak i współczesne, tak samo marzą o zabawie.

Rozdział XXIX

O tym, że historia Hansa zatoczyła wielkie koło i że czasem trzeba przebiec przez pół życia, żeby wrócić do punktu, z którego się wyszło.

Martin zajął się wszystkim. Umówił notariusza, sporządził umowę, spotkał się z wykonawcą. Oczywiście we wszystkim mu dzielnie pomagałam, ale to on grał pierwsze skrzypce. Mało tego! Kupił nawet projekt domu, taki sam, jak mają Julia i Tymoteusz!

No cóż. Życie biegnie dalej. Sprzedam swoje mieszkanie w przedwojennej kamienicy Hansowi Ritkowskiemu. Tak postanowiłam, mimo wielu wahań. Historia jego życia zatoczy nagle wielkie koło! Ten mężczyzna wróci do miejsca, z którego wyszedł, i to chyba nie tylko za sprawą ołowianych żołnierzyków. A gdybyśmy z Martinem nigdy się nie spotkali?

Powiedziałam o wszystkim Hani. Przyklasnęła mojemu pomysłowi. I jakby sama wyczytała w moich myślach:

– Jeśli myślisz, że coś powinnam dostać po naszym tacie, to możesz być spokojna. Nie po to ciebie szukałam! Ja mam wszystko, czego mi potrzeba. Pracuję, moja mama jest bardzo zaradna, a poza tym z Wrocławia przychodzą dobre wieści. Mama już chyba nie jest taka samotna! Sprzedaj to mieszkanie i zawalcz o swoje marzenia!

– Zrobię to, ale pamiętaj, że będzie to również twój dom. Zawsze będziesz w nim miała swoje miejsce. Pokoik specjalny dla Hani.

– Mam nadzieję! I już myślę, jak go nazwę. Czy mogłabyś zrobić dla mnie na przykład pokoik słonecznikowy? Kocham odcienie żółci i wszelkie rudości. Słonecznik najpierw jest żółty, potem się starzeje na rudo i jest równie piękny...

– Dobrze, niech będzie słonecznikowy!

Wspaniale mieć siostrę! Chyba obie jesteśmy tego zdania! Nie daje mi jednak spokoju pewna kwestia. Jeszcze nie do końca wyjaśniona. W jej rozwiązaniu może pomóc mi tylko Hania. Tak myślę.

– Haniczku, możemy pogadać? – mówię do niej pewnego niedzielnego popołudnia. Martina nie ma, wyjechał swoją cud-toyotką do Olsztyna po ojca, który właśnie dziś przyjechał z Niemiec. Niedługo poznam swego przyszłego teścia! Pani Ritkowska została w domu, obiecała jednak, że na ślubie syna pojawi się na pewno. Rozmawiałam z nią nawet na skypie! No i oglądałam oczywiście zdjęcia. To taka filigranowa i elegancka pani. Już wiem, do kogo Martin jest podobny! Ten sam błękit oczu, mocno zarysowane usta.

U nas, w Polsce, starsze panie nie wyglądają tak, jak pani Ritkowska. A szkoda! Z wyjątkiem pani Zosi, która niebezpiecznie zmieniła swój wizerunek. Niedługo będzie wampem naszej ulicy! Haniczek patrzy na mnie i uśmiecha się słodko:

– Jasne, Ludek, możemy pogadać!

– To zbieraj się, na promenadę!

Schodzimy ogrodem w dół, kilka kroków i już jesteśmy na promenadzie, nad jeziorem Czos.

– Haniu, mam do ciebie pytanie?

– Słucham cię, słonko...

– Czy mnie się wydaje, czy wy z Piotrem... macie się ku sobie? Haniś się czerwieni. Znaczy, jest coś na rzeczy.

– No wiesz...

– No, nie wiem.

– Bo to było tak, że on cierpiał, a ja wtedy za nim wybiegłam, po waszym rozstaniu, i pocieszałam go, i mówiłam, że wszystko będzie dobrze. A potem ty do tego szpitala... I Piotr codziennie przychodził i pytał o ciebie, a ja myślałam: „Jak bardzo się martwi, jaka jest mu bliska ta moja siostra!" W ogóle, kiedy go zobaczyłam najpierw, pierwszy raz, to pomyślałam, że taki przystojny, chociaż po czterdziestce, ale modny, z klasą, jakimś luzem. No, superfacet. I potem zaczęłam się dziwić, dlaczego ta moja siostra jakaś chłodna dla niego, nie całuje go, nie przytula się, nie zagada. No wiesz, jak było między wami pod koniec. Jak mi powiedziałaś, że dziecko nie jego, to myślę sobie: „Szkoda".

– Nie dlatego mi doradzałaś, że dziecko powinno znać swego biologicznego ojca?

– Nie, Ludziu, bo taka była sytuacja, że naprawdę chciałam, żeby wam się z Piotrem ułożyło, dopóki się nie dowiedziałam wszystkiego.

– Rozumiem...

– No i potem, jak już wiedziałam, to patrzyłam inaczej na Piotra, który tak rozjaśniał się na twój widok, ale wiedziałam, że będzie mu trudno to wszystko zaakceptować, że robi to dla ciebie, bo cię kocha, ale tak naprawdę to... Wiesz, różnie w życiu może być, zawsze zjawi się kryzys czy coś takiego, to skoro tak, to chyba warto zapewnić sobie i dziecku jednak człowieka, który będzie tworzył autentyczną więź. A takim wydawał mi się Martin, bo przecież widziałam, że go kochasz!

– Haniczku, bardzo mądra jesteś, wiesz? Jestem dumna z takiej siostry! No i co dalej?

– No i dalej to było pocieszanie, to już wiesz, i ty w tym szpitalu, i Piotr, mimo iż się spakował cały, to zostawił jeszcze te kapcie i przychodził, pytać o zdrowie twoje i dziecka, bo nie śmiał iść do szpitala. I potem ja mu herbatę, raz nawet wino, z twojego barku, przepraszam! No i tacy jacyś bliscy sobie się staliśmy, ja też jestem po rozstaniu z facetem, kilka lat z nim byłam, nie mówiłam, bo nie było po co, nie warto. Wyjaśniałam mu, dlaczego tak postąpiłaś, broniłam cię jak lwica, gdy rzucał te wszystkie złe słowa w twoim kierunku. Ludziu, nie można zmusić nikogo do uczuć. Ja to wiem i chciałam mu to wyjaśnić, wytłumaczyć! Z czasem zaczął rozumieć, akceptować, wreszcie pewnego dnia zaprosił mnie na obiad. To poszłam. I potem znów, na kolację. Też poszłam, pewnie! Niby nie jesteśmy razem, ale bliscy jacyś sobie i mam przeczucia, że na końcu Polski znalazłam kogoś interesującego. „Starszy, odpowiedzialny, przyzwoity" – tak moja mama mówi na takich. Na pewno się jej spodoba, zobaczysz! Już jej o nim pisałam.

– Czyli, Haniu, wszystko na dobrej drodze?

– Mam nadzieję, że tak, byleby tylko nie patrzył na mnie, jak na ciebie. Ale chyba nie, bo mówi, że się od siebie bardzo różnimy.

– Tak, Haniu, prawda. Masz w sobie prawdziwą mądrość życiową! Naprawdę! I życzę ci szczęścia z Piotrem. Nie można nikogo zmusić do miłości!

– Wiesz, teraz tak myślę o tej wróżbie Iwony. Zobacz, sprawdziła się. Dziwna miłość, bo jakby z odzysku po tobie, ale może mam szansę? On naprawdę mi się podoba! No i Iwona mówiła, że ta miłość to związana z tobą będzie, no i jest!

Rzeczywiście, przypomniała mi Hania tę wróżbę. Coś w tym jednak musi być! Wygadałyśmy się za wszystkie czasy. Teraz czas wracać, bo zaraz wróci z Olsztyna Martin i zapozna mnie z moim teściem!

– Wiesz, Ludziu, nigdy tak na Piotra nie patrzyłaś, jak na Martina. To on jest twoją drugą połową. Naprawdę!

– Wiem, teraz to wiem. Mogłam to wszystko zepsuć. Niepotrzebnie uwikłałam się w ten związek z Piotrem. Niby nie żałuję, ale głupio jakoś. Przed nim, przed Martinem. I teraz przed tobą...

– Nie przejmuj się, ja nie czuję, że on z odzysku. Wiesz, nigdy tak się z nikim nie czułam, jak z nim!

– Cieszę się. Nie zmarnuj tego, Haniu, to dobry człowiek.

– Mam nadzieję, że on myśli podobnie...

– Wierzę w to gorąco. Jeśli chcesz, to z nim porozmawiam?

– Mogłabyś?

– Jasne, zwłaszcza że mam do niego prośbę. Ale muszę to jeszcze uzgodnić z Martinem.

Przyszedł mi bowiem do głowy pewien pomysł!

Hans Ritkowsky był wysokim, postawnym mężczyzną. Mimo wieku, pięknym. To po nim Martin miał rozbudowaną dolną szczękę, nadającą wygląd męskości. Długie, szczupłe dłonie z palcami pianisty. Oczy ciemne, o mocnym spojrzeniu, włosy gęste i całkiem siwe. Gdy Martin mi go przedstawił, zaniemówiłam.

– Jaki pan jest, hm... przystojny! – jęknęłam po niemiecku jak nastolatka. A potem zrobiło mi się głupio. Bo co pomyślał o mnie, obcej Polce, dla której jego syn zmieniał całe życie?! Wiedział, że jestem w ciąży, Martin już dawno to przegadał z rodzicami. Przywiózł mi piękny szal z szyfonu, a naszemu dziecku – niewielką wyprawkę, spakowaną w dużą podróżną torbę.

– To na początek! Bo przecież to nasz pierwszy wnuk! Albo wnuczka! – obiecał.

Szybko doszliśmy do porozumienia. Był nieco zmęczony, więc zaproponowałam kąpiel. Nie stresowałam się w jego obecności, był po prostu pogodny i gadatliwy. Poznałam go z Hanią, tłumaczyłam dzielnie ich rozmowę. Nie wtajemniczałam na razie mego przyszłego teścia, że Hania jest siostrą przyrodnią. Cieszyłam się, gdy cmokał głośno i mówił:

– Jakie podobne, jakie podobne!

Zwiedził całe mieszkanie, obejrzał dokładnie.

– No pięknie, pięknie. Miło będzie mieszkać w swoim dawnym domu. Wprawdzie nie w mieszkaniu, ale obok. Czy możemy teraz odwiedzić panią Zosię?

Wiedziałam, że na tym zależało mu najbardziej. Pani Zosia już czekała, w swoim cudnym kostiumiku w zielone wzorki.

Hans Ritkowsky prawie płakał, gdy przekroczył próg mieszkania. Martin mi mówił, że podobnie zareagował, gdy przekraczał bramę i wchodził po schodach. Dotykał poręczy i mówił: „Jak wtedy, zupełnie jak wtedy, pamiętam"...

To musiało być dla niego silne przeżycie. Po tylu latach wrócić do swego rodzinnego domu. Do swego heimatu, jak mówił. Nie zostałam z nimi u pani Zosi. Tylko Martin. Nie było ich godzinę, byłam pewna, że poradzili sobie z językiem, bo Martin już naprawdę dobrze mówił po polsku, a pani Zosia też dogadywała się po niemiecku. Proszę, jakie mamy tu międzynarodowe towarzystwo! Kto by pomyślał!

Hans namawiał nas na wspólną wycieczkę. Nie chciał jednak zwiedzać miejsc, w których spotyka się najwięcej Niemców, czyli Wilczego Szańca albo klasztoru w Świętej Lipce.

– Jeszcze z dawnych lat pamiętam, że gdzieś tu, w okolicy, był klasztor starowierców. Moja mama znała się nawet z jedną taką starowierką, sporo ich było w Sensburgu. Bo tu mieszkali ludzie różnych wyznań, jeden obok drugiego, i to było coś normalnego. Żadnych nienawiści czy nacjonalizmów. Starowierka opowiadała o klasztorze, a mnie się to miejsce wydawało takie tajemnicze. Chętnie bym je zobaczył! Czy wiesz, Ludmiło, gdzie to może być?

Jasne, że wiem. Piękne miejsce. Molenna w Wojnowie. Wsiadamy do Martinowej toyoty i jedziemy kiętą drogą pośród lasów na Pisz. W Ukcie skręcimy w prawo. Do Wojnowa, starowierskiej Częstochowy. Wśród blisko tysiąca mieszkańców mieszkają tu wyznawcy aż czterech religii.

Podobnie jest w Użrankach. Mazury zawsze były wyznaniowym tyglem i za to je właśnie kocham. Opowiadam o tym Martinowi i Hansowi. Słuchają z uwagą i patrzą na drogę.

— I nikomu ta wielowyznaniowość nie przeszkadza?

— Raczej nie. Oczywiście najwięcej w Wojnowie katolików, jak to na naszych ziemiach, ale najbliższy ich kościół jest dopiero w Ukcie, czyli trzy kilometry od Wojnowa. Są i ewangelicy, ale i tak najwięcej zainteresowania wzbudzają prawosławni. Ich biało-niebieska cerkiewka z daleka rzuca się w oczy. Podobno zaprojektował ją duchowny, który potem był tu proboszczem.

— Skąd wiesz?

— Kiedyś pisałam o tym reportaż.

Dalej opowiadam o alejach, którymi zachwyca się Hans, i ich obrońcach. Obaj są zdania, że nie ma Mazur bez krętości tych dróg. Mijamy drogowskaz do Kadzidłowa. Wyjaśniam, że tam właśnie mieszka wielki orędownik tych alei, pan Krzysztof, który od lat angażuje się w ochronę dziedzictwa regionalnego. Może kiedyś do niego zajedziemy, warto go poznać. Często występuje w telewizji, piszą o nim w gazetach. Można go też spotkać na koncertach w leśniczówce Pranie. W której tworzył niegdyś Konstanty Ildefons Gałczyński, znany polski poeta. Obaj Ritkowscy słuchają mnie z uwagą. Ja mówię im, co wiem o mojej ziemi. Ma tyle sekretów, tyle niezwykłych historii, że czasu trzeba by wiele, by to wszystko opowiedzieć! W Wojnowie idziemy najpierw do cerkiewki. Akurat trafiamy na nabożeństwo. Płoną woskowe świeczki, słychać ujmujący śpiew sióstr. Prawosławni nie używają instrumentów. Głos ludzki jest najważniejszy. Potem wędrujemy do molenny starowierców, czyli najważniejszego dla Hansa miejsca. Zbudowana z czerwonej cegły, zachwyca prostotą i... drzemiącą w niej historią. Opowiadam o starowiercach, czyli staroobrzędowcach, niektórzy nazywają ich też filiponami, na cześć charyzmatycznego pustelnika Filipa, który był ich przedstawicielem. Do dziś istniejące w pobliżu miejscowości, jak na przykład Onufriewo, Piaski czy mijane wcześniej Kadzidłowo, to pierwsze osady starowierców. W Wojnowie stoi jeszcze klasztor nad jeziorem Duś, kiedyś męski, potem przejęły go starowierskie siostry zakonne. Podjeżdżamy pod klasztor. Polsko-niemiecka tabliczka zaprasza do zwiedzania. Hans jest podekscytowany, to widać wyraźnie. Mija nas

niemiecka grupa. Hans zagaduje do nich, macha. Opowiada, że przyjechał tu z synem i synową i podobnie jak oni szuka tu swej historii. Jeden
z Niemców mówi, że jego matka urodziła się w Wojnowie. W tamtym
domu, pokazuje na ledwo widoczny czerwony dach. Zbieramy bezpłatne
foldery w dwóch językach.

– Dużo tu niemieckiego, dzięki temu czujemy się jak u siebie – mówią
tamci turyści. I dalej zwiedzają już z nami, słuchając, co mówię o tym
miejscu.

Zagaduje nas jakiś mężczyzna. Przedstawia się i mówi o sobie, że
jest z niego dawny warszawiak, który pewnego dnia porzucił kancelarię
adwokacką i przeniósł się do Wojnowa. Wybrał prowincję. I wygląda na
szczęśliwego! Jego ojciec pochodził właśnie stąd i teraz on powrócił do rodzinnych korzeni, by ratować jedyny w Europie klasztor starowierców.

Hans patrzy na Martina i uśmiecha się. Niechcący stali się oto świadkami historii podobnej do ich własnej. Martin nie remontuje wprawdzie
klasztoru, nie zmaga się ze związanymi z tym finansowymi problemami,
ale przynajmniej ściągnął ojca do dawnego kraju i odnowił miejsce jego
radosnego dzieciństwa, spędzonego podczas ostatnich, beztroskich chwil,
zanim wojna je odebrała bezpowrotnie. Jest chyba w tej ziemi mazurskiej
jakaś magia, która każe sięgać do przeszłości bez względu na stan, naro-
dowość, zawartość portfela. Mówię o tym głośno. Wszyscy przytakują.
Chyba nagle poczuli to samo!

Hans podaje naszemu przewodnikowi banknot. Jak mówi, chce mieć
wkład w remont tego miejsca. Miły gest. Gdyby tak każdy... Udałoby się
ocalić wiele innych, równie ciekawych zabytków! W klasztorze wiszą iko-
ny, a najważniejsza z nich przedstawia Trójcę Świętą. Sąsiednia, na której
widnieje Matka Boska z Dzieciątkiem, jest podobno bardzo wiekowa.
Hans pyta, ilu jest dziś starowierców we wsi. Okazuje się, że zaledwie
kilkudziesięciu. Ja dodaję, że są również w Mrągowie. Osobiście znam
człowieka, który prowadzi ich kronikę. Wracamy do miasta w szczególnym nastroju. Uroczystym, podniosłym. Hans jest wzruszony.

– Nie myślałem, że tyle jeszcze przeżyję. Wspaniałe to miejsce.
Dziękuję, że mnie tu przywieźliście.

Kolejne dni minęły błyskawicznie. Wrzesień aż do samego jego końca
był istnym zabieganiem. Hans zapłacił mi za mieszkanie dwieście tysięcy,

mówiąc, że dorzuca dwadzieścia na fundamenty pod przyszły dom. Jednak akt notarialny podpisywałam z... Martinem, bo kupił to mieszkanie na swego syna! Przywiózł ze sobą również pieniądze na budowę domu. Gdy Martin wymienił je w kantorze, okazało się, że mamy dodatkowe sto tysięcy! Dobra nasza! Zdecydowaliśmy się ostatecznie na działkę w Popowie. Bo większa. Mimo iż nie byliśmy jeszcze małżeństwem, akt notarialny sporządziliśmy na nas oboje. Działka była już nasza! Teraz tylko umowa z wykonawcą, pozwolenie na budowę i... można lać fundamenty!

Pojechaliśmy do wykonawcy, zaklepać termin budowy. Przyjął nas szczupły pięćdziesięciolatek, mówiący z lekkim góralskim zaśpiewem i wyglądający jak góral. Tylko mu kierpce dać! Pokazaliśmy mu projekt, on przedstawił nam ekipę. Podpisaliśmy umowę, wpłaciliśmy zaliczkę. Potem spotkaliśmy się z panią architekt, która miała załatwić nam wszelkie uzgodnienia. Powiedziała, że potrwa to około półtora miesiąca. Ale załatwi. I po tym można już składać wniosek o pozwolenie na budowę! Hurra! Doczekamy! Za półtora miesiąca... Następnie jeszcze wytyczenie przez geodetę terenu pod dom, zgłoszenie budowy do nadzoru budowlanego. Na pewno wtedy będę już żoną Martina. Mimo pewności, jaką miałam co do płci mojego dziecka, wolałam się jednak upewnić. I złożyłam, a właściwie złożyliśmy wizytę mojej lekarce, żeby przebadała mnie dokładnie na okoliczność płci dziecka.

Dziecko kręciło się po wypukłym brzuchu, aż śmialiśmy się serdecznie oboje. Martin miał mokre oczy, ja też. Popłakał się całkiem, gdy lekarka włączyła aparat do słuchania tętna. Mój kochany...

– Nie mam pojęcia, siusiaka nie widzę... Ale kręci się straszliwie! – mówiła, jeżdżąc mi po gładkim żelu specjalną głowicą. I za chwilę: – Nie ma siusiaka. Albo znikł, bo taki malutki, albo... dziewczynka!

No wiedziałam, że będzie dziewczynka. Mama miała rację. Zabieramy się za wymyślanie imienia! Powiedziałam o tym Martinowi, ale on uznał, że to moja sprawa.

– Nasza córka będzie żyła w Polsce, zatem wybierz jej imię tutejsze. Ja się w to nie mieszam. Nie nazwę jej przecież po niemiecku!

Dobry człowiek z tego Martina. Doceniam ten gest. Mam już propozycję imienia, ale na razie mu go nie zdradzę.

Rozdział XXX

W którym przychodzi czas na nową miłość, która jest panaceum na wszelkie smutki.

Hania spotyka się z Piotrem. Na razie nieśmiało. Obwąchują się, pewnie oboje boją się rozczarowań. Któregoś dnia zaprosiłam ich do siebie, przegadawszy najpierw sprawę z Martinem. Wtajemniczyłam go w swój plan, początkowo kręcił nosem, ale potem uznał, że to ma sens.

Piotr nie spóźnił się ani minuty. Wszedł cichy, nieśmiały, nie zdjął butów jak kiedyś, a jedynie powiesił kurtkę na wieszaku w przedpokoju. Rozejrzał się po mieszkaniu. Nic się nie zmieniło od jego czasów. Zapewne wiedział, że mieszkanie już sprzedałam, ale że będę mieszkać tu do czasu, gdy zbudujemy nasz dom. Hania zdawała mu relacje ze wszystkiego. Mówiła mi zresztą o tym.

– Wejdź, siadaj, Piotrze – powiedziałam cicho. Byłam nieco zakłopotana, on chyba też. W sumie, to nasze pierwsze spotkanie od dnia, w którym trafiłam do szpitala! Minęło sporo czasu. Hania czuła chyba, że musimy pogadać najpierw sami, została więc w salonie z Martinem. Potem mi relacjonowała, że Martin bardzo się denerwował, choć starał się udawać, że go to nic a nic nie obchodzi. Udawał, że czyta niemiecką gazetą, którą kupował u nas, na prowincji, w małym saloniku prasowym!

Piotr usiadł w kuchni. Rozglądał się i patrzył na mnie badawczo.

– Jaki masz już brzuszek! Jak się miewa? – zapytał. Chyba się wzruszył, bo zadrżał mu głos. Ja też.

– Piotrze, nie było okazji. Wybacz...

– Rozumiem. Wszystko. Naprawdę. Nic nie mów, bo będzie jeszcze trudniej...

– Piotr, ja nie mogłam inaczej. Nie można zmusić się do uczuć.

I jeszcze jedna piękna pocztówka z Sensburga. Rynek w Sensburgu otoczony był kamienicami. Z prawej strony widać tzw. Dom bociani, nazwany tak ze względu na bocianie gniazdo na jego dachu. Dziś nie ma już domu bocianiego, w jego miejscu jest promenada, prowadząca na molo.

– Wiem. Ludka, rozumiem. Nie mówmy o tym. Mnie też było ciężko, zanim to zrozumiałem. Hania... Ona mi pomogła.

– Wiem, wszystko wiem, ona jest tak mi bliska. Nie wyobrażam sobie życia bez niej.

– Ludko, ja i ona... Razem... Może mamy szansę, jak myślisz? Czy ona by mnie chciała? Starszy jestem od niej...

– Myślę, że tak. Piotrze, spróbuj. Ona chyba na to czeka. I zostańmy przyjaciółmi. Nie zmarnujmy tego, co nas kiedyś połączyło.

– Wiem. To bardzo boli, ale już mi przeszło. Bądź z nim szczęśliwa, skoro tak wybrałaś. To mogło być moje dziecko i wtedy... Nie oddałbym cię tak łatwo.

– Ale nie jest! – ucięłam krótko. Wchodziliśmy na grząski grunt.

– Martin! – zawołałam.

– Po co on tu? – Piotr zerwał się od stołu jak oparzony.

– Zaczekaj.

W drzwiach pojawił się mój narzeczony. Przywołałam go ręką. Objął mnie, jakby zaznaczając swoje terytorium. Podał dłoń Piotrowi. Uścisnęli się dość niechętnie, z dystansem.

– Haniu! – zawołałam znów.

Do pokoju weszła Hania. Lekko zaskoczona, bo myślała, że to spotkanie z Piotrem to tylko dla pogadania o dawnych sprawach i ona na pewno nie powinna w tym uczestniczyć.

– Haniu, Piotrze! Chciałam... Chcieliśmy was prosić, żebyście zostali świadkami na naszym ślubie...

– Coooo?! Kiedy, jak to?! – podskoczyła radośnie Hania. Nie mówiłam jej! Wiedziałam, że się ucieszy! Spojrzała na Piotra:

– Słyszałeś?

Słyszał. Widziałam, że był lekko zszokowany, ale ładnie z tego wybrnął. Wziął Hanię za rękę, pociągnął ją ku sobie. Pocałował i powiedział:

– Jasne, że się zgadzamy! Prawda, Haniu?

Hania skinęła głową, cała czerwona. A potem zakręciła się koło Piotra, założyła mu kurtkę, sama złapała swoją i poleciała z nim do miasta. A my zostaliśmy sami. Wykorzystaliśmy to dość chętnie, najpierw na podłodze w kuchni, potem na stole. Byłam w siódmym niebie. Czy zawsze będę tak się czuć? Nawet na emeryturze?

Hania nie wróciła na noc. Została u Piotra. Rano pojawiła się zaróżowiona i szczęśliwa.

– Ludmiłko, ty wiesz?! On chce ze mną być! – cieszyła się. Ja też się
cieszyłam jej szczęściem. To było cudowne. Moja siostra przy mnie ukła-
dała sobie życie, doroślała i zaczynała kochać. Mężczyznę, który naprawdę
był tego wart. Tata byłby z nas obu dumny. Między nami nie było zazdrości,
a łączyła nas niespotykana nić porozumienia, do tego stopnia, że zaniedbałam moje przyjaciółki. Trudno, coś kosztem czegoś. Mailowałyśmy,
rozmawiałyśmy na gadu-gadu, ja wrzucałam na naszą-klasę fotki, więc
były z grubsza na bieżąco. Ale zaproszenie na ślub jednak je zaskoczyło.
Przyjęcie planowaliśmy raczej skromne, bo tylko w moim, czy raczej już
Martina, mieszkaniu.

Biegły dni i tygodnie. Z Hanią wybrałam sukienkę ślubną. Złotą, ze
specjalnym miejscem na brzuszek. O tej od Sylwii nie miałam co marzyć.
Może na sylwestra w przyszłym roku? Martin miał już piękny garnitur.
Przywiózł go z Niemiec. Nic nie szkodzi, że noszony. Po co kupować
nowy? Pieniądze muszą zostać na nowy dom.

Praca mego przyszłego męża absorbowała go bardzo, ale znajdowa-
liśmy jeszcze czas na wspólne życie. Zajęcia prowadził głównie po południu. Moja praca trochę ucierpiała, nie powiem, nie miałam tyle czasu,
co kiedyś, ale nadal sprzedawałam ciuszki i dekupażowałam, z tą samą
co wcześniej pasją. Tyle tylko, że żyłam oczekiwaniem na ślub. Te życiowe wydarzenia zainspirowały mnie nawet nieco i na kolejnych pudeł-
kach i ozdobach pojawiły się ślubne motywy! Pomysł okazał się trafiony.
Zamówienia posypały się gęsto, ludzie w komentarzach wpisywali, że
to wspaniały prezent ślubny. No i bardzo dobrze. Córcia nie dokuczała.
W zasadzie miałam już dla niej imię. Podobało mi się: Zosia... Ponieważ
gdyby nie pani Zosia, to nie wiem, co by było. Okazała się takim elemen-
tem spajającym nasz związek. Martin się zgodził, bo przecież obiecywał,
że wybór będzie należał do mnie.

– Myślałem, że nazwiesz małą Hania, ale Zosia też ładnie!

– Hania już jest w rodzinie. A pani Zosi zrobimy przyjemność.

Mała Zosia jest już coraz większa. Mój brzuch pęcznieje. Mam lekkie
rozstępy, no cóż, w moim wieku... Ale to nie szkodzi, nie przejmuję się,
no może troszeczkę. Nabrałam dystansu do siebie i do życia. Myślę, że

Martin będzie mnie kochał również z rozstępami, ale na wszelki wypadek wcieram krem w ogromnych ilościach, łudząc się, że na brzuchu nie zrobią się kolejne białe smużki.

Trochę też dokuczają mi żylaki. Po prostu nagle się pojawiły. Liczyłam się z tym, lekarka mnie uprzedzała, w poradnikach też uprzedzają. Coś za coś. Może potem je usunę. Może jakaś skleroterapia, czyli zamykanie żył. Podobno robią i u nas, nie trzeba jechać do wielkiego miasta, jak jeszcze kilka lat temu. No i to także są uroki prowincji. Wszystko jest już blisko, na wyciągnięcie ręki, tylko spokojnie i bez korków. W takich chwilach zawsze cieszę się, że to jest moje miejsce.

I przychodzi wreszcie ta wymarzona, wyśniona sobota. Ubieramy się, ja idę się czesać i malować. Oboje pilnujemy obrączek, żeby nie zapomnieć. Piotr przychodzi wcześniej, Martin podaje mu białe pudełko, obaj są zdenerwowani sytuacją. Piotr chyba bardziej. Hania piękna, w zielonej sukience, patrzę na jej młodość szaloną, dwanaście lat to duża różnica, nie ma co porównywać. Z Piotrem chyba dobrze, bo Hania kwitnie. Pani Stasia podobno cieszy się razem z nią. Chętnie poznam kiedyś tę panią Stasię, bo w sumie, ciekawa jej jestem! Piotr też kwitnie, już nie patrzy na mnie maślanym wzrokiem. To dobrze, ale przyznam cicho, sama sobie, że trochę mi tego jego maślanienia brakuje. Dobrze było mieć przy sobie platonicznego wielbiciela. Martin jakoś się przełamuje. Nawet zaprosił go na wieczór kawalerski, bo nie miał kogo. Wypili po dwa piwka i trochę się do siebie zbliżyli. Dobra nasza.

Dzień ślubu powitał nas słońcem, potem deszczem. Jak to w życiu. Pewnie będzie i jedno i drugie. Tłumaczę Martinowi, że my w Polsce mówimy: „Jaki dzień ślubu, takie całe życie”. Śmieje się i przyznaje: „Coś w tym jest”. W swojej szkole podszlifował język. Cieszy mnie, bo coraz częściej rozmawiamy po polsku. Ślubna ceremonia też będzie po polsku! Wczoraj wieczorem przyjechała mama Martina, razem z mężem zatrzymali się jednak w hotelu, niedaleko mojej kamienicy. Szkoda mi będzie się stąd wynosić, ale nie da się realizować marzeń i tkwić w miejscu. Musi być jakiś koszt tego spełniania. Nic za darmo!

Około południa przychodzi pani Ritkowska. W eleganckim czarnobiałym kostiumie, z misternym naszyjnikiem ze srebra, w klasycznych czółenkach i takąż samą torebką. Włosy upięte wysoko.

– Witaj, Ludmiło – mówi po niemiecku, przytulając mnie. Znamy się tylko ze skype'a, tak ładnej jeszcze jej jednak nie widziałam.

– Dzień dobry, pani Eriko!

Bałam się jej. Jak mnie przyjmie? Obejrzała mieszkanie, Hans zabrał ją do pani Zosi. Nie chcieli nam przeszkadzać w przygotowaniach. Pani Zosia pewnie sobie z nimi poradzi. Mówi coraz lepiej po niemiecku. I pomyśleć, na co jej przyszło na stare lata! Sama się z tego śmieje.

Jakoś doczekaliśmy się czternastej. Toyota Martina ładnie ustrojona, czuwała nad tym Hania. Usiadła z przodu, Martin oddał kluczyki Piotrowi i zajął miejsce ze mną z tyłu. Nie wypada, żeby pan młody sam się wiózł do ślubu! Na miejscu będą już dziewczyny. Wciąż nie mogą ochłonąć, że znów jestem z Martinem i że budujemy razem dom. Sylwia to skomentowała:

– Zakręcona jesteś jak paczka gwoździ. Zatrzymaj się trochę, bo nie zauważysz, kiedy urodzisz tę swoją córkę!

Ale ślubu nie mogły się doczekać. Będą oczywiście, z mężami! Ewa chyba też nie sama, bo pytała, czy może zabrać kolegę. Ma na imię Darek. Podobno także architekt, tyle że wnętrz. Robili razem jakiś projekt. Ewa mówi, że to na razie nic poważnego, ale kto ją tam wie. Po dwóch lampkach wina wszystko wyśpiewa. Kupiłam jej ulubione, kadarkę. Moje kiedyś też, ale teraz, w ciąży, nie mogę. Szkodzi nawet jednak kropla. Stosuję się do tych słów. Rygorystycznie.

Wchodzimy po schodach ratusza. Cicho, z powagą, ale tak naprawdę chce mi się śmiać. Są moi przyszli teściowie, przyjechali z panią Zosią i panią Marysią. To przedstawicielki naszej kamienicy. Są moje przyjaciółki. Z nimi Maciek, Rysio i Darek. Są też oczywiście świadkowie. Wystarczy. Nie zapraszałam nikogo więcej. W sumie, nie tak wyobrażałam sobie kiedyś ten dzień. Myślałam, że mój pierwszy ślub, bo Martina przecież drugi, odbędzie się w liczniejszym gronie, z tańcami i weselem, ale teraz wiem, że nie to jest najważniejsze, że nie liczy się ilość, a jakość. Mam w moim mieście wielu znajomych, ale przyjaciół – tylko kilkoro.

I tak jest lepiej. Bo przyjaciel to ten, kto jest przy tobie także w czasie niepogody. Ludzie bywają interesowni, udają przyjaźń, jeśli im na czymś zależy. W godzinie próby odpadają. Moje dziewczyny nigdy nie zawiodły. Moja siostra jest też moją przyjaciółką. I Piotr... Też jest przyjacielem.

Mam nadzieję. Zatem są dziś ze mną wszyscy bliscy memu sercu, którzy powinni ze mną dziś tu być. To zaledwie garstka, ale za to jaka!

Pani Marianka już czeka. Ma łzy w oczach.

– I pomyśleć, że niedawno pani tata przyszedł do mnie, żeby powiedzieć, że urodziła mu się córeczka... – wyszeptała przed wejściem na salę. Jak ten czas leci! Pani Marianka za rok idzie na emeryturę. Jak dobrze, że zdążyłam z tym ślubem!

Świat jest piękny również za miastem. Miasto nad Czosem widziane z drugiej strony jeziora. Z tego miejsca widać pruską zabudowę, a bryczka na pierwszym planie oddaje zapomniany już klimat miasteczka. Dziś już nikt tak nie podróżuje — wtedy, obok wozów konnych, był to bardzo popularny środek lokomocji. Czy kiedyś powróci jeszcze przedwojenny czar mazurskiej prowincji?

Rozdział XXXI

... cały w marszu Mendelsohna.

I jestem panią Ritkowsky. Ale też Gold. Zachowałam oba nazwiska. Rodzice Martina płakali, mnie też załamał się głos. Bo gdy wspomniałam o tych wszystkich perypetiach, jakie musieliśmy przejść, nie wytrzymałam i łzy poleciały mi same. Żeby mi się tylko makijaż nie rozmazał. Spojrzałam pytająco na Hanię. W lot zrozumiała, pokręciła głową, że nie.

Potem kwiaty, ryż, życzenia i wszyscy jadą do nas, do naszego pierwszego wspólnego gniazdka. Tam już stały stoły zastawione daniami przeróżnymi, moje sąsiadeczki o to zadbały, ja sama trochę też i siostra moja pracowita. Był zatem rosół z makaronem domowej roboty, indyk pieczony z jabłkami, zapiekane z ziołami ziemniaki. Do tego mazurska marchewka, moja ulubiona, Martina również! Dwa półmiski sałat różnych, półmiski wędlin domowej roboty, z wędzarni pana Mietka, byłego właściciela naszej działki. Ciasta do wyboru, od szarlotki i miodownika pani Zosi, poprzez tort kawowy Hani, na moim serniku skończywszy. Takiej uczty jeszcze nigdy w tym domu nie było. Wciąż myślę o tym miejscu: mój dom, choć już nim nie jest oficjalnie. Mój dom niedługo już będzie, w przyszłym tygodniu mam otrzymać pozwolenie na budowę. Potem jeszcze tylko zgłosić budowę do nadzoru i tydzień później... naprzód, fundamenty!

Patrzę szczęśliwa na tę grupę osób, która jest dziś ze mną, i myślę sobie, że mijający rok był dla mnie bardzo łaskawy, przed nami pierwsze wspólne święta, ostatnie przed narodzinami dziecka. Kolejne spędzimy już z naszą małą Zosią. Pani Zosia jeszcze nie wie, że nasza córka będzie jej imienniczką. Mała chyba wie, że to ważny dzień dla nas wszystkich, bo bryka radośnie. Czuję, jak się tłucze we mnie śmiesznie. Aż widać. Piotr chyba zauważył, że mój brzuch podskakuje, bo też parsknął śmiechem. Spokojnie, na luzie, chyba już mu przeszło! Widzę, że trzyma pod stołem Hanię za rękę. Hania zaróżowiona, rzuca oczami na boki, pięknie jej w tej zielonej sukni. Moja Hania Zielona. Schudła wyraźnie, to pewnie z tej ich nowej miłości? Teraz jest już całkiem do mnie podobna. To był dobry pomysł, żeby byli naszymi świadkami. Może ich to połączy, może kiedyś pozazdroszczą i też się pobiorą?

Hans i Erika uśmiechnięci. Bariera językowa nie pozwala im wprawdzie na zadzierzgnięcie bliższej znajomości z naszymi gośćmi, poza Ewą i panią Zosią, rozmawiamy jednak chętnie i nie zapada przy stole dręcząca cisza. Udali mi się teściowie. Jasne, że musimy się jeszcze dotrzeć, ale im chyba też podoba się nowa synowa. Mam przynajmniej taką nadzieję. Liczę na to, że nie obawiają się już o syna. Zresztą czego mają się obawiać, skoro naprawdę go kocham?

Budowa domu, na razie na papierze, okazała się bardzo absorbująca. Nawet nie zauważyłam, kiedy przyszły święta. Pomyślałam, że kolejne spędzimy już na wsi, te są ostatnimi w moim domu rodzinnym. Hania z Piotrem chyba się odnaleźli na dobre. Któregoś dnia przyszła do mnie, leżącej z nogami w górze – w takiej pozycji spędzałam większość dnia, bo już od miesiąca byłam na zwolnieniu lekarskim – i powiedziała:

– Wiesz, na święta chcemy wyjechać do Wrocławia. Razem z Piotrem. Co ty na to?

– Hanuś, jasne, jedź. Mama czeka na ciebie.

– I jeszcze coś ci powiem, ale w tajemnicy. Piotr chce poprosić o moją rękę! Wyobrażasz sobie?!

– To wspaniale! Jak się cieszę! Wiedziałam, że wam się uda.

– Ale czy to nie jest zbyt pochopna decyzja, przecież znamy się tak krótko? – zwątpiła nagle moja Hania.

– Siostro, nigdzie nie jest powiedziane, że narzeczeństwo musi trwać rok albo trzy lata! Spójrz na nas...

– No tak, ale nie zawsze to się udaje. Wy się dobraliście wyjątkowo. Martin taki zaradny. Niby obcokrajowiec, a już prawie opanował język i swobodnie się porozumiewa. Uczy się nas, Polaków, naszej kultury i zwyczajów. Ma motywację. Powinnaś być z niego dumna!

– Jestem...

– A w ogóle, jak się czujesz?

– Ciężko mi trochę. Zosia wielka, za miesiąc przyjdzie już na świat.

Nie wiedziałam, że ta końcówka taka trudna. Martin marudzi. Nie śpimy razem – puściłam oko do Hani.

– Zauważyłam – zaśmiała się.

– Jak to, zauważyłaś?

– No słyszałam czasem wasze harce za ścianą!

– Och, ty!

– No co, nie krzycz na mnie. Mama zawsze mi kazała, żebym dokładnie myła uszy! A teraz w waszej sypialni zaległa straszna cisza. Czasem sobie gadacie tylko.

– Haniu, w nowym domu będzie więcej miejsca, zajmiesz odległy pokoik, ten swój słonecznikowy.

– No nie wiem. Nie chcę wam przeszkadzać. Będę się czuła jakoś tak na doczepkę, może powinnam zamieszkać z Piotrem? Zaproponował mi to.

– Zrobisz, jak zechcesz, ale wiedz, że u nas zawsze jest dla ciebie miejsce.

– No tak, ale Martin, potem Zosia. To będzie wasz dom!

– Jesteś moją siostrą.

– Wiem.

Pojechała do Wrocławia z tym swoim Piotrem dwa dni przed świętami. A dziś przed nami pierwsza wspólna wigilia. Zaprosiłam na nią moje obie sąsiadki. Ewa siedzi w Toruniu z Darkiem, Iza z Rysiem wyjeżdża do teściów do Węgorzewa, Sylwia spędza święta w Kętrzynie. Tylko my w naszym mieście, jak na posterunku.

Nasza Zosia była na tyle grzeczna w brzuszku, że pozwoliła mi zrobić pierogi z kapustą i grzybami. Popisowe danie. Ugotowałam też barszcz. Martin zrobił rybę w papryce, według jakiegoś niemieckiego przepisu. A na drugi dzień świąt przygotował pieczeń wołową, również niemiecką. Pani Zosia przyniesie pasztecki do barszczu, pani Marysia przygotuje śledzie po wileńsku i karpia po żydowsku. No to będziemy mieli święta międzynarodowe!

Ubieramy choinkę. Pierwszą wspólną. Martin przytargał ją z nadleśnictwa. Wiszą na niej słomkowe ozdoby mojej mamy i moje własnoręcznie wykonane gliniane figurki aniołków. Jest też trochę drewnianych ozdób, kupionych na rynku. Choinka jest piękna, taka naturalna, troszkę przedwojenna. Z orzechami i szyszkami z Parku Słowackiego.

I myślę sobie, że w zgiełku tego świata można jednak znaleźć to, co jest najprostsze. Najlepsze. Co zdaje egzamin. Jak choćby ta choinka. Daleko jej do tych kilkumetrowych w centrach handlowych, krzyczących bogactwem, komercją i otoczonych gwarem zabieganych ludzi. Bo proste życie daje większe szczęście niż to, co kupujemy. Ja tę prostotę znalazłam na prowincji, która jest dla mnie sposobem na życie. Nauczyłam się tu wiele od starszych ludzi, którzy wciąż potrafią ze sobą rozmawiać, dla których inni nadal pozostali jeszcze ludźmi, a nie numerami telefonów.

Od pani Zosi, która w starszym wieku pozbyła się uprzedzeń i nauczyła języka niemieckiego, by czerpać ze świata całkiem nową wolność.

Od pani Marysi, która poprzez czujne i milczące obserwowanie mego życia stała się moim piorunochronem i zawsze wiedziała, kiedy przejąć zły ładunek.

Od rodziców Martina, którzy dopiero w dojrzałym wieku odkryli zapomnianą magię Mazur i postanowili wskrzesić ją w sobie i swoim synu z pasją godną naśladowania.

Szczęście i prostotę znalazłam też w nagłej miłości do odnalezionej siostry. Bo miłość nie potrzebuje czasu, odmierzanego zegarem i kalendarzem. Potrzebuje tylko naszego wewnętrznego ognia i tęsknoty. Motywacji. Taką na pewno miał w sobie Martin, ucząc się mojego języka. Bo chciał zamieszkać w moim świecie.

Mówię mu o tym wszystkim, patrząc na płomień świecy rozświetlającej nasz wigilijny stół. Za chwilę przyjdą goście. Martin słucha mnie z uwagą. Trzyma swoje dłonie na coraz większym domu naszej Zosi, oplata ją, zamyka jak muszla drogocenną perłę. Ta chwila zostanie w nas na zawsze. Wspomnimy ją za rok z naszą córeńką, która już za miesiąc będzie nową lokatorką tego świata. Do kogo okaże się podobna?

Wiosną ruszamy z budową naszego domu. Wszystko już czeka, niech tylko zima odpuści, bo zniewoliła naszą ziemię i zmieniła w twardy kamień, nieskory do przyjęcia fundamentów. Jeszcze rok temu nie myślałam, że tak mi się życie pozmienia! Dzięki magii, która przytrafia się przecież każdemu z nas, głęboko wierzę, że w marzeniach wszechświat będzie mi sprzyjał. Dzięki zwykłym splotom codzienności, które przytrafić się mogły tylko nam i tylko w tym konkretnie momencie, doszłam oto do miejsca, w którym stoję teraz. Spotkałam mężczyznę, z którym pójdę dalej. Odczytałam znaki, dane mi tylko w tamtej chwili.

Znalazłam moje miejsce na ziemi. Jestem mu potrzebna.